UM GATO EM TÓQUIO

TÍTULO ORIGINAL *The Cat And The City*
Copyright © Nick Bradley, 2020
Publicado mediante acordo com Johnson & Alcock Ltd.
Todos os direitos reservados.
© 2024 VR Editora S.A.

GERÊNCIA EDITORIAL Tamires von Atzingen
EDIÇÃO Thaíse Costa Macêdo
EDITORA-ASSISTENTE Marina Constantino
ASSISTÊNCIA EDITORIAL Michelle Oshiro
PREPARAÇÃO Juliana Bormio
REVISÃO Ana Beatriz Omuro
ADAPTAÇÃO DE CAPA Gabrielly Alice da Silva e P.H. Carbone
ARTE DE CAPA Carmen R. Balit
DIAGRAMAÇÃO Gabrielly Alice da Silva e P.H. Carbone
ILUSTRAÇÕES © Mariko Aruga
PRODUÇÃO GRÁFICA Alexandre Magno

Dados Internacionais de Catalogação na Publicação (CIP)
(Câmara Brasileira do Livro, SP, Brasil)

Bradley, Nick
   Um gato em Tóquio / Nick Bradley ; tradução Raquel
Nakasone. – Cotia, SP : VR Editora, 2024.

   Título original: The cat and the city
   ISBN 978-85-507-0537-8

   1. Ficção inglesa I. Título.

24-208427   CDD-823

Índices para catálogo sistemático:
1. Ficção: Literatura inglesa   823

Cibele Maria Dias – Bibliotecária – CRB 8/9427

Todos os direitos desta edição reservados à
VR EDITORA S.A.
Via das Magnólias, 327 – Sala 01 | Jardim Colibri
CEP 06713-270 | Cotia | SP
Tel.| Fax: (+55 11) 4702-9148
vreditoras.com.br | editoras@vreditoras.com.br

NICK BRADLEY

UM GATO EM TÓQUIO

TRADUÇÃO
Raquel Nakasone

Para os meus pais, por tudo…

… e para os meus irmãos, por todo o restante.

Sumário

Tatuagem	11
Palavras caídas	27
Street Fighter II (Turbo)	64
Sakura	84
Detetive Ishikawa: Notas do caso (1)	101
Caracteres chineses	109
Folhas de outono	132
Copy Cat	160
Bakeneko	182
Detetive Ishikawa: Notas do caso (2)	199
Omatsuri	211
Trofalaxia	227
Hikikomori, Futoko e Neko	246
Detetive Ishikawa: Notas do caso (3)	282
Cerimônia de abertura	290
Agradecimentos	309

青猫

萩原朔太郎 （大正12年）

この美しい都會を愛するのはよいことだ
この美しい都會の建築を愛するのはよいことだ
すべてのやさしい女性をもとめるために
すべての高貴な生活をもとめるために
この都にきて賑やかな街路を通るのはよいことだ
街路にそうて立つ櫻の竝木
そこにも無數の雀がさへづつてゐるではないか。

ああ　このおほきな都會の夜にねむれるものは
ただ一疋の青い猫のかげだ
かなしい人類の歴史を語る猫のかげだ
われの求めてやまざる幸福の青い影だ。
いかならん影をもとめて
みぞれふる日にもわれは東京を戀しと思ひしに
そこの裏町の壁にさむくもたれてゐる
このひとのごとき乞食はなにの夢を夢みて居るのか。

Um gato azul

de Hagiwara Sakutaro (1923)
traduzido para o inglês por Nick Bradley

Estar apaixonado por esta cidade é uma coisa boa
Amar os edifícios da cidade, coisa boa
E todas aquelas mulheres gentis
Todas aquelas vidas nobres
Passando por essas ruas movimentadas
Ladeadas por cerejeiras em ambos os lados
De cujos galhos cantam inúmeros pardais.

Ah! A única coisa que consegue dormir nesta vasta cidade à noite
É a sombra de um único gato azul
A sombra de um gato que conta a triste história da humanidade
O azul da felicidade que anseio.
Para sempre persigo qualquer sombra,
Pensei que queria Tóquio mesmo em um dia de neve
Mas olhe lá – aquele mendigo maltrapilho e gelado no beco
Encostado na parede – que sonho ele está sonhando?

Tatuagem

Kentaro levou a xícara de café fumegante aos lábios e soprou. O escritório nos fundos de seu estúdio de tatuagem era mal iluminado, e a luz da tela do seu *laptop* dava à sua barba branca e suja um tom azulado. Refletida em seus óculos havia uma longa lista de *links* em uma página aberta, que ele rolava para baixo lentamente. Sua mão segurava um *mouse* Bluetooth, com botões cobertos de marcas gordurosas de dedos. O café ainda estava quente demais para beber. Ele o pousou à direita de um porta-copos sobre a mesa e coçou preguiçosamente a virilha.

Clicou em um *link* e se deparou com uma barra de carregamento.

Após uma breve pausa, a transmissão ao vivo de uma *webcam* começou. A tela mostrava o quarto de alguém. O lugar era pequeno, com vários livros de Direito em uma prateleira – talvez de algum universitário. Na cama, um casal se beijava. Pelados. Alheios.

Kentaro ficou assistindo. Então, abriu o zíper da calça e enfiou a mão ali dentro.

A campainha do estúdio tocou. Ele congelou.

– Olá? – uma garota disse na sala de espera.

– Desculpe, um minuto.

Ele fechou o *laptop* depressa, se recompôs e foi cumprimentar a cliente.

Parada à porta estava uma estudante do ensino médio. À primeira vista, não havia nada marcante nela. Usava o clássico uniforme estilo marinheiro com meias largas e tinha o cabelo curto, tingido de loiro para se diferenciar das outras – mas era isso o que todas faziam hoje em dia. Parecia estar no último ano. Provavelmente tinha cometido algum tipo de erro ao entrar ali.

– Como posso ajudar, senhorita? – Kentaro fez sua melhor voz de atendimento ao cliente.

– Queria fazer uma tatuagem, por favor – ela disse com o queixo erguido.

– Ah, moça. Desculpe, mas como achou este estúdio?

– Um amigo me recomendou.

– E seu amigo é...?

– Não importa. Quero uma tatuagem.

Ela começou a avançar para o fundo da sala.

Kentaro colocou a mão na parede para impedi-la de continuar.

– Senhorita, não seja boba. Você é muito nova.

Ela olhou para o braço dele.

– Tenho dezoito anos. E não me chame de *senhorita*.

Ele abaixou o braço, sem graça.

– Você pensou bem nisso?

– Sim, pensei. – Ela o olhou nos olhos. – Quero uma tatuagem.

– Talvez você devesse ir embora e pensar mais uns dias.

– Já pensei bastante. Quero uma tatuagem.

– Mas talvez você não tenha pensado em algumas coisas. Você não vai poder entrar em nenhum *onsen*.[1]

– Não gosto de águas termais.

– As pessoas vão achar que você é da máfia japonesa, a yakuza. O que pode ser um pouco assustador pra uma jovem boazinha como você.

Ela revirou os olhos.

– Não me importo com o que as pessoas pensam. Quero uma tatuagem.

– É caro fazer uma tatuagem. Pode custar até três milhões de ienes.

---

1 Casas de banho de águas termais típicas do Japão. (As notas numeradas são da tradução para o português, com exceção das notas sinalizadas com "N. E.", inseridas pela edição.)

– Eu tenho dinheiro.

– Escute, aqui eu faço do jeito tradicional, *tebori*:[2] é tudo feito à mão. Não sou como aqueles novatos de Shibuya cheios de truques. Nem os gângsteres que costumo tatuar conseguem lidar com esse tipo de dor.

– Eu consigo lidar com a dor.

Ela olhou diretamente para Kentaro, e então ele viu algo nos olhos dela, um brilho suave, um verde-claro, quase transparente, que jamais tinha visto em uma japonesa antes.

– Sei. – Ele virou a placa da porta para FECHADO e gesticulou para que a garota o seguisse. – Vamos bater um papinho ali nos fundos.

Ele acendeu as luzes assim que entraram, e a mesa em forma de cama onde seus clientes se deitavam ficou visível, assim como as fotos das várias tatuagens que fizera ao longo dos anos – dragões sibilantes, carpas *koi* de boca aberta, mulheres de *topless*, deuses xintoístas e *kanjis* elaborados espalhados pelas costas, pelas nádegas e pelos braços nus de seus clientes. A maioria deles eram da yakuza.

Kentaro aprendera seu ofício com um dos antigos mestres de Asakusa, e ficara famoso por sua habilidade e dedicação. Nada lhe agradava mais do que tatuar uma pele fresquinha, inventando cenas com tinta em pequenos espaços de pele. A única coisa que chegava perto da satisfação de criar uma obra-prima em outro ser humano era o poder que tinha sobre os gângsteres que tatuava.

– Vai doer um pouco – ele dizia.

– Eu aguento – eles respondiam.

Era o que todos falavam.

Então ele começava o trabalho e sentia a dor no movimento deles, na sutil tensão de seus músculos e corpos, no som que emanavam com os dentes cerrados, enquanto ele rasgava gentilmente suas peles com agulhas de metal no estilo tradicional que aprendera com seu antigo mestre, deixando sua marca

---

2 Espécie de caneta com várias agulhas na ponta, hoje em dia bastante usada para fazer micropigmentação.

indefinidamente. Dava-lhe grande prazer pensar no domínio que exercia sobre esses que eram considerados os reis dos homens, senhores do submundo do crime. Seu controle criativo era supremo; apenas ele decidia as imagens e histórias que fariam parte dos clientes para sempre – às vezes, até após a morte. Se o cliente doasse sua pele para o Museu de Patologia, ela seria retirada do cadáver antes da cremação, tratada corretamente e armazenada. Muitas obras de Kentaro estavam expostas atrás dos vidros do museu.

Ele sabia que era o melhor – assim como a yakuza, que o respeitava enormemente como artista. Mas não costumava ter muitas clientes mulheres – nem as mulheres da yakuza o procuravam para se tatuar. Todas iam a outros lugares.

Mas ali estava uma cliente do sexo feminino, parada bem diante dele.

– Onde eu me sento? – ela perguntou.

– Ah! Espere. – Ele pegou uma cadeira do canto, perto da sua. – Aqui, sente-se.

Ela se sentou cautelosamente e colocou as mãos no colo.

– E aí, o que vai querer tatuar?

– A cidade.

– A cidade?

– Tóquio.

– Isso não é muito… *convencional*.

– E daí? – Os olhos dela cintilaram.

– Onde você quer?

– Nas costas.

– Vai ser um pouco complicado…

– Olhe, senhor. Consegue fazer ou não?

– Claro que consigo. Não precisa se irritar. Só preciso descobrir como. – Ele apoiou o queixo na mão, olhou para o *laptop* fechado e então teve uma ideia. – Ah! Um minuto.

Ele abriu o *laptop* e ficou tamborilando os dedos no teclado, esperando a máquina voltar à vida, impaciente. O que aconteceu bem quando a garota na tela estava de frente para a *webcam*, curvada, levando uma por trás e com força. Os alto-falantes do seu *laptop* emitiram um gemido baixo.

Ele fechou a janela do navegador o mais rápido que conseguiu.

O rosto de Kentaro ficou vermelho feito o inferno. Ele olhou de soslaio para a garota sentada ao seu lado, mas ela estava observando as fotos dos seus antigos clientes nas paredes. Talvez ele tivesse escapado. Por um triz.

Abriu uma nova janela e clicou em uma página dos favoritos, que o levou ao Google Maps. Quando o mapa carregou, ele digitou "Tóquio" na barra de pesquisa. O mapa se ampliou e a cidade preencheu a tela. Ele clicou na visualização de satélite e depois ampliou mais a imagem, deixando os detalhes cada vez mais nítidos: linhas de grade entre edifícios divididos por ruas, canais serpenteando vielas estreitas, a extensa baía e os veios e capilares dos trilhos de trem despejando pessoas por toda a cidade.

– Que maravilhoso. Quero isso nas minhas costas – ela disse.

– Não, *isso* é impossível.

– Eu vim aqui porque você é considerado o melhor. – Ela suspirou. – Acho que estavam errados então.

– Ninguém é capaz de fazer isso.

– Tenho certeza de que poderia encontrar alguém pelo valor certo.

– Não se trata de preço, mas de habilidade. Sou um dos poucos *horishi*[3] verdadeiros que restam em Tóquio.

– Então por que você não pode fazer?

– Vai levar tempo. Poderia ser um ano, quatro anos.

Ele tirou os óculos e esfregou o rosto com a mão suada.

– Eu tenho tempo.

– Vai ser bem doloroso também. – Ele conteve um sorrisinho.

– Eu já te falei que dor não é um problema.

– Você vai ter que ficar pelada e se deitar de costas nessa mesa.

---

3   Tradicional tatuador japonês.

– Claro.

Ela começou a tirar a camisa na mesma hora, sem nenhum sinal de timidez.

Kentaro sentiu um calor no estômago e olhou para o chão depressa. Correu até o banheiro para pegar óleo de bebê. Definitivamente não era necessário, mas ele pensou em usar o óleo como desculpa para tocá-la. Pensou no mestre que o treinara quando ele era aprendiz – o homem estaria se revirando no túmulo ao vê-lo mandar esse truque do óleo de bebê. Quando voltou para a sala, ela já estava nua, deitada de bruços na mesa. Kentaro não conseguia acreditar no que via. Sua pele era perfeita, imaculada. Os músculos da parte inferior das costas seguiam impecavelmente até as nádegas redondas, que encontravam brevemente as poderosas coxas. Engoliu em seco enquanto caminhava até ela.

– Hum, só preciso passar óleo nas suas costas.

– Ok. – Ela se mexeu um pouco.

Ele derramou um pouco de óleo na mão direita – a embalagem fez um som de peido, pelo qual ele quase se desculpou, mas depois desistiu. Fechou a tampa e começou a esfregar o óleo na pele dela, que brilhava sob as lâmpadas. O calor que sentira no estômago começou a se espalhar para baixo.

– Então... qual é o seu nome?

– Naomi.

– Hum... Naomi... nome bonito. E... você tem namorado?

Ela se virou para olhar diretamente para Kentaro com seus olhos verde-claros. Ele podia ver seus seios.

– Olhe, senhor. Não vou tolerar nenhum tipo de gracinha. Vim aqui fazer uma tatuagem, e é só o que quero. Eu te vi olhando uma bizarrice no seu *laptop* antes, e por mim tudo bem, cada um com suas esquisitices, sabe. Só não sei como aquele casal se sentiria com você os espiando pela *webcam*. Talvez você devesse pensar nisso um pouco. Mas não vou permitir você me secando. Estou te pagando por um serviço, então seja profissional. Entendeu?

Kentaro ficou ouvindo com as mãos moles e oleosas no ar.

– Espiando? *Webcam*? Não sei do que você está...

– Me poupe dessa merda. Não quero ouvir. – Ela se deitou de novo. – Aliás, sua braguilha está aberta.

Kentaro olhou para baixo, fechou a braguilha e começou a trabalhar.

⁂

Kentaro sempre foi bom no trabalho. Conseguia se manter concentrado por horas seguidas – geralmente era o cliente que pedia uma pausa antes de ele sequer se sentir cansado. Quando estava tatuando, dava tudo de si na tarefa, e seu trabalho sempre foi muito elogiado pelos colegas.

Naomi o visitou ao longo de vários meses, toda vez que tinha tempo. E ele sempre ficava feliz ao vê-la. Ele tinha agulhas superfinas feitas especialmente pelo melhor vendedor de facas de Asakusa.

Kentaro desenhou a cidade inteira nas costas, nos ombros, nos braços, nas nádegas e nas coxas dela. Começou pelas ruas, pelos prédios e rios – traçando o contorno antes de começar a pensar na coloração da tatuagem. Primeiro, era preciso completar o esqueleto fantasmagórico em forma de concha de Tóquio, e somente quando isso estivesse concluído ele poderia começar a sombrear e colorir. A tatuagem completa levaria alguns anos para ser finalizada e exigiria visitas regulares durante esse período, nas quais ele trabalharia em uma parte de cada vez – também havia a questão de quanta dor a cliente aguentaria em uma única sessão.

Ele partiu direto para a tarefa de pintar a cidade, o que sempre fazia à maneira tradicional *tebori*, esculpindo e pintando linhas profundas na pele de Naomi com suas agulhas de metal. Ela era realmente uma das clientes mais duronas que já tivera – nem piscava com a dor. Ele usava um par de lupas presas aos óculos para desenhar detalhes mínimos, criando características microscópicas que mantinham a estrutura geral do desenho quando visto de longe.

Kentaro só tinha uma dificuldade: era impossível memorizar a cidade inteira enquanto trabalhava. Ele tinha que trabalhar parte por parte, consultando imagens ampliadas em seu *laptop*. Ao contrário de todos os seus projetos anteriores, que ele conseguia visualizar completamente enquanto trabalhava, o tamanho e a escala da cidade macroscópica eram coisa demais para ser retida em um cérebro humano.

Foram necessárias várias visitas para desenhar o contorno. A última parte em que trabalhou foi seu próprio estúdio em Asakusa. Ele tinha planejado deixar o telhado em branco no final, para assinar seu nome ali – mantendo a tradição.

Depois de completar o contorno da cidade em tinta preta, ele enfrentaria o colorido, o sombreado e o detalhe. Decidiu começar com Shibuya.

– Hum... – Ele parou para pensar.

– O que houve? – Naomi perguntou, erguendo a cabeça.

– Ah, só estou tentando decidir se vou fazer as pessoas *atravessando* o cruzamento de Shibuya ou se vou deixá-las esperando o semáforo abrir.

– Não quero pessoas.

– Como assim?

Ela abaixou a cabeça na mesa e fechou os olhos.

– Só quero a cidade. Não quero pessoas.

– Mas não existe cidade sem pessoas.

– Não ligo. É a minha pele, minha tatuagem. Estou pagando.

– Hum.

Kentaro sentiu uma pontada de orgulho. Era verdade que Naomi pagava regularmente e era uma boa cliente. Mas ele era um dos melhores tatuadores de Tóquio. Seus clientes sempre concordavam com *suas* criações. Eles nunca lhe diziam o que fazer. Seu artista interior se inflamou, mas como dizia o ditado japonês: *kyaku-sama wa kami-sama desu* – o cliente é um deus.

Bem... Ela não queria *pessoas*. Animais não eram pessoas, né?

Ele sorriu para si mesmo e desenhou uma gatinha – com duas manchas coloridas, do tipo tricolor – bem em frente à estátua do cachorro Hachiko em Shibuya. E então continuou seu trabalho.

⁂

Foi durante o sombreamento da tatuagem que Kentaro realmente começou a perder a cabeça.

Naomi falava durante as sessões, pedindo-lhe para descrever as partes da cidade em que estava trabalhando. Ela lhe dizia as estações do ano que queria em cada local, e então ele coloria os bordos de vermelho no outono, ou os gingkos de amarelo vivo, ou as *sakuras* do Parque Ueno de rosa-claro na primavera.

– Onde você está agora? – ela perguntou.

– Ginza. Acabei de terminar o prédio Nakagin.

– Ótimo. É inverno em Ginza.

– Sei.

Então ele começava a sombrear e colorir a neve branca e fina que caíra durante a noite. A cidade estava se tornando uma colcha de retalhos das estações.

Geralmente, quando Kentaro trabalhava em uma parte de Tóquio e falava com Naomi sobre esse lugar, ela voltava na próxima sessão tendo visitado essa parte da cidade. Ela costumava trazer algum presente ou lembrancinha para ele – doces de Harajuku, *gyoza* de Ikebukuro – e o rosto dele ficava vermelho de vergonha.

Às vezes, eles bebiam chá verde juntos e ela lhe contava histórias de coisas que tinham acontecido ou coisas que ela vira – a construção do novo estádio olímpico estava progredindo cada vez que ela passava por lá. Ela contava a Kentaro histórias de todas as pessoas que via vivendo suas vidas na cidade, e ele ficava ouvindo em silêncio, sem interrompê-la.

⁂

Uma vez, durante uma pausa em uma sessão que tinha avançado por horas a fio, enquanto Kentaro estava limpando seus utensílios, Naomi apontou para um grande livro de arte com gravuras *ukiyo-e*,[4] de Utagawa Kuniyoshi, e lhe perguntou sobre ele. Kentaro o pegou da prateleira e a deixou levá-lo para a poltrona. Utagawa sempre fora uma inspiração artística para ele – seu mestre lhe apresentara o artista e o fizera praticar durante meses copiando as pinturas de Utagawa antes que ele pudesse tocar um pedaço de pele sequer. Naomi sentou-se com o livro no colo e foi virando as páginas lentamente.

– São tão lindas – ela disse, examinando cada pintura com atenção, correndo o dedo pela página, acompanhando os contornos dos inúmeros gatos e esqueletos de demônios.

– Ele era uma lenda. – Kentaro suspirou.

– Adorei essa.

Ela bateu o dedo na página e Kentaro esticou o pescoço para ver uma cena de corte com uma cabeça de gato fantasmagórica flutuando ao fundo. Os gatos apareciam apoiados nas patas traseiras dançando feito humanos, com lenços na cabeça e braços abertos.

– Sim. – Kentaro engoliu a risada, se lembrando da peça que pregou em Naomi ao tatuar aquela gata nas costas dela.

– E olhe só essas daqui. – Ela ergueu o livro para ele. – Ele transformou esses atores *kabuki*[5] em gatos!

– Essa é uma história interessante – disse Kentaro, fazendo uma pausa para guardar as ferramentas e se aproximando para olhar o livro por cima dos ombros de Naomi.

– Continue. – Ela o encarou com seus olhos estranhos.

– Bem, naquela época, o *kabuki* tinha se tornado um negócio estridente e decadente, quase como uma orgia.

– Que engraçado – ela disse, abrindo um sorriso atrevido.

---

4 Estilo popular de xilogravura e pintura dos séculos XVII a XIX.

5 Teatro japonês originário do século XVII, conhecido pela estilização do drama e pelo uso de elaborada maquiagem. Foi proibido pelo governo em 1629, quando passou a ser encenado por rapazes que interpretavam papéis femininos.

– Bem, o governo não achou nada engraçado. Proibiram qualquer representação artística de atores *kabuki*.

– Que loucura!

– Pois é. Enfim, Utagawa substituiu os atores humanos por gatos. Foi seu jeito de driblar a censura.

– Esperto.

Ela olhou novamente para a imagem de três gatos vestidos de quimono, sentados a uma mesinha baixa e tocando *shamisen*.[6]

– Meu antigo mestre era obcecado por ele.

– Onde ele está agora?

– Ele faleceu. – Kentaro apontou para uma foto na parede. – É ele.

Naomi olhou para a foto do homem rude ao lado do jovem Kentaro. Ela havia sido tirada na frente do mesmo estúdio de tatuagem em que estavam naquele momento.

– Ele parece bem sério.

– Ele era. Bem rígido. Me fazia acordar às quatro pra passar o dia varrendo e limpando o estúdio. Não me deixou nem encostar em uma agulha ou pele durante dois anos. Maldito velho maluco. – Ele balançou a cabeça e sorriu.

Naomi observou Kentaro, pensativa.

– Por que você não tem um discípulo?

Ele suspirou baixinho, sem a condescendência habitual.

– Por onde começo...

– Pelo começo? – Ela deu de ombros.

– Bem, o governo fez outro excelente trabalho ao conferir uma péssima fama ao *irezumi*, assim como a antiga censura fez com o *kabuki*. Eles associaram a prática a criminosos, para que as pessoas não quisessem se envolver com ela. Sabe, antigamente era uma coisa bastante respeitável fazer uma tatuagem, já que era a

---

6   Conhecido instrumento musical japonês de três cordas utilizado em apresentações tradicionais de teatro *kabuki*, de teatro de bonecos *bunraku* e em outras ocasiões mais atuais.

marca dos bombeiros. As pessoas amavam e respeitavam os bombeiros, que não eram nada como esses bandidos rudes exibindo suas tatuagens por aí hoje em dia. De qualquer forma, estou desviando do assunto... o que eu estava dizendo?

– Você estava dizendo por que ninguém mais quer ser *horishi*.

– Ah, sim. Hoje existem amadores em Shibuya usando toda essa tecnologia moderna para tatuar. Ninguém quer aprender o antigo método *tebori*. Ninguém quer trabalhar duro. Todo mundo quer fazer as coisas da maneira mais fácil. Mas nenhum deles é um verdadeiro artista.

– Como você. – Ela sorriu para ele.

Kentaro corou e olhou para o chão.

– Venha, Naomi – ele disse, terminando o chá. – Vamos continuar.

E foi nesse dia que aconteceu pela primeira vez.

Quando Kentaro estava na metade da coloração da tatuagem, seus olhos passaram pela parte de Shibuya que ele já tinha completado. Ele viu a estátua do cachorro Hachiko, e seus olhos seguiram para as ruas comerciais de Harajuku, mas então algo se acendeu em sua mente. Ele voltou a observar a estátua.

A gata tinha sumido.

Ele piscou e balançou a cabeça. Talvez o cansaço finalmente o estivesse afetando. Olhou de novo. Não, a gata não estava mais lá.

Será que ele tinha imaginado desenhar aquela gata? Sim, essa era a explicação mais simples para o sumiço do animal. Ele provavelmente tinha sonhado que desenhava a gata, e o sonho lhe parecera tão vívido que ele tinha acreditado. Sim. Estava tudo bem, sem dúvida. Os sonhos às vezes invadiam a realidade, não é?

Mas, naquele mesmo dia, quando estava prestes a sombrear a área em volta da Torre de Tóquio, vislumbrou algo que lhe deu um calafrio. Ele estava correndo os olhos pela rua da estação Hamamatsucho em direção à região da Torre de Tóquio. E logo abaixo de uma rua lateral que saía da rua principal, ele viu a gata.

– Mas o que...

– Está tudo bem? – Naomi perguntou, se mexendo.

– Ahn, sim – ele respondeu.

A agulha em sua mão estava tremendo um pouco, mas ele se controlou. Talvez tivesse confundido onde tinha desenhado a gata originalmente. Com certeza, era isso. Ignorou a gata e recomeçou o trabalho, colorindo a Torre de Tóquio de vermelho e branco.

Mas na sessão seguinte, antes de iniciar o trabalho, procurou a gata nas ruas laterais perto da estação Hamamatsucho e não a encontrou. E quando estava colorindo as ruas do Parque Inokashira em Kichijoji, viu a gata espreitando à beira do lago no meio do parque.

Ela estava definitivamente se movendo.

Kentaro passou a temer as sessões com Naomi. Ele não conseguia trabalhar sem antes achar a gata, e de vez em quando passava uma hora vasculhando a cidade à procura dela para só então começar a trabalhar com suas agulhas e tintas. Por consequência, isso acabou atrasando o progresso da tatuagem, que já estava demorando muito mais que o planejado. Naomi nunca reclamava do tempo que ele levava na tarefa, e aos poucos as sessões foram ficando cada vez mais exaustivas conforme ele ia sendo assombrado pelo espectro da gata. Ele sonhava com o animal perambulando pela cidade e passava a maior parte da noite em um pesadelo lúcido, suando de pavor na luta para encontrar a gata esquiva. *Você não vai me pegar*, ela o provocava, piscando seus estáveis olhos verdes para ele. *Velho burro. Não vai não vai não vai.* Ele queria agarrá-la pelo pescoço e sacudi-la, extraí--la, arrancá-la de seu trabalho – *sua* arte, *sua* Tóquio e, principalmente, *sua* Naomi.

Porque ela *era* dele, não era? Toda esparramada ali diante dele dia após dia.

Em uma sessão, ele passou a maior parte da tarde procurando a felina, percorrendo todas as ruas e becos, mas a bichana não estava em lugar algum. O alívio o banhou feito água quente – ele devia tê-la imaginado desde o começo.

Mas, enquanto seus olhos seguiam por Roppongi, seu coração parou: ali estava ela, emergindo de uma saída do metrô. Seu rabo estava erguido, como se o estivesse provocando.

Naquele dia, ele só conseguiu trabalhar meia hora na tatuagem antes que Naomi tivesse que sair.

⁂

Só quando estava chegando ao fim do trabalho com ela que Kentaro entendeu o que deveria fazer. Ele tinha olheiras escuras debaixo dos olhos, tinha perdido todo o apetite, pois era difícil engolir a comida, e tinha ficado magro feito um esqueleto. Sua barba rala havia se transformado em uma barba desgrenhada, e seus olhos, em pontos de tinta preta profundamente afundados no crânio, que olhavam vagamente para as paredes da sua sala. Mesmo antes, ele raramente saía ou era sociável. Costumava passar a maior parte do tempo na internet, pesquisando livros de arte, ou desenhando e pintando. Mas agora caminhava pelas antigas ruas de Asakusa murmurando consigo mesmo. Estava andando depressa e acabou esbarrando em um morador de rua que usava uma bandana roxa. Kentaro perdeu a paciência e gritou descontroladamente com o estranho, que se desculpou muito até ele seguir em frente. Comprou uma faca do famoso mestre das lâminas de Asakusa, que sempre visitava. O homem o olhou de um jeito um pouco estranho, mas não comentou nada sobre seu abatimento nem sobre o fato de Kentaro só comprar agulhas dele, e nunca facas.

Levou a faca para casa e a afiou. Depois, a testou no próprio dedo, que jorrou sangue com a mínima pressão. Prendeu a arma debaixo da mesa para que Naomi não a visse. E esperou.

Ela chegou para o que eles sabiam que seria a última sessão e se despiu depressa, como sempre. Kentaro se esforçou para agir naturalmente enquanto ela lhe contava sobre um festival de verão com fogos de artifício do qual havia participado, mostrando-lhe fotos do *yukata*[7] que escolhera. Ele acenou a cabeça e sorriu, fingindo ouvir.

Kentaro trabalhou bem, em uma espécie de contentamento bobo, porque o pesadelo lúcido logo chegaria ao fim. Terminou o sombreamento de Kita-Senju no braço dela, então deu uma olhada na área de Asakusa, procurando

---

7   Tipo casual de quimono usado no verão.

aquele último espaço em branco para preencher – o telhado do seu próprio estúdio de tatuagem. Percorreu o caminho desde o portão Kaminari do Templo Sensoji até sua sala. Ele faria o seguinte: assinaria seu nome no telhado do prédio, declarando que a tatuagem estava concluída. E então pegaria sua faca e começaria.

Mas, quando foi assinar seu nome, viu a gata sentada do lado de fora do estúdio.

Então teve a terrível certeza de que, se desviasse o olhar da tatuagem no corpo de Naomi e olhasse para a porta, veria a gata sentada ali, observando-o com seus olhos verdes.

Engoliu em seco e fechou os olhos.

Mas a cidade ainda estava lá. Era como se a olhasse do espaço. Sua mente era como uma câmera olhando para baixo. Então a câmera começou a dar *zoom* no globo, no Japão, em Tóquio, até chegar às ruas. Focou o telhado vermelho do seu estúdio, e lá se viu trabalhando nas costas perfeitas de Naomi, na tatuagem da cidade. A câmera não parou. Ele havia perdido o controle. Ela focou a tatuagem e continuou dando *zoom*: no Japão, em Tóquio, em Asakusa, no telhado do estúdio, focando na tatuagem mais uma vez. E assim por diante, indefinidamente.

Se não abrisse os olhos, ficaria preso para sempre. Dando voltas e mais voltas, dando *zoom* na cidade sem parar. Mas os manteve fechados.

Pois quando os abrisse, veria que não havia mais espaço para assinar seu nome no telhado do estúdio – ele estaria preenchido com um verdadeiro telhado vermelho. E se depararia com uma cidade com milhões e milhões de pessoas indo e vindo, circulando por estações de metrô e prédios, parques e rodovias, vivendo suas vidas. A cidade bombeava sua merda pelos canos, transportava seus corpos em contêineres de metal e guardava seus segredos, suas esperanças, seus sonhos. E ele não estaria mais sentado do outro lado assistindo tudo através de uma tela. Ele também faria parte disso. Ele seria uma dessas pessoas.

Com os olhos ainda fechados, enfiou a mão debaixo da mesa, procurando desesperadamente pela faca.

Ele tremeu quando abriu os olhos.

Os músculos das costas de Naomi se flexionaram e ganharam vida.

E o mesmo aconteceu com a cidade.

Palavras caídas

"Era uma vez um astuto comerciante de antiguidades chamado Gozaemon."

Ohashi fez uma pausa e seus olhos brilharam na luz diminuta. Ele tinha prendido o cabelo grisalho com uma bandana roxa, e tinha uma barba longa e desgrenhada no rosto enrugado. Era magro para a idade, mas uma pequena pança estava se formando. Ele se ajoelhou em uma almofada com as mãos à sua frente, na habitual postura do *rakugoka*.[8]

"Ele era um homem dissimulado e sagaz", continuou, e sua voz ecoou baixinho pela sala silenciosa, *"que não hesitava em se disfarçar de monge pobre para visitar as casas dos idosos em busca de tesouros, que depois vendia em sua loja de antiguidades a preços elevados."*

Ohashi já tinha apresentado o *rakugo*[9] em locais abarrotados, para ricos e pobres, e todas as vezes tratava as histórias como se fossem a última que contaria – como se suas palavras pudessem ser levadas para a multidão em seu último suspiro. Tinha escolhido a história daquele dia especificamente para aquele público. Limpou a garganta e continuou.

---

8   Artista performático japonês do século XVII que apresenta monólogos humorísticos ou dramáticos. Apresenta-se sempre em solo, sentado num tatame sobre o palco. As histórias narradas se caracterizam por longos diálogos entre dois ou mais personagens, e o espectador é guiado por meio de nuances na voz e nos gestos quase imperceptíveis do ator.

9   *Rakugo* significa, literalmente, "palavras caídas". É o nome que se dá ao entretenimento humorístico em que se apresenta o *rakugoka*.

"Um dia, depois de roubar a estante cara de uma mulher, o desonesto Gozaemon parou em uma loja de bolinhos para comer. Ele se sentou em um banco do lado de fora e ficou esperando seu doce. Enquanto aguardava, viu um gato velho e sujo bebendo o leite de uma tigela. Mas não foi o gato que o deixou interessado. A tigela que ele lambia avidamente era uma antiguidade – ele tinha certeza de que poderia vendê-la por 300 peças de ouro. Gozaemon suou frio, sentindo a familiar excitação diante da perspectiva de um roubo. Ele se recompôs quando a dona da loja saiu com sua comida."

Quando Ohashi interpretava as palavras de seus personagens, sua voz e gestos se transformavam tanto que as pessoas poderiam até pensar que ele estava possuído. Na pele de Gozaemon, ele se virava para a direita, juntava as mãos e falava eloquentemente. Quando interpretava a velha, deslocava-se para a esquerda, curvava-se e contorcia as feições como se tivesse envelhecido trinta anos em uma fração de segundo. Entre os diálogos, ele encarava o público para fazer a voz jovial do narrador.

"Que belo gato você tem", disse Gozaemon.

"Qual? Aquele velho sarnento?", a senhora falou, surpresa.

"Sim. Ele é muito fofinho." Gozaemon se ajoelhou para fazer carinho no bichano. Ele rosnou e arqueou a coluna. "Ele me lembra meu gatinho, que tristeza... não, é doloroso demais falar disso... Meus filhos adoravam aquele gato..."

Gozaemon fingiu abafar o choro, e a senhora inclinou a cabeça para o lado.

"Talvez... Oh, acho que seria demais pedir uma coisa dessas." Ele ergueu a cabeça.

"O quê?", a mulher perguntou, fazendo um beicinho.

"Bem, você estaria disposta a vender este gato?"

"Esse velho saco de pulgas?"

"Sim, esse gatinho charmoso."

"Não sei. Ele afasta os ratos da loja."

"Estou disposto a pagar...", disse Gozaemon, com a voz um pouco vacilante.

"Ah, é?" A mulher ergueu a sobrancelha.

"Três... não, que tal duas peças de ouro?"

"Você disse três."

"*Está bem, você barganha muito bem, madame. Três.*"

"*Fechado*".

Gozaemon sorriu. Ele entregou as três peças de ouro para a senhora e se ajoelhou para pegar o gato, que mordeu sua mão na mesma hora. Mas ele ignorou a dor. E foi pegar seu verdadeiro alvo: a tigela cara em que o gato bebia seu leite.

"*Ei*", *a senhora falou bruscamente.* "*O que está fazendo?*"

"*Ah, só estou pegando a tigela do gatinho.*"

"*Por quê?*"

"*Porque ele vai precisar.*"

"*Eu te dou outra.*"

Ela entrou na loja e saiu com uma tigela barata. Depois, a limpou no avental, que ficou marrom.

"*Mas o gatinho vai sentir falta dessa tigela especial.*"

"*Ele vai beber de qualquer uma. Além disso, você não pode ficar com essa tigela. Ela vale 300 peças de ouro.*"

Gozaemon ficou chocado, mas se esforçou para disfarçar.

"*Trezentas peças de ouro? É uma tigela cara demais para deixar com um gato.*"

"*Sim, mas ela me ajuda a vender gatos sarnentos por três moedas de ouro cada.*"

A senhora abriu um sorriso malicioso.

Ohashi terminou a história com perfeição. Fez uma reverência para o público e sorriu. Enxugou o suor da testa. Executara uma versão impecável de "*Neko no sara*", ou "A tigela do gato".

Sua plateia soltou um miado.

Ohashi levantou-se de sua almofada imunda e caminhou em direção à gata tricolor, que ficou o tempo todo sentada em silêncio. Era a única plateia do dia, assistindo toda empertigada – a mesma postura de Ohashi contando sua história. Ele fez carinho atrás da orelha dela.

– Vamos arranjar alguma coisa para você comer.

Eles saíram da sala de reuniões do hotel cápsula abandonado e caminharam pelos corredores decadentes até onde Ohashi dormia. Estava escuro no antigo hotel, mas Ohashi ocupava aquele lugar havia tanto tempo que conseguia navegar pelo local com os olhos fechados. A gata também não teve problemas para se achar. A escuridão ajudava a esconder alguns dos elementos mais desagradáveis do lugar: os fungos crescendo nas paredes, as tábuas podres do piso, o papel de parede descascando e os rostos macabros nos velhos cartazes de propaganda da cerveja Kirin, com sorrisos rasgados, curvando-se lentamente com o tempo.

Fora a gata que levara Ohashi ao hotel vazio dez meses antes, quando ele estava perdido na cidade, procurando um lugar para dormir. Ele estava tremendo embaixo de uma ponte em uma noite congelante quando a gatinha lambeu sua mão, encarou-o nos olhos e caminhou alguns passos antes de parar para esperar o velho. O hotel tinha fechado muitos anos antes, e desde então ninguém se importava com ele. Mais uma vítima da explosão da bolha econômica – oferta excessiva e demanda insuficiente. Se tivesse contado essa história para alguém, provavelmente não acreditariam, mas a gata salvara sua vida.

Ela e Ohashi caminhavam pelas fileiras de cápsulas vazias: pequenos casulos de dormir empilhados uns sobre os outros. Todos pareciam um caixão e tinham uma cortininha para cobrir a entrada na hora de dormir. Trabalhadores bêbados de tempos mais decadentes costumavam dormir ali quando perdiam o último trem para casa. Mas agora as cápsulas não estavam sendo utilizadas – exceto uma.

Ohashi entrou em sua cápsula e acendeu uma pequena lâmpada a bateria. Cercado pelo vazio, ele decorou o interior de seu casulo com fotos antigas cuidadosamente selecionadas para lembrá-lo de tempos melhores. As fotos mostravam Ohashi mais jovem e mais magro, apresentando o *rakugo* com um quimono elegante, dando autógrafos, cumprimentando fãs, aparecendo na televisão, conhecendo famosos – dos dias em que ele conseguia lotar teatros e sair com estrelas de cinema e artistas. Mas isso foi antes.

Ele guardava as antigas fotos de família em uma cópia de *Declínio de um homem*, de Dazai Osamu, e raramente abria o livro para vê-las. Nunca gostou muito de Dazai Osamu mesmo.

Ajoelhando-se em seu *futon*, enfiou a mão dentro da cápsula e tirou uma lata de peixe de uma sacola de compras, abriu o anel de metal e colocou-a no chão para a gata. A felina miou e mordiscou o peixe enquanto Ohashi a acariciava preguiçosamente e folheava um jornal.

Depois de comer até se fartar, ela ficou observando Ohashi segurando o jornal e olhando para o nada. Queria sua atenção. Esfregou a cabeça nas mangas e calças largas do homem, marcando-o com seu cheiro, gesto que Ohashi traduzia como *você é meu*. Ele pegou um *onigiri* de salmão, abriu a embalagem e comeu-o devagar, acompanhado de uma garrafa de chá de trigo gelado que pegou da mesma sacola.

– Já vamos sair pra dar uma volta, você e eu – falou para a gata, entre mordidas. – Talvez eu encontre uns amigos esta noite.

Ela lambeu a pata e piscou.

⁙

Ohashi saiu silenciosamente pela janela em direção ao beco dos fundos – como sempre fazia para entrar e sair do hotel cápsula, como a gata lhe mostrara da primeira vez. Nunca usava a porta da frente para não levantar suspeitas da polícia ou dos habitantes mais intrometidos do bairro. Deixou-a sair também. Ela perambulava sozinha durante o dia, em busca de algo melhor para comer.

Ohashi também saía durante o dia para caçar.

Ele atravessou a rua, desceu por um beco e puxou a lona azul do carrinho que havia feito cuidadosamente com pedaços de madeira e duas rodas velhas de bicicleta. Empurrou-o pelas ruas e as rodas fizeram aquele barulho familiar que o acompanhava quando saía em busca de alimento.

Ohashi passava os dias vasculhando a cidade atrás de latas para reciclar. Procurava latinhas ao lado das centenas de milhares de máquinas automáticas espalhadas pelas ruas de Tóquio. Esvaziava e amassava cada lata com um bastão de metal pesado para armazená-las em seu carrinho. A rotina tinha se tornado mecânica, pontuada pelo barulho das rodas da carroça e do porrete esmagando as latas na calçada. Depois de coletar o maior número possível delas, ele as esmagava ainda mais, colocava-as em sacos e levava-as para uma estação de pesagem para receber seu dinheiro.

As ruas eram um labirinto quando ele começara aquela vida. As intermináveis lojas de conveniência e os restaurantes franqueados se misturavam em uma rua comprida, que seguia pelas entradas e saídas dos arranha-céus de Shinjuku e pelas lojas de roupas de Harajuku, passando pelas lojas de departamentos de Ginza e indo até os condomínios de prédios altos que ladeavam a Baía de Tóquio. Caminhar pela cidade não era algo que costumava fazer em sua antiga vida – ele sempre pegava táxi ou andava de metrô –, mas agora tinha que percorrer toda a cidade a pé, e por isso levara um tempo para conseguir se orientar.

Tóquio girava em torno dele em alta velocidade. Os carros passavam, os trens zuniam no alto e as pessoas saíam das estações feito enxames enquanto ele empurrava lentamente o carrinho pelas ruas. Em sua antiga vida, ele fora um desses que se movimentavam velozes, sem medo do ritmo e da pulsação de Tóquio. Mas agora não podia mais entrar no metrô nem nos elevadores dos arranha-céus para apreciar a vista. Agora, esses arranha-céus eram apenas marcos no horizonte para que ele se orientasse. Os belos pores do sol que vira do alto eram uma lembrança que se desvanecia. Quando fechava os olhos para imaginar a cidade, só conseguia vê-la no nível da rua.

Após um longo dia coletando latinhas, com as costas curvadas e os pés cansados, ele parou em uma loja de conveniência e se aproximou da entrada dos fundos. Sentou-se na calçada com o carrinho e esperou pacientemente. Bem na hora, a porta se abriu e um garoto no final da adolescência saiu. Estava usando o uniforme da rede de conveniência Lawson, com listras azuis e brancas.

– Ohashi-san! – o rapaz falou.

– Ah! Makoto-kun. – Ele se levantou para cumprimentá-lo. – Como você está? Como vai a escola?

– Ah, bem, bem.

O garoto parecia cansado e passou a mão pelo cabelo levemente bagunçado, sem jeito. Ohashi gostava que ele não o espetava com gel, como a maioria dos rapazes da sua idade. Makoto segurava discretamente uma sacola plástica com a outra mão.

– Que bom. Vai se formar logo?

Ohashi estava muito ereto e imóvel, com as mãos formalmente posicionadas ao lado do corpo, parado na frente do carrinho, como se tentasse escondê-lo.

– Sim. Bem, acabei de me formar.

– E agora?

– Me inscrevi para um estágio no departamento jurídico de uma grande empresa de relações públicas que vai cuidar das Olimpíadas. – Makoto deu de ombros. – Ideia dos meus pais.

– Eles devem estar orgulhosos de você. Eu também estou.

Makoto sorriu e se lembrou da sacola pendurada sem jeito nos dedos da outra mão.

– Oh, aqui está. – A sacola tilintou quando ele a entregou. – Não é muito, mas é tudo o que consegui para você esta semana.

– Makoto-kun! É mais que o suficiente, muito obrigado. – Ohashi começou a mexer nas coisas ali dentro: latas de peixe, garrafas de chá de trigo e *onigiri*, tudo fora da validade e prestes a ser jogado fora. Parou quando viu uma garrafa de álcool. – Ah... Makoto-kun?

– Sim?

– Este *shochu*... acho que não preciso disso. – Ele tirou a garrafa da sacola.

– Desculpe, esqueci que o senhor não bebe... Bem, pode levar. Talvez algum amigo seu goste.

– É melhor não, se não se importar. – Ohashi entregou a garrafa para Makoto. – Desculpe. Não quero ser ingrato. Não posso... Por que não fica com ela? Você é... um bom... hum...

Fez-se um silêncio constrangedor enquanto Ohashi olhava para a parede para evitar os olhos de Makoto.

– Bem... se o senhor não quer mesmo... – Ele pegou a garrafa.

– Muito obrigado, Makoto-kun. Tenha uma boa noite.

– O senhor também, Ohashi-san. Vejo o senhor semana que vem?

– Perfeito, se não for incomodar.

– Se cuida.

– Tchau.

Ohashi pendurou a sacola em um gancho no carrinho e empurrou-o rua abaixo, para longe da loja de conveniência. Makoto ficou observando-o até que ele virasse a esquina e desaparecesse de vista. Por um momento, pensou como era triste ver um homem bom tão sem sorte daquele jeito. Era sempre educado e formal. Ele lembrava um pouco o Gen do Street Fighter II, com sua barba e cabelos grisalhos.

Balançou a cabeça e voltou para a loja.

∴

De noite, depois de um dia duro de trabalho, Ohashi costumava encontrar os amigos no acampamento – um pequeno aglomerado de lonas azuis e caixas de papelão aninhado junto à linha do trem num parque que só os sem-teto visitavam. As pessoas que moravam ali se esforçavam para manter o lugar em ordem – qualquer um que não fosse organizado o suficiente provavelmente seria expulso. No inverno, o cheiro não era tão insuportável, mas, no auge do verão, os moradores reclamavam do cheiro de urina. Os trens serviam como uma espécie de torre do relógio para a comunidade, pois o barulho das rodas nos trilhos era uma lembrança constante da passagem do tempo. Os moradores do acampamento eram discretos, viviam tranquilamente e, em geral, a polícia deixava-os em paz.

Ohashi caminhou pelas fileiras organizadas de casas compactas procurando por seus amigos.

– Aqui! – alguém gritou para ele.

Ele se virou e viu um grupo de três homens unidos em volta de uma pequena fogueira debaixo de uma das poucas árvores do parque. Foi até eles com uma postura solene.

– Boa noite, cavalheiros – Ohashi disse.

Tirou os sapatos, colocou-os junto dos outros e sentou-se na lona azul que os homens tinham esticado no chão. Quatro pares de sapatos estavam alinhados caprichosamente na grama.

Shimada cumprimentou Ohashi com um pequeno aceno de cabeça e a expressão séria de sempre.

– Boa noite, Ohashi-san – Taka disse. O rosto redondo exibia seu permanente sorriso caloroso.

– O que aprontou hoje? – Hori perguntou, magro e dentuço.

– O de sempre. Como vocês estão? – Ohashi falou.

Ele pegou a garrafa de chá de trigo da sacola e a ofereceu ao grupo. Todos recusaram, e como já conheciam bem Ohashi, não lhe ofereceram saquê.

– Fomos à igreja – Shimada contou.

– Conseguimos comida grátis – disse Hori.

– Alimento para a alma – falou Taka, melancólico.

– Isso... e sopa também – Hori completou, rindo.

Um trem passou, pausando temporariamente a conversa.

– Você devia ir também, Ohashi. Tem comida grátis.

– Sim, Ohashi-san. O Senhor sempre tem espaço pra você no coração. – Os olhos de Taka eram suplicantes.

– Ah, estou bem – Ohashi respondeu, olhando sem jeito para as chamas dançando no meio do grupo, como se houvesse algo ali que lhe demandasse atenção.

Depois, olhou em volta, procurando alguma coisa, até que seus olhos pousaram na cruz que Taka usava no pescoço.

Ohashi se lembrou da única vez que o convenceram a ir à igreja. Hori e Shimada apenas fingiam ser bons cristãos, mas Taka realmente acreditava em tudo. Ohashi ficava triste de ver todos aqueles homens azarados fazendo malabarismos para conseguir um pouco de comida. Antes de serem alimentados, tiveram que ouvir um pastor de terno barato e cabelo penteado para trás falar que Jesus morrera para salvar todos. O pastor disse sem hesitar que as pessoas de Hiroshima e Nagasaki tinham pagado pelos seus pecados. Ohashi não conseguiu acreditar no que ouvia nem por um segundo. Como esse homem podia dizer algo tão horrível? Será que ele acreditava mesmo nas palavras que saíam da sua boca? Nunca mais voltou depois disso. Ele ficava enjoado só de pensar naqueles cristãos se aproveitando dos pobres, que estavam no nível mais baixo da sociedade, alimentando-os com restos de comida e ideias ainda piores. Budistas nunca fariam isso. Depois, mulheres condescendentes serviam sopa de missô no jardim. Pelo jeito como elas não faziam contato visual e franziam o nariz, Ohashi percebia que elas odiavam o cheiro e o desleixo dos sem-teto. Só serviam a sopa para dizer a si mesmas que eram boas pessoas – era óbvio.

– Ouvi uns boatos – Shimada disse.

– Ah, é?

Ohashi olhou para o amigo, que estava com o rosto sério voltado para baixo. Shimada ergueu a cabeça e disse:

– Estão perseguindo os sem-teto da cidade.

– Como assim? – Ohashi se ajeitou para ficar mais confortável e bebeu um gole de chá.

– Olimpíadas – Hori falou. – Vai, Shimada. Conte pra ele.

– Bem... – Shimada bebeu seu saquê. – Tem gente desaparecendo das ruas. Tipo o Tanimoto, lembra? Ninguém sabe onde ele está. Sumiu. Faz semanas que não o vejo. Desapareceu. Tem alguma coisa rolando desde que anunciaram as Olimpíadas. Estão demolindo prédios velhos, construindo estádios novos, limpando as ruas. Organizando tudo, sabe. Se livrando dos *indesejáveis*. – Ele bufou. – A cidade está mudando.

Houve mais uma pausa na conversa quando outro trem passou exatamente na hora certa, fazendo barulho.

– Talvez Tanimoto-san tenha voltado pra casa da família – disse Taka, retomando o assunto.

– As pessoas não voltam pra casa depois *dessa* vida – Shimada falou, levantando a mão imunda. – Esta sujeira… não sai. Somos menos que humanos agora, até pras nossas famílias.

Ohashi olhou para o céu inexpressivamente enquanto os outros bebiam saquê.

– Ouvi falar que estão colocando pessoas em vans e levando todo mundo embora – Hori falou.

– Quem disse? Alguém viu essa van? – Ohashi perguntou.

– Sei lá. Mas estão falando, sabe.

– Pra onde levariam essa gente?

– Vai saber… – Shimada comentou.

– Bobagem – Ohashi falou, olhando para longe.

– Como as coisas que Taka costuma falar – Hori abriu seu sorriso dentuço.

Os quatro ficaram sentados em volta do fogo, bebendo e observando as chamas, pensativos. Até que uma voz alta vinda das sombras os arrancou de sua meditação coletiva.

– Ei!

– Ah, merda – Shimada murmurou.

– Aff. – Hori balançou a cabeça.

Ohashi sentiu o humor azedar.

– O que vocês estão fazendo, vagabundos? – Uma figura corpulenta e pesada se aproximava do fogo. Ainda não era visível, mas estava cada vez mais perto.

– Nada – disse Hori.

– Como assim, *nada*? Pra mim, parece que vocês estão fazendo *algo*. O que estão bebendo?

– Tenho um pouco de chá de trigo, se quiser, Keita-san – Ohashi falou.

– Pfff. Chá de trigo! Quem é que precisa dessa merda? A não ser que tenha algo pra misturar.

Os traços fortes de Keita estavam visíveis agora, e a pele coberta por cicatrizes profundas de acne captava a luz fraca e tremeluzente do fogo. Ele encarou Ohashi, e Ohashi sustentou seu olhar vazio.

– Não bebo álcool – Ohashi falou, tendo certeza de que Keita já sabia.

– Besteira. Já te vi caindo de bêbado e todo mijado – disse Keita.

– Acho que você deve ter se enganado – Ohashi falou calmamente.

– Está me chamando de mentiroso? – Keita foi para trás de Shimada e encontrou a garrafa de saquê barato que o grupo estava compartilhando. – Aqui está. É disso que estou falando.

Pegou a garrafa, tirou a tampa e bebeu o álcool em grandes goles. A mão que segurava o frasco tinha dois dedos – o anelar e o mindinho.

– Ei, pera aí! Estamos dividindo – Hori falou.

Keita parou e limpou o saquê da boca, encarando Hori com irritação.

– Sim, e eu estava pegando a *minha* parte. Babaca mesquinho.

Ohashi levantou a mão.

– Gente, tem o suficiente pra...

– Ninguém te perguntou. – Keita se virou para Ohashi. – Quem você pensa que é?

– Só estou tentando...

– Você nem mora aqui. Eu te vejo por aí agindo como se fosse melhor que os outros. Indo e vindo como se fosse um figurão.

– Eu sinceramente...

– Você se acha melhor que a gente. E você sempre desaparece à noite sem contar pra ninguém aonde está indo. É mesmo sem-teto? Aposto que você tem onde morar, deve ter até uma namorada preparando as suas refeições, e só vem aqui pra se aproveitar da gente, pobres coitados.

Ohashi estremeceu.

Taka tentou defendê-lo:

– Keita, Ohashi não quis ser grosseiro. Ele só estava...

– Não ligo pro que ele estava tentando fazer. Ele devia se cuidar.

– Está me ameaçando? – Ohashi fixou o olhar em Keita.

Keita fechou a garrafa de saquê e a atirou para o lado. Arregaçou as mangas, revelando sua tatuagem de gangue. Então enfiou a mão no bolso e sacou um celular gigante, que parecia uma relíquia dos anos 1980. Sempre que pegava o telefone, seus olhos brilhavam de forma perturbadora. Havia algo decididamente convincente quando ele bancava o bandido da yakuza.

– Só estou falando pra não mexer comigo, entendeu? – Keita disse. – Só preciso fazer uma ligação pra família, e eles resolverão as coisas.

Keita ficou encarando até que Ohashi abaixou os olhos, balançando a cabeça.

– Cavalheiros, acho que vou nessa. Tenham uma boa noite.

– Não vá, Ohashi – pediu Shimada. – Ainda está cedo.

– Obrigado, mas estou cansado hoje. – Ohashi colocou os sapatos e pegou a sacola. – Tenham uma boa noite.

Enquanto se afastava, ouviu as vozes ao longe.

– Keita, por que você sempre tem que ser assim?

– O que foi? Ele que começou! Ele é um esnobe. Acha que é melhor que todo mundo.

– Ele é legal.

– Ele me dá arrepios. Não confio em ninguém que não bebe.

– Ah, fala sério.

– E qual é a daquela bandana roxa?

Ohashi só se sentiu aliviado quando atravessou as ruas vazias, voltou para o hotel e se enfiou em sua cápsula. Ele se cobriu com o cobertor e dormiu.

⁂

Ohashi alimentou a gata e comeu seu pobre café da manhã, composto de *onigiri* e chá de trigo, e saiu do hotel para começar mais um dia procurando latinhas.

A caminhada sempre era uma parte difícil do dia. O ritmo de seus passos trazia lembranças à tona. Cenas da sua infância se transformavam nos dias no ensino médio, que por sua vez viravam sua vida como aprendiz de *rakugoka*.

Sua vida fora se apresentar, mas essa vida já não existia. O que o velho mestre que o treinou pensaria dele agora?

Esses eram os pensamentos que Ohashi evitava. Todas essas memórias levavam ao mesmo abismo. Em vez disso, ele tentava pensar nos amigos do acampamento.

Todos tinham suas histórias, seus segredos. Mas havia um mantra na comunidade: *passado é passado*. E ninguém falava sobre ele. Eles já tinham pagado todas as dívidas pelo que haviam feito. Vivendo como párias, pagavam todos os dias. Era seu castigo.

Mas havia certas coisas que Ohashi podia inferir de seus amigos.

O cristão Taka dormia com uma boneca, e às vezes sua fala escorregava para o dialeto de Kyushu. Ohashi tinha algumas teorias sobre a boneca, mas tentava não ficar muito preso a elas. O sério Shimada não falava muito, a não ser que tivesse algo importante para dizer, o que Ohashi apreciava. O dentuço Hori de Osaka sempre transformava tudo em piada – o que era importante para o grupo. Se não podiam rir da vida, o que lhes restava?

E Keita... Bem, Keita. Ohashi se sentia mal por admitir isso, mas seria melhor se Keita não estivesse lá. Ele tinha várias tatuagens e dedos faltando, e todos sabiam que tinha sido da yakuza em algum momento. E aquele celular que ele carregava para cima e para baixo ameaçando todo mundo era tão desengonçado que chegava a ser engraçado. E por que é que ele nunca o usava, nem quando era atacado pelos jovens? Ainda assim, Keita era valente e se virava melhor que a maioria dos sem-teto.

Porque às vezes eles apanhavam.

Agora já não era nada de mais para eles. Jovens *punks* costumavam aparecer para se divertir um pouco depois de beber. A pior coisa era ser pego sozinho. Nesses momentos eles recebiam as surras mais duras. Os rapazes se uniam contra um único homem e ficavam chutando e socando sem parar, até que ficassem sem energia. Na primeira vez que Ohashi fora espancado, percebera que, conforme os golpes prosseguiam, passavam a não doer tanto. Era como enfrentar uma tempestade – o vento e a chuva uma hora tinham que arrefecer. Algo começava a deixá-lo entorpecido, ou os *punks* se cansaram.

De qualquer forma, a dor foi diminuindo, mesmo que a surra continuasse. Era melhor relaxar o corpo e não resistir, assim haveria menos ossos quebrados. O pior era quando arrancavam um dente, pois ficava muito mais difícil comer. Ohashi fazia o possível para proteger a cabeça dos ataques. Daí um pé, um punho ou um cotovelo acertava seus testículos. E então uma dor totalmente nova corroía seu estômago por dentro.

Sempre que Ohashi saía para coletar latas, observava bem as ruas e o que havia ao seu redor. Procurava no cenário coisas que considerava belas, pequenos detalhes que lhe davam prazer. O sol nascendo pela manhã, abrindo caminho entre os prédios, o céu nebuloso que obscurecia os arranha-céus ao longe, as nuvens formando padrões que lembravam um monte de gatos perseguindo uns aos outros. A vida ainda lhe proporcionava algum prazer, por menor que fosse.

Ele também observava as pessoas. Esforçava-se para não ser notado. E a maioria virava a cara sempre que ele passava. Algumas poucas o encaravam como se ele tivesse feito algo errado, ou murmuravam baixinho: "Arrume um emprego", esse tipo de coisa. Mas grande parte das pessoas com quem ele cruzava só estava cuidando da sua vida solitária na cidade grande. Havia algo reconfortante nisso.

Às 11h, Ohashi estava na área de Shimbashi e já se sentia cansado. Comprou uma lata de café em uma máquina de venda automática, abriu-a e sentou-se no chão ao lado do carrinho para ver o mundo passar. Havia dois taxistas parados perto da máquina, bebendo café e fumando. Um deles era baixo e gordo, o outro, alto e magro, e ambos sorriram para Ohashi e o cumprimentaram. Taxistas sempre o lembravam de seu irmão, Taro. O que Taro estaria fazendo agora? Mais uma lembrança o encheu de vergonha.

O gordinho se aproximou e ofereceu três latinhas vazias para Ohashi, que lhe agradeceu. Depois da curta pausa, ele amassou todas as latas, incluindo a sua, e as colocou com as outras antes de seguir em frente. Ao chegar em casa, escondeu o carrinho no beco e foi ver os amigos.

⚇

Quando se aproximou do acampamento, logo entendeu que havia algo estranho. Ouviu gritos.

Agachado num arbusto, encolhido feito um gato, observou as tendas de longe.

Um homem uniformizado carregava a boneca de Taka, puxando-a pela perna. E havia alguém sendo levado algemado. Os homens uniformizados estavam rasgando as tendas, destruindo as lonas azuis e enfiando-as nas traseiras de caminhonetes. Eles despedaçavam o papelão e o empilhavam.

Alguns sem-teto resistiam, mas os homens de uniforme eram mais fortes, mais bem-alimentados, estavam sóbrios e tinham cassetetes. Ohashi abafou um suspiro de susto quando um deles sacou o cassetete, sacudiu o pulso casualmente para estender o bastão completamente e avançou devagar para um homem que protestava, olhando para o outro lado. Pancadaria. Ao receber um forte golpe no joelho, ele caiu no chão. Um após o outro, os sem-teto foram arrastados pelo que restava do acampamento e enfiados na traseira de um veículo. Mas espere. Aquilo não era um carro da polícia. Era uma van. E não tinha sirene. Ohashi estreitou os olhos para entender o que estava escrito na lateral: *Limpeza geral.* Em letras pretas.

Hora de ir embora.

⚇

Ohashi correu. Sentia sua pancinha balançar toda vez que os pés tocavam o chão, junto com a carne mole que se acumulava sob seus mamilos por conta da idade. Seus músculos esqueceram temporariamente a dor do árduo dia de trabalho, e cada célula de seu corpo se dedicou a colocar o máximo de distância entre ele e o lento florescimento reverso da cidade de lona azul.

Enquanto corria, uma estranha lembrança surgiu em sua mente. Uma aula de Biologia do ensino médio. A professora disse para a turma que se uma pessoa pulasse no lugar, se estivesse em boa forma, apenas seus órgãos sexuais balançariam. Qualquer outra coisa balançando no corpo humano indicaria gordura indesejada. Tudo deveria ser útil, deveria ser músculo. Ele pensou no acampamento: seria uma espécie de flacidez desnecessária para a cidade? Precisaria ser removido, como se remove o tecido adiposo do corpo na lipoaspiração? Deveria ser arrancado e afastado do músculo? Eliminado? Tudo o que lhe veio à mente foram palavras caindo ritmicamente entre as respirações: indesejado, desnecessário, desagradável, insípido, despreparado, desconhecido, insignificante – espere, isso não era uma palavra, mas deveria ser...

– Ei! – alguém gritou de algum lugar.

Ele olhou para trás, mas continuou correndo.

– Ohashi! – gritaram de novo. Só que, dessa vez, ouviu seu nome claramente. Virou-se.

No canto de um beco, viu um rosto familiar e dentuço.

– Aqui!

Ohashi seguiu cambaleando na direção do beco. Enquanto se aproximava, um braço magro o puxou. Bem nessa hora, uma viatura da polícia passou por eles, emitindo uma risada distorcida com a sirene em algum tipo de piada da qual aqueles senhores não faziam parte, e nunca fariam.

Ohashi tentou recuperar o fôlego, encostado na parede suja do beco.

– Ohashi-san! Deus seja louvado, você está seguro.

O Deus de Taka estava cuidando dele.

– Os outros estão bem? – Ohashi perguntou, ajeitando a postura, tendo se acalmado.

– Levaram Shimada. – Os olhos de Hori estavam cinzentos e ele parecia mais esquelético que o normal. – Taka estava na igreja, e eu tinha ido pegar uma bebida na máquina. Quando voltei, eles já estavam destruindo o acampamento e levando as pessoas.

O Deus de Taka obviamente não considerava Shimada digno. Talvez ele fosse insignificante demais.

– O que vamos fazer? – Hori perguntou.

– Talvez a gente possa pedir abrigo na igreja. – Taka olhou para eles, esperançoso.

Ohashi hesitou.

– Tenho uma ideia – falou devagar.

– Qual é? – Hori sorriu, ansioso.

Ohashi engoliu em seco.

– Conheço um lugar onde podemos ficar. Tem bastante espaço.

– Onde?

– Mas vocês vão ter que me prometer que não vão contar pra ninguém.

– Claro, Ohashi. Não vamos contar. Vamos ficar de bico fechado.

– Certo. Sigam-me.

Ohashi torceu para que sua voz não demonstrasse sua relutância. Será que estava cometendo um erro?

⠇

– Onde estamos?

Ohashi manteve a janela aberta para que Hori e Taka entrassem.

– Cuidado. Fiquem aí na parede. Vou mostrar o caminho.

– Está escuro, Ohashi. Onde estamos?

– Só um segundo. – Ele entrou no banheiro e fechou a janela gentilmente atrás de si, deixando-a um pouco aberta. – Esperem aí.

– Você não vai fechar? – Hori perguntou.

– Uma amiga gosta de me visitar de manhã. Vou apresentá-la a vocês.

– Amiga, é? – Hori deu risada.

– Vocês vão conhecê-la em breve. – Ohashi sorriu.

Ele enfiou a mão no bolso e pegou uma pequena lanterna.

– Por aqui.

Acendeu a lanterna e gesticulou para a saída.

– Pelos céus! Onde estamos?

– Está me parecendo um *sentô*.[10] É uma casa de banho, Ohashi?

– É um antigo hotel cápsula.

– Uau! Você passou esse tempo todo morando em um hotel? Você é tipo um rei, Ohashi-sama! – O tom de Taka era mais de respeito e admiração do que de inveja.

– Ei! Por que não nos falou desse lugar? – Hori perguntou com uma voz alta de empolgação. – As banheiras ainda funcionam? Eu adoraria tomar um banho.

Ohashi apontou a lanterna para Hori, que piscou.

– Ei! Cuidado com essa coisa.

– Oh, desculpe!

Ohashi direcionou a luz para a casa de banho, iluminando os velhos azulejos cinzentos e a parede da frente, com um mosaico de um antigo Monte Fuji em ruínas cercado por florestas, lagos e nuvens. Os ladrilhos estavam meio caídos, transformando a montanha em um quebra-cabeça inacabado.

– Não tem água – disse Ohashi. – Então acho que não podemos usar as banheiras. Sigam-me.

Os três percorreram todo o hotel. Demorou mais que o normal, pois Hori e Taka paravam toda hora para suspirar diante de todos os aspectos fantasmagóricos e interessantes do lugar abandonado – as portas dos armários arrancadas, o papel de parede descascando, a espessa camada preta de poeira e sujeira cobrindo o chão dos corredores –, que Ohashi agora considerava normal.

Quando chegaram aos quartos, Ohashi apontou para sua cápsula. Hori e Taka assentiram respeitosamente antes de pegar uma cápsula de cada lado.

---

10 Típica casa de banhos comunal japonesa.

Ambos deixaram uma cápsula vazia entre eles. Queriam ficar próximos, mas precisavam de um pouco de privacidade.

– Agora, cavalheiros, gostariam de jantar?

– Ah, sim, por favor! Que caridoso da sua parte.

– Estou faminto!

Os três se sentaram para comer um simples *onigiri* com chá de trigo, que Ohashi pegou de seu suprimento pessoal e dividiu de forma justa. Na penumbra, foram surgindo lentamente rugas profundas e pensativas no rosto de cada um.

– Então... – Ohashi quebrou o silêncio. – Qual é o plano?

– Talvez a gente devesse ir à igreja.

– Acho que pode ser um pouco arriscado agora – Hori disse.

– O Senhor vai nos prover...

– Desculpe, Taka-san. Mas concordo com Hori – Ohashi falou solenemente. – Não sabemos se é seguro na igreja. Talvez eles estejam cooperando com a polícia. Quem vai saber?

– Mas onde vamos conseguir comida? – Taka olhou para o teto.

– Eu posso conseguir um pouco – Ohashi disse.

– O suficiente pra nós três? – Hori perguntou.

– Acho que sim.

– *Nenhum homem pode viver só de pão* – Taka falou.

– Mas o que a Bíblia diz sobre *onigiri*? – Hori perguntou. – Imagine Jesus tentando abrir um desses.

Até Taka se permitiu dar risada da piada.

Ohashi pediu licença cedo aquela noite. O dia tinha sido estressante. Eles se despediram e cada um foi para sua respectiva cápsula de solidão. Sozinhos com seus pensamentos, eles adormeceram devagar, embalados pelas preocupações e inquietações atravessando implacavelmente seus sonhos suados.

∴

Pequenos focos de luz passavam pelas janelas altas do hotel pela manhã. Nos dias nublados, não havia muita luz, mas, quando o dia estava ensolarado, as cápsulas eram banhadas por um brilho quente. Nesses dias, a gata procurava os raios de sol e esticava a barriga no chão.

Ohashi acordou cedo e foi cumprimentar sua companheira peluda. Deitou-se no chão para que a gata tricolor pudesse pular em seu estômago. Ela vacilou um pouco, pressionando as patinhas na carne flácida de Ohashi. Com uma mão ele coçou o queixo da felina, e com a outra acariciou suas costas arqueadas. Ela ronronou de prazer, emitindo um som que lembrava o motor de um carro parado em um sinal vermelho. Ele estudou o rosto da gata e seu queixo levemente vermelho, enquanto baba se acumulava no canto da sua boca. O que é que aqueles lindos olhos verdes teriam visto? Ohashi pensou no pai, como sempre. Seu velho era obcecado por gatos, e vários deles viviam perambulando por seu escritório. Uma das coisas favoritas de Ohashi quando criança era aninhar-se com uma coleção de *rakugo* no canto do escritório do pai, fazendo carinho em um gato em silêncio.

O que é que aqueles olhos verdes já tinham visto? De onde ela vinha? Ele pensava em todos os segredos e mentiras que ela conhecia, nas coisas que os humanos faziam pensando que ninguém estava olhando.

– Essa é a sua *amiga*?

A gata se virou para Hori, que estava saindo da cápsula. Ohashi sentiu as unhas do animal se projetando de leve para fora enquanto avaliava a situação. Será que devia fugir daquele dentuço ou ele lhe traria atum, como seu amigo de cabeça roxa?

– Não tenha medo. Este é Hori-san. Diga oi pra Hori-san.

– Gatinha esperta. – Hori fez carinho entre as orelhas da bichana, e Ohashi sentiu suas unhas se retraindo. – Que gatinha mais linda. Olhe só as cores dela, essas formas são familiares...

Eles ouviram um som estridente vindo da entrada principal, seguido pelo murmúrio de duas vozes masculinas descendo o corredor na direção deles.

Ohashi nunca usava aquele corredor. Uma figura volumosa abriu caminho para dentro do quarto, e Ohashi sentiu um peso no estômago. Keita. Taka o seguia logo atrás.

– Seus safados! Vocês estavam escondidos aqui esse tempo todo? Feito ratos na toca?

– Ohashi-san! – Taka estava sorrindo, sem graça. – O Senhor nos abençoou verdadeiramente com um encontro fortuito esta manhã.

– Por favor, cavalheiros – disse Ohashi, levantando-se e colocando a gata no chão. – No futuro, não usem a entrada principal. Usem a janela, como eu mostrei.

– Beleza, não tirem as calças. – Keita entrou em uma cápsula vazia e deitou-se como se estivesse em casa.

– Desculpe, Ohashi-san – Taka sussurrou. – Eu falei pra ele me seguir até o beco, mas ele só entrou pela porta.

– Tudo bem – Ohashi falou baixinho.

– O que vocês estão cochichando aí? – Keita berrou de sua cápsula.

Ohashi levou as mãos ao rosto.

– Tem comida? Estou faminto – Keita falou, colocando a cabeça para fora. Ele acenou para a gata. – De quem é esse bicho sarnento?

Ohashi pegou um pouco de comida de seu suprimento escasso. Dividiu os *onigiris* igualmente entre todos e alimentou a gata. Precisaria conseguir mais comida com Makoto em breve.

⁂

Naquela noite, Ohashi voltou para casa e se deparou com uma cena inesperada.

Ele soube que havia algo errado assim que entrou pela janela. Dava para ouvir conversas e risadas até do lado de fora do hotel. O som foi ficando cada vez mais alto conforme ele caminhava.

Alguém tinha acendido uma pequena fogueira no meio do quarto, e havia um grande grupo de homens em volta das chamas crepitantes. Ele conseguiu distinguir Keita, bebendo de uma grande garrafa de *shochu*, ao lado de pessoas que Ohashi nunca tinha visto antes. Estavam todos em volta do fogo conversando alto, com vozes excitadas. Taka e Hori também estavam lá, rindo. Quando olharam para cima e viram Ohashi, seus sorrisos largos murcharam com uma timidez estranha.

– Olhe só quem chegou. – Keita olhou para Ohashi, bêbado.

– Cavalheiros, posso saber o que está acontecendo aqui? – Ohashi perguntou para Taka e Hori.

– Só uma reuniãozinha – Taka falou.

– O que isso tem a ver com você? – Keita zombou.

– Bem, esta também é minha casa. Era a minha casa primeiro – Ohashi disse. – Seria bom se vocês a tratassem com um pouco de respeito.

– *Sua casa*. – Keita desdenhou. – Essa é boa. Você só encontrou um prédio vazio. Qualquer um pode fazer isso. Olhe só pra ele, com essa bandana metida a besta. Agindo como se fosse o rei do castelo, tendo como amigo apenas uma gata.

O grupo explodiu de rir. Até Hori e Taka se juntaram a eles.

– Bem, eu apreciaria se vocês falassem baixo. Não seria bom se nos encontrassem aqui. – Ohashi seguiu direto para sua cápsula.

– Venha, Ohashi. Beba com a gente – Hori sussurrou.

– Não, obrigado. Estou cansado.

Ohashi se enfiou lá dentro, fechou a cortina e se acomodou para reler seu exemplar gasto de *As irmãs Makioka*, ignorando o barulho.

– Ei, Ohashi – Keita falou.

Ohashi baixou o livro e fez uma careta para a cortina. Se ficasse quieto, talvez o idiota fosse embora.

– Ohashi.

– O que foi?

Keita abriu a cortina.

– Olhe, me desculpe. Não quis ser grosseiro. Tome.

Keita lhe ofereceu uma xícara lascada contendo um líquido marrom transparente.

– O que é isso? – Ohashi perguntou, encarando Keita apreensivo.

– Seu favorito. Chá de trigo. – Keita sorriu. – Pode ficar aí bebendo com seu livro ou pode se juntar a nós. Você que sabe. Só queria fazer as pazes.

– Obrigado, Keita. É muita gentileza sua. Talvez eu me junte a vocês.

Ohashi saiu da cápsula e pegou a xícara de Keita, e foram se reunir com os outros.

Hori estava contando uma piada com um samurai e um padre – já estava quase no fim –, então Ohashi ficou apenas ouvindo em silêncio. A piada era boa, mas a técnica narrativa não estava à altura dos padrões de Ohashi – seu *timing* estava errado e ele divagava demais. Hori finalmente terminou a piada e todos explodiram em gargalhadas. Ohashi sentiu o estômago se apertar de pânico quando o barulho ecoou, imaginando a van de letras pretas circulando pelas ruas próximas. Pegou a xícara meio esquecida e tomou um gole de chá de trigo.

O sabor...

Ele quase engoliu, mas acabou cuspindo. Atirou a xícara no chão e ela se quebrou. Seu corpo todo tremia. Então a raiva borbulhou por dentro. Raiva pelo que fizera, pelo que aquele gosto o obrigara a fazer. Com sua família, consigo mesmo, com sua vida. Era sua culpa. Ele olhou para Keita, que estava dando aquela sua terrível risada soluçante.

– Vou te matar – Ohashi falou baixinho.

Keita continuou rindo.

Ohashi avançou sobre Keita. Hori estendeu o braço e tentou segurar o pulso de Ohashi, mas ele o afastou. Logo as mãos de Ohashi estavam no pescoço de Keita, apertando-o com força. Braços o puxavam para trás, mas não tiveram forças para detê-lo. Ele apertou e apertou com todo o ódio, o arrependimento e o desespero que guardava bem lá no fundo de si. Viu o rosto de Keita mudar de vermelho para azul e continuou esmagando.

Teria continuado se não fosse por uma força descomunal arrancando-o dali, prendendo seus braços atrás das costas, afastando-o de Keita. Observou Keita ofegante, tentando respirar. E então sentiu a dureza fria do metal tocando seus pulsos e, quando olhou em volta, tudo o que conseguiu ver foi azul. Uniformes azuis, com pessoas sem rosto dentro deles, amontoadas à sua volta, assomando-se sobre ele, encarando-o fixamente com olhos semicerrados. E quando conseguiu focar o rosto dos amigos, ele viu medo – mas seria medo dos uniformes azuis ou do próprio Ohashi e do que ele havia tentado fazer?

– Ele... ele... tentou me matar! – Os lábios de Keita estavam roxos, e suas narinas, dilatadas.

– Levem todos – falou uma voz alta. – E apaguem esse fogo.

Assim, eles foram jogados violentamente na traseira de vans. E caíram no escuro. Ohashi ficou olhando para o breu.

∴

– Bom dia.

Ohashi abriu os olhos e piscou para um vulto à sua frente.

– Aqui. – A figura lhe ofereceu uma caneca fumegante de café. – Beba.

– Obrigado.

Ohashi pegou a caneca com cuidado e esfregou os olhos com a outra mão. Seu corpo estava dolorido por ter passado a noite no banco duro da cela.

– Vou te dar um minuto para acordar, mas tenho que te levar para a sala de interrogatório.

Ohashi olhou para cima e viu um jovem policial parado na porta da cela. Ele devia ter uns vinte e tantos anos e seu rosto era bondoso. Ele o lembrava um pouco Makoto. Ohashi levou a caneca aos lábios e soprou levemente antes de dar um gole.

– Onde estou? – perguntou.

– Na delegacia. Só precisamos interrogá-lo rapidinho. Na verdade, é só uma formalidade, você vai poder ir embora depois.

– Obrigado.

– Então vamos, senhor. Temos um monte de interrogatórios para fazer, e queremos cumprir o cronograma. Pode trazer o café. – O policial gesticulou para a porta aberta.

Ohashi se levantou e o seguiu pelo corredor com passos vacilantes. O som de seus sapatos ecoava pelas paredes, lembrando-o do barulho de seu porrete amassando latas na calçada. O ruído ressoou profundamente em suas entranhas e o fez se sentir um pouco enjoado.

A sala era bastante simples: paredes amarelas, uma mesa no centro, uma lâmpada no teto e duas cadeiras de cada lado da mesa, uma de frente para a outra. O oficial indicou para que Ohashi se sentasse.

– Espere aqui. Alguém já vai vir falar com você.

Ele ficou bebendo café e encarando a parede, perguntando-se o que aconteceria com ele. A porta se abriu, interrompendo seu devaneio, e um oficial mais velho entrou carregando alguns papéis.

– Olá. Não precisa se levantar. Meu nome é Fukuyama, e tenho algumas perguntas para fazer.

– Prazer, Fukuyama-san. – Ohashi fez uma pequena reverência.

O oficial se sentou e segurou a caneta acima de um formulário.

– Certo, vamos começar do começo. Tem alguma espécie de documento de identidade com o senhor?

Ohashi balançou a cabeça e olhou para o chão.

– Não tem problema. Vamos preencher esse formulário juntos. Sobrenome?

– Ohashi.

– Primeiro nome?

– Ichiro.

O oficial assentiu enquanto escrevia.

– Idade?

– Sessenta e quatro.

– Ocupação?

– Bem... acho que...

O homem ergueu a cabeça e perguntou:

– O senhor tem trabalho?

– Bem, eu coleto latinhas. Mas acho que não...

– Hum... talvez se encaixe em controle de resíduos. Nome do empregador?

– Não tenho bem um empregador...

– Hum. Posso colocar *desempregado*? Talvez seja mais fácil.

– Tudo bem.

– Endereço?

– Hum, bem...

– Está dormindo na rua?

– É possível dizer isso.

– Não tem problema, Ohashi-san. Se puder apenas nos informar o endereço de algum familiar, pode ser qualquer parente... Ah, e o telefone também. Vamos precisar ligar para eles virem te buscar.

– Bem...

– Pode ser qualquer parente, Ohashi-san.

– Não tenho contato com ninguém.

– Olhe. – O oficial tirou os óculos e esfregou os olhos. – Ohashi-san, eu realmente entendo o quanto isso pode ser difícil para o senhor. O senhor pode ter se desentendido com seus parentes. Pode não querer falar mais com eles. Entendo totalmente. Mas é crucial que o senhor nos dê essa informação, senão... bem...

– Tenho um irmão mais novo.

– Ótimo! – O homem o olhou, esperançoso. – Qual é o endereço dele?

– Não falo com ele há anos.

– Mas o senhor tem o endereço dele?

– Acho que sim.

– Excelente. Pode escrever aqui.

O oficial ofereceu-lhe caneta e um pedaço de papel.

Ohashi anotou o endereço da casa que ele visitara muitos anos atrás, em Nakano. Ele se lembrou de quando frequentava as reuniões familiares, cumprimentava sua cunhada, brincava com sua jovem sobrinha. Seu irmão, Taro, estava sempre tão contente. Não tinha muito dinheiro, mas era feliz com sua linda esposa, sua radiante filha Ryoko e aquela velha cerejeira do jardim. Taro poderia ser muito mais que taxista. Ele escrevia poesias maravilhosas, ricas de imagens oníricas. O pai deles tinha muito orgulho do filho.

Ohashi fez apresentações privadas de *rakugo* para as duas famílias debaixo daquela cerejeira. Uma lágrima surgiu em seus olhos enquanto ele se lembrava daquela plateia: seu irmão Taro, sua cunhada, sua sobrinha Ryoko e a esposa e a filha de Ohashi. Ele se lembrava do rosto sorridente de cada um deles ouvindo sua história. Mas seu pai parou de ir quando suas *performances* começaram a ficar mais ousadas.

Taro teria muita vergonha dele agora.

Entregou o papel para o policial, que deu uma olhada e o devolveu para Ohashi.

– Se puder escrever o nome completo dele também.

Ele escreveu os caracteres de Ohashi Taro: 大橋太郎.

– O senhor tem uma caligrafia linda, se me permite dizer. Certo. Só vou confirmar as informações. Relaxe, vai ficar tudo bem.

Que jeito mais terrível de entrar em contato com o irmão depois de tantos anos. Ergueu o café, distraído, e levou-o até os lábios, mas foi recompensado apenas com um restinho frio e cheio de pó que sobrara no fundo do copo, deixando um gosto amargo em sua boca.

Cerca de dez minutos depois, o oficial voltou com um homem de terno. Ohashi não gostou nada dele. Era difícil dizer exatamente por que, mas havia algo falso nele, apesar de seus esforços para parecer simpático. Primeiro, ele espetava o cabelo com gel da maneira que Ohashi desaprovava. Seu jeito meio bajulador o lembrava um pouco daquele pastor que dissera coisas terríveis sobre Hiroshima e Nagasaki.

– Ohashi-san. Más notícias. Liguei para o número correspondente ao endereço que o senhor nos deu, e sinto muito em lhe dizer que seu irmão não mora mais lá. O morador atual não soube dizer para onde ele se mudou, e não temos meios de obter registros que indiquem sua nova residência.

– Oh...

– Agora, Ohashi-san, se puder pensar em outro parente... qualquer um serve. Um tio distante, um primo. Qualquer um.

– Não tenho ninguém.

– Pense, Ohashi-san. É importante.

– Desculpe, não tenho mais ninguém.

O oficial suspirou.

– Bem, então não tenho escolha a não ser declarar que o senhor "não tem residência fixa" e passá-lo para este homem aqui, Tanaka-san.

– Prazer, Ohashi-san. Não tenha medo, vamos tomar conta do senhor.

O bajulador abriu um sorriso condescendente, olhando de Ohashi para o oficial, como se estivesse assistindo a uma partida de tênis entre duas crianças incompetentes.

– Sinto muito, Ohashi-san. Não podemos fazer nada. – O policial se levantou e saiu.

Ohashi foi deixado com o homem de terno, que se sentou na cadeira livre.

– Agora, Ohashi-san, vamos levá-lo para um estabelecimento não muito longe daqui. Será um lar maravilhoso para o senhor...

Ohashi ouviu a longa explicação, basicamente uma enrolação. Mas ele entendeu do que se tratava – do roubo de sua última posse mundana: sua liberdade.

⁘

A gata caminhava tranquilamente pelo beco, seguindo para a janela do hotel. Então diminuiu o passo. Havia algo diferente no ar, um cheiro... fumaça? Tinha alguma coisa errada. A janela do banheiro estava aberta, então ela entrou.

Os corredores estavam silenciosos e o cheiro estranho foi ficando mais forte conforme ela avançava. Quando se aproximou das cápsulas, viu os restos de uma fogueira apagada e depois notou o vazio. O silêncio foi quebrado por um miado nervoso.

O homem de cabeça roxa não estava na cama. Suas coisas não estavam mais ali, mas seu cheiro permanecia.

A gata choramingou.

Onde é que o homem de cabeça roxa tinha ido?

Onde estava o café da manhã?

Ela esperou uns minutos, bocejou e então voltou por onde tinha vindo, devagar.

Caminhou pelo beco com a barriga roncando, em busca de comida. Havia uma certa inquietação em seu andar, a sutil indicação de uma rotina quebrada. Sentiria falta do homem de cabeça roxa. Mas, de alguma forma, sabia que tudo ficaria bem. A cidade era sua amiga. A cidade lhe forneceria o que ela precisasse.

⁂

O homem de cabeça roxa não tinha mais a cabeça roxa.

Pegaram sua bandana, vestiram-no com um macacão laranja e mostraram-lhe sua nova casa. Quando a porta se fechou, ele notou que sua cela era bem maior que a cápsula a que tinha se acostumado. O chão era de tatame, e havia dois *futons* dispostos ali. Um já estava ocupado por uma figura corpulenta, que dormia debaixo do cobertor e roncava audivelmente. Essa cápsula era sem dúvida mais limpa e espaçosa do que a outra, mas tinha grades nas janelas e fechaduras nas portas.

Ohashi se jogou no *futon* livre e soltou um suspiro. Nesse momento, o ronco que vinha de baixo das cobertas parou. Quando olhou para o lado, o cobertor revelou um olho preguiçoso, que se arregalou quando Ohashi recuou em choque.

– Ah, é você – disse uma voz baixa.

– Oi, Keita. – Ohashi suspirou.

– Ainda não te perdoei. – Keita afastou o cobertor e se sentou.

– Nem eu – Ohashi falou com os lábios comprimidos.

– Enfim, onde diabos estamos? Na prisão? – Keita bocejou e esfregou os olhos.

– Não acho que seja uma prisão. A polícia não te dispensou?

– Pois me parece uma prisão.

– Bem, não é.

– Certo. Cuidado com o cabelo.

Ohashi colocou a mão no cabelo. Sem a bandana, sua careca ficava exposta.

– Se vai falar comigo assim, Keita-san, prefiro que não fale nada.

– Disse o homem que tentou me matar.

– Eu não tentei te matar, Keita.

– Tentou, sim.

– Bem, você não devia ter feito o que fez. Não é?

– Era só uma piada. Eu não teria feito isso se soubesse que você ia surtar daquele jeito.

– Olhe, Keita. Não quero ficar nesse lugar com você, e suponho que você também não. Mas não temos escolha. Vamos só esquecer e seguir em frente?

– Pode ser.

Ohashi fechou os olhos.

– Queria um saquê – Keita murmurou.

Ohashi ficou pensativo. Ele não falou que tinha quase certeza de que não haveria saquê nenhum. Os dois ficaram em silêncio, assimilando a estranha e estéril casa nova.

▲▲

– Aff.

Ohashi olhou para a montanha de cobertas do *futon* ao lado. Keita estava se contorcendo desconfortavelmente, e seus lençóis estavam visivelmente molhados de suor.

Era noite, pouco antes de as luzes se apagarem, e Ohashi ouvia o barulho das botas de couro dos guardas no corredor. Não era uma prisão – familiares podiam vir buscar os moradores a qualquer hora –, mas, como o diretor Tanaka anunciava com seu terno e sua voz afetada todas as noites quando eles se sentavam para jantar no refeitório: "Este lugar é bem melhor para vocês, rapazes, do que lá fora, nas ruas. Vocês estão mais seguros aqui".

Só tinham se passado alguns dias, mas a comida era horrível, pior que a gororoba que serviam na igreja. Se o diretor te pegasse remexendo o prato, você poderia receber um olhar furioso, ou pior, poderia perder privilégios, como acesso ao pátio de pedras do estabelecimento. Ohashi olhava em volta, procurando Taka e Hori durante as refeições e a hora no pátio, mas não via sinais deles. Talvez estivessem em outro andar – parecia haver um rodízio no uso das instalações. Todas as janelas tinham grades, e Ohashi ficava se lembrando de quando brincava com a gata sob a luz do sol que entrava pelas janelas sujas do antigo hotel. Onde ela estaria agora? Estava com saudade. A noite era sempre um alívio porque ele podia esquecer onde estava, mesmo que apenas por um momento. Então Keita começou a gemer novamente.

– Você está bem? – Ohashi perguntou.

– Me deixe em paz!

– O que está acontecendo?

– Como é que eles podem não ter álcool nesta merda de lugar?

– Aqui, beba isto. – Ohashi lhe ofereceu um copo d'água.

– Vá se foder. Não preciso da sua ajuda.

– Beba. Você vai se sentir melhor.

– Como é que você sabe, sr. *Eu-Não-Bebo-Muito-Obrigado*?

– Eu bebia antes, Keita. Muito mais que você. E eu superei.

Keita abaixou o cobertor e olhou para Ohashi com desconfiança. Gotas de suor se acumulavam em sua testa.

– Tem certeza de que vai melhorar?

– Tenho. Só demora uns dias, e é terrível, eu sei. Mas logo você vai se sentir muito melhor. Só precisa se manter hidratado.

Keita estendeu a mão trêmula para pegar o copo de Ohashi.

– Merda. – Ele quase o derrubou.

– Aqui, deixa eu te ajudar. – Com cuidado, Ohashi levou o copo aos lábios dele.

Keita parecia uma criancinha, bebendo água penosamente.

– Durma um pouco.

Eles apagaram as luzes e ficaram na penumbra.

Ohashi estava quase pegando no sono quando Keita o acordou de novo.

– Ei.

– O que foi?

– Está acordado?

– O que acha?

– Desculpe. Te acordei?

– Vai dormir, Keita.

– Não consigo.

– O que houve?

– Não consigo parar de pensar nas coisas.

Ohashi resmungou.

– Então pare.

– Não consigo.

– Você não consegue ficar pensando em silêncio?

– Desculpe. – Keita ficou quieto por uns segundos. – Mas você não fica assim?

– Assim como? – Ohashi se sentou e afastou as cobertas.

– Sem conseguir parar de pensar. Relembrando todas as escolhas que você fez na vida e só vendo erros. As coisas que você fez que te trouxeram até aqui. – Keita ficou olhando para o nada, como se estivesse vendo algo que Ohashi não podia enxergar. – Pensando que se você tivesse feito algumas coisas de outro jeito, se tivesse tomado decisões melhores, estaria em um lugar melhor agora.

Ohashi se deitou de novo e se virou para o outro lado, mas não falou nada.

– Ou talvez a gente só seja azarado – Keita falou.

– Eu não era.

– Por quê?

– Já fui o homem mais sortudo do mundo.

– Como assim? – Keita se ergueu um pouco.

– Tive uma boa criação, uma mãe amorosa e um pai inspirador. – Ohashi engoliu em seco. – Tive uma linda mulher, uma filha adorável e o trabalho dos sonhos.

– O que aconteceu?

– Não importa.

– Foi a bebida?

– Não quero falar disso.

– Você que sabe. – Keita fez uma pausa, mas depois continuou: – Sei que cometi erros. Meus pais me falaram pra não entrar na yakuza. Mas eu era jovem e burro. Só pensava em ser descolado e transar. Lembro que fui até Asakusa pra fazer uma tatuagem. Estava tentando impressionar uma garota. Pensei que, se entrasse na yakuza, conseguiria dinheiro e *status*. Ela acabou com outro cara. Disse que ele era mais *respeitável*. Nunca dá pra vencer. – Keita suspirou. – Eu devia ter ouvido meus pais. A yakuza não cuidou de mim como disseram que fariam. Bastaram alguns erros. Dois dedos. Eles me expulsaram. Ninguém nunca me quis na família.

– Não é verdade, Keita.

– É, sim. Sei que sou grosseiro e irritante. As pessoas não gostam da minha presença.

Ohashi se mexeu no *futon* e olhou para o contorno escuro do corpo pesado de Keita.

– Você é um de nós, Keita. Eu, Shimada, Taka e Hori. A gente é a sua família agora.

Keita virou a cabeça para Ohashi.

– Sério?

– Claro. – Não era verdade, mas Ohashi diria qualquer coisa para poder dormir um pouco.

– Obrigado.

– Está tudo bem, Keita. Vamos dormir.

Depois de uma curta pausa, Keita falou baixinho, meio sonolento:

– Tenho certeza de que sua esposa e sua filha ainda te amam, Ohashi-san.

Ohashi engoliu um inesperado nó na garganta.

– Boa noite, Keita.

⧩

Naquela noite, assim como em várias outras noites, ele sonhou com Tóquio.

Mas foi diferente. Estava caminhando com seu carrinho, só que o céu estava roxo e laranja. As ruas estavam vazias, não havia uma única pessoa à vista. Ele seguiu entre os arranha-céus em ruínas cobertos de pátina e viu os prédios afundando no chão ao longe, perto da baía. A terra tremeu e os edifícios desmoronaram e desapareceram. Liquefação. Era o nome disso. Então o tremor parou e tudo ficou imóvel novamente.

Os trens estavam vazios e enferrujados. As lojas de conveniência pareciam ter sido assaltadas. As comidas caíam das prateleiras para as ruas, mas estavam podres e intragáveis. Havia latas de café vazias empilhadas feito montanhas, lixo e entulhos por toda parte. Mas não pessoas.

Ele seguiu em frente até se deparar com sua velha amiga, a gata.

– Siga-me – ela disse, pulando em um muro alto. – Venha.

– Não consigo.

– Consegue, sim. Tente com os quatro membros, em vez de um. Funciona melhor assim.

Ele se colocou de quatro e realmente ficou mais leve e mais ágil. Pulou no muro ao lado da gata presunçosa. Notou seu reflexo nos olhos dela.

Agora ele também era um gato e eles não precisavam mais conversar para se comunicar.

Subiram nos telhados e atingiram os pontos mais altos dos arranha-céus decadentes. Escalaram árvores, enfiaram-se em pequenos espaços, perseguiram ratos e correram pelas ruas vazias.

A cidade era deles.

⁂

– E aí, o que aconteceu com elas?

– Com quem?

– Sua esposa e filha?

Ohashi ignorou a pergunta.

– Era filha, não era? – Keita insistiu.

Ohashi olhou para Keita depressa. Não percebeu nenhuma malícia, mas isso não tornava a pergunta desejável.

– Podemos falar sobre outra coisa?

– Por que você evita esse assunto?

– Que assunto?

– Seu passado.

– Porque não é da sua conta, Keita.

– Não me surpreende que elas tenham te abandonado.

– O que você disse?

– Eu disse que não me surpreende que elas tenham te abandonado.

– Como ousa?

– O que foi? Você nunca fala nada. Você é só um velho arrogante que se acha melhor que todo mundo. Não aguento mais ficar trancado em uma cela com um idiota pomposo.

– E eu que estou preso com um bebê chorão rejeitado pela yakuza?

– Vá pro inferno, velhote.

Alguém bateu na porta e a abriu ao mesmo tempo.

– Qual é o sentido de bater se você vai entrar de qualquer jeito? – Keita reclamou.

– Keita, fique quieto! – Ohashi falou.

Um homem sombrio e carrancudo estava parado na porta.

– Qual de vocês disse isso?

– Ele. – Keita apontou para Ohashi.

O guarda olhou para Ohashi.

– Presta atenção, espertinho.

– Eu não...

– Não quero saber. Vocês dois vão perder privilégios. Não vão sair do quarto amanhã.

Ele bateu a porta e tudo ficou em silêncio de novo.

– Babaca – Keita sussurrou.

Ohashi se virou para o outro lado, mas estava bravo demais para conseguir dormir.

Pouco tempo depois, ele se sentou e adotou aquela postura familiar.

– Certo, Keita. Quer ouvir uma história? Eu te conto uma história. Era uma vez um homem chamado Ohashi, que tinha tudo e tudo perdeu...

Ohashi sentou-se ereto no *futon*, com os joelhos dobrados sob o corpo e as mãos estendidas para a frente, daquele jeito orgulhoso do *rakugoka* que era e sempre seria.

Isso, pelo menos, era algo que nunca poderia ser tirado dele.

Street Fighter II (Turbo)

Fase do Guile / Sonic Boom / Tiger Uppercut / Yoga Flame / Yoga Fire / Spinning Bird Kick / Hadoken / Dragon Punch / Round One / Start

– Você não acha que ele é *igualzinho* ao Dhalsim? – Kyoko se inclinou para mim, sussurrando conspiratoriamente no meu ouvido.

Senti seu hálito quente em meu pescoço e o aroma do seu perfume sobre o cheiro de tabaco e álcool barato que pairava na cabine de karaokê. Foi a primeira coisa que ela me disse. A gente trabalhava no mesmo escritório da empresa de relações públicas já fazia um tempo, mas não tínhamos trocado mais que algumas palavras. Ela sempre passava reto por mim no escritório e eu também não tinha lhe dado muita bola. Era como se fôssemos invisíveis um para o outro até aquele momento.

Virei a cabeça para observar o homem a quem ela se referia. Ele estava com um copo de *shochu* em uma mão esquelética e o microfone na outra.

– Como é? – Eu tinha ouvido bem, mas não conseguia acreditar que ela tinha falado aquilo.

– Ah, fala sério, Makoto-kun! Dhalsim! Sabe, do Street...

– Street Fighter II. Pensei que você tinha falado isso mesmo.

– Você não acha? – ela perguntou, rindo.

Olhei para o homem de novo. Ele estava balançando a cabeça careca enquanto cantava arrastando a letra da música, ocasionalmente derramando *shochu* na garota que dormia ao seu lado. Agora que Kyoko tinha mencionado, sim, parecia mesmo. Sua expressão facial era exatamente a que Dhalsim faria. Era igualzinho. A mesma cara que ele fazia depois de receber um *uppercut* e ser jogado para trás, antes de ficar atordoado.

– *Yoga flame* – eu disse.

Ela cuspiu a bebida pelo nariz.

– Pare!

– Não sabia que você era *gamer*. – A frase não saiu como eu pretendia. Esperava parecer surpreso de um jeito amigável, mas fui um idiota.

– Ah, eu não sou. – Ela deu um gole na bebida e ficou olhando a letra da música na TV do karaokê. – Bem, eu só jogo Street Fighter II. – Ela abriu um sorrisinho torto. – É tipo um prazer secreto.

– Qual deles? Fizeram alguns. – Ajeito a postura.

– O Turbo.

Aproximo-me mais.

– Quando você jogava?

– Meu irmão mais velho tinha um Super Nintendo. A gente jogava quando era criança. – Seus olhos captaram a luz da TV e cintilaram, úmidos.

– Ei! Vocês dois! O que estão cochichando aí? – Ryu, nosso superior, passou por Dhalsim e veio se sentar entre nós. Seu cheiro era de quem passou a semana dormindo com o mesmo terno, e havia uma mancha de molho de soja na sua camisa, como sempre. Ele se virou para mim e falou: – Makoto, está perturbando a garota? – E depois colocou o braço em volta de Kyoko. – Kyoko-chan! Escolha uma música. Você não cantou nada. Uma garota tão linda como você deve ter uma voz de anjo.

– Ah, Ryu-kun. Você sabe que não gosto de cantar. – Ela serviu mais cerveja de uma enorme garrafa gelada de Kirin no seu copo vazio. Em seguida, enxugou cuidadosamente as mãos com uma toalhinha que tirou da bolsa. – Sua voz é tão… masculina. Por que não canta outra música pra gente?

Acendi um cigarro e olhei para o outro lado.

As noites com o pessoal do trabalho eram um saco. Seria ótimo se eu pudesse me livrar delas como fez Flo, aquela tradutora estadunidense. Ela só disse que não estava se sentindo bem e todo mundo a deixou em paz. Por que eu não conseguia fazer isso? Triste fato: porque sou japonês. E prego que sobressai, martelada leva.

Nessas saídas, ninguém nunca tinha chance de conversar ou se conhecer melhor. Tudo o que a gente fazia era encher a cara e cantar karaokê. Depois ficávamos ouvindo os chefes falando como eram ótimos e como as coisas eram muito mais difíceis quando eles entraram na empresa, e que era tudo muito mais simples para nós, blá-blá-blá. Pois eu acho que eles tiveram uma vida muito mais fácil. Minha geração já nasceu ferrada.

O Chefão estava com o microfone agora, cantando aos berros uma versão ruim de "London Calling", do The Clash – ele estava acabando com a música de verdade. Parecia um enorme bebê, com pequenas mechas de cabelo balançando na careca. Nem parecia inglês. Fiquei ali sentado mexendo a cabeça, sorrindo e gargalhando nas horas certas. Bebendo até ficar entorpecido. O que eu realmente queria era dar o fora daquela cabine e ir para casa dormir. Mas agora não conseguia parar de pensar no que Kyoko disse. Que ela jogava Street Fighter II quando criança.

Turbo, ainda por cima.

Agora eu queria muito jogar Street Fighter II Turbo.

⁂

A noite passou como uma frase complicada, pontuada por asas de frango, batata frita, *onigiri*, cerveja e *kimchi*. *Shochu* com gelo, *shochu* com chá *oolong*, *shochu* com água, *shochu* com *shochu* com *shochu*. Um filho da puta chato tirou as calças, pegou um pandeiro e ficou batucando tão alto perto do meu ouvido durante "Hey Jude" que senti um zumbido constante aumentando no ritmo da música.

Não pude evitar lançar uns olhares furtivos para Kyoko. Ela estava de suéter polo cor-de-rosa e calça creme e seus cabelos compridos estavam soltos. Será que ela normalmente o prendia em um rabo de cavalo? O que foi que mudou? Será que eu estava bêbado? Quer dizer, ela era linda. Linda demais para alguém como eu. Sempre pensei nela como a típica Garota de Escritório, reunindo-se com todas as outras GEs na hora do almoço para conversar sobre compras, ou maquiagem, ou o que quer que elas gostem de conversar. Não me leve a mal, os caras também falam sobre coisas fúteis – como beisebol e *kyabakura*.[11] Não suporto essa merda – pessoas falando sobre coisas que elas acham que *deviam* falar só para não serem consideradas socialmente esquisitas.

Devia ser o comentário sobre o Street Fighter II, porque eu só conseguia pensar em jogar com ela.

E espancá-la até ela virar uma polpa – no jogo, é claro.

Enquanto a observava bebendo, balançando a cabeça silenciosamente para "With or Without You", do U2, que o Chefão estava cantando, comecei a fantasiar uma partida contra ela.

Talvez ela escolhesse a Chun Li. Eu escolheria o Ken, óbvio. Iríamos para a fase do Guile nos EUA porque é a que tem a música mais legal, o caça ao fundo e aquele personagem que parece estar se masturbando. A música começaria (essa música combina com qualquer coisa), o narrador diria: *"Round one, fight!"* e o cronômetro começaria a contagem regressiva.

Talvez ela fizesse o primeiro movimento, rápido como um raio, lançando uma bola de fogo em mim, e eu ficaria atirando um *hadoken* nela. Sou um jogador paciente. Eu ficaria feliz mandando os *hadoken* e esperando que ela cometesse o erro fatal que todo mundo comete depois de um tempo. Ela ficaria inquieta e decidiria que era hora de atacar. E pularia no ar, querendo dar um chute forte direto na minha cabeça. Qualquer um que estivesse assistindo provavelmente pensaria: "Certo, já era, Ken. *Game over*. A cabeça dele vai voar".

---

11 Espécie de boate japonesa em que os homens pagam para conversar com mulheres, mas não há serviços sexuais.

E eles não estariam tão errados de pensar isso. Até um viciado em Street Fighter poderia demorar muito para contra-atacar, bloquear ou evitar o ataque. Mas sempre fui muito bom em uma coisa (todo mundo tem que ter um talento, certo?). Sempre consegui realizar o golpe mais poderoso de Ken mais rápido que qualquer outra pessoa com quem já joguei. Se eu tivesse nascido nos velhos tempos, quem sabe teria ficado conhecido como uma espécie de samurai ágil (como Toshiro Mifune, do filme *Yojimbo – O guarda-costas*), ou se eu tivesse nascido nos Estados Unidos, no velho oeste, teria sido como Butch Cassidy (ou será que Sundance Kid era mais rápido...?).

Então ali estaria ela, voando direto para a minha cabeça, e nessa hora meus dedos se moveriam tão rápido que você só ouviria o som dos botões do controle (seus olhos não conseguiriam acompanhar os comandos), que seriam:

→ ↘ ↓ ↘ → + *Hard Punch*

E então Ken se jogaria no ar (seu movimento é um pouco mais amplo que o de Ryu, por isso eu o escolheria), e seu punho viraria uma bola de fogo. O soco acertaria a coxa dela, e ela sairia voando para trás, caindo de bunda. Então eu pularia já dando um chute forte, derrubando-a no chão e lhe dando uma poderosa rasteira (bem quando ela estivesse se levantando), derrubando-a outra vez. Ela ficaria atordoada e tonta, vendo estrelinhas (ou pássaros) circulando sua cabeça, então eu a agarraria para lançá-la no ar. Chun Li cairia no convés, levantando poeira, e a tela inteira tremeria até o tempo acabar. Então Ken ergueria o punho, triunfante, e meus pontos apareceriam na tela – todos os 30.000 – enquanto o narrador gritaria com seu sotaque estadunidense: *"You win! Perfect!"*.

Não sei o que eu conquistaria com isso. Ela não ficaria impressionada nem nada. Não é exatamente assim que se faz amigos, eu sei.

Olhei-a discretamente de novo. Ela tinha realmente despertado meu interesse.

Que tipo de perdedora ela seria? Será que era do tipo que fica brava, joga o controle no chão e fica de mau humor? Tentaria me distrair para vencer na próxima luta? Talvez ela fosse uma perdedora bem-humorada. Talvez acabasse me irritando com sua calma, levando tudo numa boa.

Eu só tinha certeza de uma coisa: ela jamais ganharia. A menos que eu deixasse.

Bem, de qualquer jeito, eu sabia que tinha que jogar com ela.

⁂

O final dessas festinhas de karaokê era quase pior que a festa em si.

A noite ainda era uma criança, mas estávamos velhos demais para Shibuya. Parados em rodinha do lado de fora do complexo Manekineko, todos ficamos esperando meio sem jeito para ver o que aconteceria. Era um daqueles momentos em que ninguém é honesto sobre o que quer fazer a seguir. Algumas pessoas querem voltar para casa, mas não querem que os outros saibam que é isso o que elas querem. Outras se esforçam ao máximo para não demonstrar o quanto querem continuar bebendo, o quanto querem ir para a segunda festa (*nijikai*); talvez elas pensem que se mostrarem o quanto querem continuar e os ventos predominantes não coincidirem, isso se reflita na popularidade delas no grupo. Vai saber.

Eu tinha outras coisas na cabeça. Fiquei ao lado de Kyoko e estava esperando o momento perfeito para chamar sua atenção sem atrair olhares. A hora do *tejime*[12] estava chegando e eu precisava dar um jeito de conversar com ela.

– Obrigado por terem vindo hoje, pessoal. – Dhalsim tinha assumido o papel de organizador da festinha do dia. Sua careca refletia as luzes néon de Shibuya enquanto ele agitava as mãos animadamente. – Tenho certeza de que vamos todos concordar que a reuniãozinha foi um grande sucesso. Agora, juntem-se a mim para encerrarmos a noite...

– Aaaaaaaaaggggghhhhh! – Todos nos viramos. O Chefão estava com os braços esticados, soltando um berro gutural para o céu noturno. – Aaaaaaagggggghhhhhh! – Ele bateu no peito como se fosse Donkey Kong.

---

12 Sequência de palmas que os japoneses usam para simbolizar que algo foi concluído.

– Chefão, você está bem? – Dhalsim estendeu o braço e pousou a mão no seu ombro.

O Chefão o afastou.

– *Baka yaro!*[13]

– Chefão! – alguns gritaram, e todos os olhos se voltaram para a cena que se desenrolava.

Aproveitei a chance.

– Kyoko! – sussurrei.

Ela se virou devagar e me olhou sem expressão.

– Kyoko, fiquei pensando... – Afrouxei o colarinho. – Se você queria, e entendo completamente se não quiser...

– Sim? – Ela me olhou desconfiada.

Eu tinha que me apressar. O Chefão tinha agarrado uma das novatas pelos ombros e estava dando uma leve joelhada na bunda dela de brincadeira. Todos se amontoaram em volta deles, tentando fazê-lo parar (sem usurpar sua autoridade). As pessoas gritavam, preocupadas: "Chefão! Por favor, pare!" enquanto a novata se horrorizava com o diretor da empresa dando joelhadas na sua traseira sem parar, gritando para os céus palavras que ninguém entendia.

– Kyoko, quer jogar Street Fighter II comigo?

– Onde? – Ela ergueu a sobrancelha.

– Em uma casa de jogos. Deve ter alguma aqui perto.

Alguém tossiu e ela desviou o olhar, acenando a cabeça para Dhalsim, que tinha conseguido acabar com o tumulto. Milagrosamente, o Chefão tinha se acalmado, e agora estavam todos em círculo de novo com as mãos esticadas. Eles me olhavam cheios de expectativa.

– Ah, desculpe. – Também estiquei as mãos para fazer o *tejime*.

Então era isso.

Nada de Street Fighter II esta noite.

---

13 Expressão japonesa rude que pode ser traduzida como "sujeito idiota". (N. E.)

Quis ir para casa logo depois que a rodinha se desfez, mas quando vi que Kyoko ficaria para o *nijikai*, também decidi ficar. Estávamos a caminho de algum bar que nosso *senpai*[14] dissera ser incrível. Eu estava andando sozinho, fumando um cigarro, quando senti um puxão no ombro e fui empurrado para uma porta.

– O que...

Quando me virei, deparei-me com Kyoko com o dedo no lábio. Em seguida, ela cobriu minha boca com a mão.

Da porta, ficamos vendo o grupo passar, fofocando e conversando animadamente rumo ao bar. Depois que o último deles passou, ela tirou a mão da minha boca.

– Vamos.

– Aonde?

– Aqui.

Ela se direcionou para as portas duplas atrás de nós, que abriram automaticamente.

Assim que as portas se abriram, ouvi a súbita barulheira de zumbis explodindo, golpes especiais, saltos mortais, avanços avassaladores e superataques. Segui Kyoko para dentro da casa de jogos com suas fortes luzes opressoras. Um arco-íris de pixels multicoloridos brilhava ao nosso redor, banhando-nos de verde, vermelho e azul. Além dos efeitos sonoros ruidosos, ouvia-se a constante trilha sonora de Kyary Pamyu Pamyu explodindo em enormes alto-falantes nas paredes. Caminhamos por corredores cheios de gente brincando de tocar *taikô* e guitarra, mantendo o ritmo da música mesmo em meio a toda a confusão dançante e aos jogos de tiro malucos pelos quais passamos. Parecia que Kyoko já conhecia aquele lugar. Ela foi direto para um fliperama antigo na parede mais distante e ficou parada na frente dele.

---

14 Palavra usada para se referir com respeito a uma pessoa mais velha ou mais experiente.

– Aqui.

– Uau! Bem *vintage* – eu disse. Peguei meu porta-moedas e tirei duas moedas de 100 ienes.

– Não. – Ela ergueu a mão, apontando para uma máquina na parede. – Você precisa pegar as fichas ali.

– Sem problemas. – Estufei o peito como se fosse o maioral, enfiei uma nota de 1.000 ienes na máquina e peguei um punhado de fichas. – Deve ser o suficiente, né? – Entreguei as fichas para ela.

– Mais que o suficiente.

Ela colocou as fichas na borda da máquina, pegou duas, agachou-se e inseriu uma por uma na fenda.

A máquina soltou aquele som triunfante e familiar e nos informou que tínhamos dois créditos. Eu a deixei ficar à esquerda e me posicionei do lado direito. Estávamos tão próximos um do outro que eu não sabia se estava imaginando ou não, mas parecia que algumas partes do nosso corpo estavam quase se tocando. Senti uma estranha excitação, como se houvesse uma corrente elétrica entre nós dois.

– Está pronto? – Ela me olhou enquanto sua mão pairava sobre o botão de iniciar.

– Pronto. – Coloquei a mão sobre o botão do meu controle levemente pegajoso.

– No três. – Ela respirou fundo. – Um, dois, três!

Apertamos os botões ao mesmo tempo.

A tela congelou, ficou branca e exibiu duas palavras:

GAME OVER

– O que diabos? – Bati na lateral da máquina. – Vamos!

– Tudo bem – ela disse baixinho. – Deve estar quebrada.

– Putz. Podemos reclamar com alguém?

– Não que eu saiba.

– Merda. Eu estava ansioso por isso.

– Deixa pra lá.

– O que vamos fazer com todas essas fichas agora?

– Que tal jogar outra coisa? – ela sugeriu, empolgada.

– Mas eu queria jogar Street Fighter... – falei, parecendo um bebê chorão.

Ela ergueu a manga do suéter cor-de-rosa para verificar as horas em seu reloginho prateado.

– Está ficando tarde.

– É. Talvez a gente devesse encerrar a noite – disse, derrotado.

O barulho da casa de jogos e a gritaria dos jogadores encheu meus ouvidos, e de repente me senti enjoado. As luzes ofuscantes e a música frenética eram demais para mim.

– Podemos sair um pouco? – Comecei a caminhar.

– Mas e as fichas? – ela perguntou.

– Deixe aí. – Abanei a mão e continuei andando.

Lá fora, apoiei-me na parede e sorvi o ar fresco.

– Você está bem?

As portas se fecharam atrás de Kyoko. Ela ficou ali com o casaco cuidado-samente dobrado no braço.

– Sim, estou bem. Só precisava respirar um pouco. – Tentei disfarçar a frustração.

– Então... – ela disse.

– Então... – falei.

– Está cansado? – ela perguntou.

– Não exatamente. – Acendi um cigarro.

– Porque, bem, sei que é uma loucura e pode ser um pouco longe, mas... – Ela mordeu o lábio.

– Mas? – Dei uma tragada e soprei uma nuvem de fumaça para longe dela, em direção às movimentadas ruas néon.

– Conheço um bar. Bem, na verdade, é o bar do meu amigo.

– Sim?

– É um bar temático de Street Fighter.

– Sem chance!

– Sim, se chama Yoga Flame. Ele é todo decorado com bonecos e objetos do Street Fighter II. Tem uma TV gigante conectada a um Super Nintendo e os clientes podem jogar o quanto quiserem, desde que paguem pelas bebidas.

– Legal! Bora!

– Que bom que você gostou da ideia. O único problema é que... – Ela coçou a cabeça.

– O quê?

– É em Chiba.

– Chiba?

– Sim. Longe demais, né? Deixa pra lá. Quem sabe outro dia.

– Não. Podemos ir. Chiba não é *tão* longe.

– Sério? – Seus olhos brilharam. – Você não liga?

– Claro que não. Contanto que tenham Street Fighter II.

– Ótimo. – Ela juntou as mãos. – Bem, o último trem sai daqui a pouco. Vamos para a *konbini*.[15] Podemos pegar cerveja e coisas pra comer na viagem.

▲▲

Nos acomodamos no trem com sacolas da loja de conveniência cheias de latinhas de cerveja, *onigiri* de carne de porco com *kimchi* (edição limitada com alga *nori* salgada) para mim e um pacote de sanduíches de pão branco e fofinho (sem casquinha e recheado com manteiga de amendoim) para ela.

Tivemos que fazer baldeação algumas vezes, mas apenas segui Kyoko. A julgar pela velocidade com que ela trocava de trem, ficou claro que ela fazia bastante aquele percurso. Nas estações e nas plataformas, ela foi abrindo caminho entre os bêbados que cambaleavam em busca dos últimos trens.

---

15 Loja de conveniência.

Quando finalmente nos sentamos no trem *kaisoku*, que nos levaria diretamente para Chiba, pudemos relaxar e abrir as cervejas. Fiquei segurando a sacola da loja de conveniência. Tossi nervosamente e contei a Kyoko sobre quando trabalhava meio período na Lawson enquanto terminava a faculdade de Direito.

Seus olhos se iluminaram e ela falou em inglês:

– Você não sabe que isso é contra a lei... filho? – E depois voltou para o japonês. – Entendeu? Contra a lei... *law*... filho... *son*!

Houve um silêncio constrangedor e seu rosto ficou vermelho. Eu deveria ter rido. Por que é que eu não dei risada? A piada era boa – só que fiquei surpreso com seu inglês impecável. Seu sotaque era perfeito. Meu inglês era razoável – eu tinha passado no *eiken* e no TOEIC; conhecia as complexidades gramaticais e o vocabulário, mas tinha um sotaque bem pesado. Nunca consegui abandonar o *katakana* que aprendi na escola. Ainda assim, por que eu a deixei no vácuo? Eu deveria ter rido da piada dela.

– Que engraçado – falei sem convicção.

Ela bateu no meu braço.

– Não precisa fingir.

– Não, é sério. – Nossa, eu estava parecendo um babaca.

– Então você também trabalhou numa loja de conveniência, hein? – Ela deu uma risadinha. – Ainda tenho pesadelos com o estoque.

– Eu detestava abrir essas coisas.

Levantei a sacola que estava segurando, amarrei-a em um nó perfeito e coloquei-a no bolso. Tentei fazê-la rir com histórias bobas dos meus dias como balconista de loja de conveniência, falando sobre as pessoas engraçadas e esquisitas que passavam lá todos os dias, vivendo todas aquelas vidas: a garota com estranhos olhos verdes e aquela tatuagem assustadora, o taxista que sempre comprava um *bentô* para o almoço. Será que algum desses clientes percebeu quando eu saí e segui em frente? Será que me notavam ou eu era apenas um robô trabalhador para eles? E o que aconteceu com aquele velho simpático da bandana roxa? Eu costumava encontrá-lo do lado de fora da loja para lhe dar a comida que íamos jogar fora. Pobre velho. Ele simplesmente parou de ir antes de eu largar o emprego.

– *Kanpai* – ela disse, batendo sua latinha de cerveja Asahi na minha e me trazendo de volta para o presente.

Ela fez questão de deixar a lata mais baixa que a minha, o que me irritou um pouco. Era como se ela tivesse chegado antes de mim.

– *Kanpai*. – Bebi minha cerveja e comprimi os lábios.

– Então... – ela disse.

– Então... – falei.

– Acho que nunca dissemos isso antes, mas *yoroshiku onegai shimasu*. – Ela fez uma reverência.

– *Kochira koso, yoroshiku onegai itashimasu*. – Devolvi a reverência e falei de um jeito mais formal, torcendo para que isso compensasse a derrota no *kanpai*.

– Você é tão formal. – Ela pegou a toalhinha na bolsa e a enrolou na latinha.

– Então, como é que você sabe tanto sobre trens para Chiba? – Ataquei com meu chute voador.

– É que eu moro lá. – Ela bloqueou meu golpe.

– Por que é que você mora no meio do mato? – Dei uma rasteira seguida de um chute baixo.

– O aluguel é mais barato. – Ela saltou sobre a minha perna. – Onde você mora? – E me deu um chute na cara.

– Hum... – Fiquei perplexo.

– Desculpe, estou sendo enxerida. – Ela pulou agilmente de volta para sua parte da tela com a barra de vida intacta. – Quando você começou a jogar Street Fighter?

Fiquei mais confiante para lidar com esse tipo de pergunta.

– Quando eu era criança. Costumava jogar com meus irmãos.

– Mais velhos ou mais novos?

– Os dois, sou o do meio.

– Do meio, hein? Eu também. Quem era melhor no Street Fighter?

– Bem... É difícil responder isso.

– Por quê? – Ela bebeu a cerveja e deu umas mordidas no sanduíche.

– Quando éramos pequenos, era meu irmão mais velho. Ele vivia acabando com a gente.

– Daí o que aconteceu?

– Sei lá, mas um dia ganhei dele.

– Uau. Muito bem.

– Bem... não foi um bom dia.

Fiquei pensando no que aconteceu no dia em que ganhei dele. O caçula ficou tão feliz quando me viu vencer que deu uma gargalhada. Meu irmão mais velho ficou furioso. Ele estava tremendo de raiva, mas, em vez de me atacar, agarrou o caçula e começou a socar a cara dele. Eu só fiquei olhando, horrorizado, sem saber o que fazer.

– Enfim, mas e você e seu irmão mais velho? Você disse que costumava jogar com ele. Quem era melhor?

– Eu, claro.

– E onde ele está agora?

– Ele morreu. – Ela olhou para a janela.

– Ah... sinto muito.

Ela observou o sanduíche e fez uma careta.

– Não, eu é que sinto muito.

– Como assim?

– Aff. – Ela balançou a cabeça e bateu a mão na testa. – Ele não morreu. Não faço ideia de por que eu disse isso. Desculpe. Eu não devia ter falado isso.

– Ah... – Dei um longo gole na cerveja. Será que ela era maluca?

Ela colocou a mão no meu braço.

– Olhe, não sei por que falei isso. Pode deixar pra lá?

Engoli a cerveja.

– Claro.

– Meu irmão mais velho não está morto. E a gente não brigou nem nada disso. A gente se dá bem. Ele mora em Gunma. É casado. A esposa dele é uma graça. Ele tem dois filhos lindos. Eu os vejo sempre. Mas...

Ela olhou para a escuridão do lado de fora da janela de novo. Em algum lugar, as ondas se quebravam lentamente no horizonte, mas não dava para ver dali. Talvez todos sentíssemos seus movimentos no trem sacolejante.

– Mas?

– Mas... sei lá. É besteira. Você não sente que as coisas às vezes mudam? Tipo, mesmo que *não* aconteça nada dramático nem terrível na sua vida, só o fato de crescer já é um trauma gigantesco. Lembro de ficar sentada no tatame com meu irmão mais velho quando éramos crianças, e sinto algo incrivelmente doloroso só de pensar que perdemos isso. É tipo uma onda de nostalgia nos lembrando sem parar de que nunca mais vamos poder voltar pra casa. De que aquelas crianças sentadas no chão, tão novinhas e felizes, estão mortas agora. Elas nunca mais vão voltar. Isso porque ainda nem falei do meu irmão caçula, que é *bem* mais novo... ele parou de ir pra escola e não fala com ninguém. E não posso fazer nada pra ajudar. Ele era uma criança tão alegre, mas é como se o próprio ato de crescer o estivesse matando lentamente...

Eu não sabia o que dizer, então apenas fiquei calado. Não conseguia acreditar que ela estava sendo tão honesta.

– Me desculpe, estou falando bobagem. – Ela suspirou.

– Não, não acho que seja bobagem. Eu entendo. Família é uma coisa complicada. – Aff. Lá fui eu de novo agindo feito um babaca.

– Obrigada. – Ela se virou e sorriu para mim. Depois, enfiou a mão na sacola e me ofereceu um *onigiri*. – Você é um bom ouvinte, sabia?

– Obrigado. – Quando peguei o *onigiri*, nossos dedos se tocaram de leve, e ela olhou para mim. Falei algo depressa: – E aí, qual é seu personagem favorito do Street Fighter?

Ela nem piscou.

– Ken. E o seu?

Por que achei que fosse a Chun Li? Como sou sexista.

– Ken.

– O melhor. – Ela sorriu.

– Você faz o truque da velocidade quando joga? – perguntei para testá-la.

– Claro.

– E você lembra como se faz? Porque às vezes eu esqueço...

– Pra baixo, R, pra cima, L, Y, B. No controle dois.

Uau. Ela sabia das coisas.

– Ei, você ouviu aquela história sobre o M. Bison...

– Que o Balrog, o boxeador, originalmente se chamaria M. Bison nos Estados Unidos porque foi inspirado em Mike Tyson, mas a Capcom ficou preocupada que Tyson pudesse processá-los, então mudaram o nome?

– Tem alguma coisa que você *não* saiba sobre Street Fighter? – Eu estava impressionado.

– Como é que eu posso saber? – Ela deu risada.

– Posso confessar uma coisa?

– Manda.

– Tem dois movimentos que nunca consegui fazer.

– Sério?

– Sério. Nunca conseguir fazer o *Yoga Teleport* do Dhalsim nem o *Spinning Piledriver* do Zangief. Tenho medo de perguntar, mas você consegue fazer?

– Tive que praticar muito. São bem difíceis mesmo.

Eu subestimei essa garota.

– Se importa se eu tirar um cochilo? – ela perguntou.

– Fique à vontade – eu disse.

– É estranho se eu apoiar a cabeça no seu ombro?

– Não, por favor.

Ela se encostou em mim, e senti a maciez do seu cabelo no meu pescoço.

– Me acorda quando a gente chegar.

– Pode deixar.

▲▲

Os passageiros foram descendo à medida que nos afastávamos de Tóquio. Agora o vagão estava quase vazio. Estávamos sentados lado a lado de frente para as janelas escuras, e a luz nos impossibilitava de ver o lado de fora. Fiquei ali pensando. Eu sabia que jamais venceria Kyoko no Street Fighter II. Eu ia levar uma surra, e isso era tão certo quanto o fato de aquele trem estar indo para a estação de Chiba.

Enquanto pensava nisso, paramos em uma estação, mas ninguém embarcou. Quando o familiar bipe indicou que as portas estavam prestes a se fechar, uma gatinha tricolor entrou pela fresta da porta e subiu no assento da frente.

– Eita! – exclamei, sem conseguir me segurar.

Kyoko se mexeu um pouco, mas não acordou. Movi a mão esquerda com cuidado para pegar o celular no bolso e tirar uma foto da gata viajante.

Sentada ereta, ela olhou diretamente para mim.

Vi algo em seus olhos brilhantes. Algo caótico. A cidade refletida em sua íris. Era como se ela pudesse ver todos nós nos movimentando e, assim como a imagem da cidade ricocheteava para longe de seus olhos, ela também rejeitava qualquer ideia de forma ou controle humano. Aquela gata não tinha dono, e eu a invejei por isso.

Kyoko ainda estava com a cabeça apoiada no meu ombro, e sua respiração suave fazia seu peito subir e descer em um ritmo estável. Meus dedos estavam enfiados dentro do bolso, tocando o celular, mas, quando o tirei, o trem parou na estação seguinte. As portas se abriram e, num piscar de olhos, como se soubesse exatamente aonde estava indo, a gata desceu e saiu do trem. Olhei para a foto que tirei: estava borrada e tremida. A gata era apenas uma indistinta bola colorida. Mandei a imagem para a lixeira e a cena desapareceu. Levantei a cabeça e, pela janela, vi a gatinha caminhando pela plataforma com o rabo erguido. Quando o trem recomeçou a sacolejar, recostei-me no assento e fechei os olhos.

Às vezes, sinto que toda a cidade é um vasto organismo. É como um ser humano do qual todos fazemos parte. Estamos limitados a estradas, cursos d'água, túneis, trens. É como se nossos caminhos estivessem traçados para nós e não tivéssemos como escapar deles. É isso que torna aquela gata diferente de nós. Ela pode entrar e sair dos trens quando quiser. Já nós, humanos, estamos vinculados ao destino da cidade. Ninguém pode escapar das suas garras. Eu adoraria fazer as malas e partir para o campo, mas não posso fugir. Estou preso aqui. Jardim de infância, ensino fundamental, ensino médio, universidade, estágio, trabalho, aposentadoria, morte. Essa é a minha vida, já estabelecida para mim. E para todas as outras milhões de pessoas que encontro todos os dias. A cidade precisa de nós e nós precisamos da cidade. Tonelagem simbiótica.

⁂

Deixe-me pausar aqui rapidinho.

Então, até agora, você deve ter notado que eu estava narrando tudo no passado. Alguns de vocês devem estar se perguntando: "O que aconteceu no final?". Bem, a verdade é que estou contando minha história *agora*. E *agora* é aqui no trem com Kyoko. A gata acabou de entrar e sair do trem e me deixou aqui refletindo sobre os eventos da noite.

Pergunto-me se algum de vocês já sentiu essa espécie de premonição, como se você soubesse o que vai acontecer. É como este trem em que estou – não há como sair do trilho. Sentado aqui, acho que sei exatamente como esta noite vai se desenrolar. Na verdade, tenho certeza. É isso o que vai acontecer:

Vamos descer em Chiba. Kyoko e eu ficaremos empolgados por ter chegado.

Iremos para o bar do amigo dela conversando sobre o quanto queremos jogar.

Decidiremos quantas estrelas cada um terá e em qual cenário vamos lutar e tal.

Depois seguiremos para o bar, observando as enormes letras da placa em cima da porta dizendo YOGA FLAME. Mas daí nossos olhos verão o papel branco colado na entrada e ficaremos em silêncio.

Antes mesmo de ler, já vamos saber que está escrito algo como:

FECHADO HOJE DEVIDO A UMA EMERGÊNCIA FAMILIAR. DESCULPEM.

Então pensaremos em altenaivas. Talvez a gente siga para um bar para beber algo enquanto decidimos o que fazer. E então talvez eu diga algo bobo sem pensar como:

– Ei! Podemos ir pra um motel!

Ela me olharia com nojo e diria:

– Que tipo de garota você acha que eu sou?

E eu perceberia que não me expressei corretamente, e diria:

– Não, não. É que alguns motéis têm fliperamas. A gente pode procurar algum aqui em Chiba que tenha Super Nintendo. Assim poderíamos jogar Street Fighter.

Ela ainda estaria incomodada com o comentário e diria algo como:

– Não sou prostituta, sabe.

Então eu ficaria estranho e taciturno, porque não teria sido o que eu quis dizer.

A gente discutiria e ela entenderia que eu não tinha más intenções. Daí eu ficaria arrependido e abatido. Ela também pediria desculpas. E diria algo como:

– Minha casa não fica longe daqui. Você pode dormir lá, se quiser.

E eu diria:

– Você tem Street Fighter II?

E ela responderia:

– Não, mas...

E eu diria:

– Tudo bem. Eu vou pra casa.

E ela falaria:

– Mas só vai ter trem de manhã.

E eu diria:

– Não ligo de esperar.

E ela falaria:

– Bem, deixe-me te fazer companhia então.

E eu diria:

– Não tem problema. Vá pra casa.

Ficaríamos em silêncio por um instante.

Até que ela falaria:

– Está bem. Tchau.

E eu diria:

– Tchau.

Viraríamos as costas e caminharíamos para lados opostos.

E, quando nos encontrássemos na segunda de manhã, ela passaria reto por mim, como se eu fosse invisível.

⁛

Nada disso aconteceu ainda. Ainda estou sentado no trem imaginando o futuro. Mas por que é que parece que já aconteceu? É como se isso tivesse acontecido um milhão de vezes antes, como se sempre fosse acontecer, feito uma imagem das câmeras de segurança da cidade presa em um *looping* infinito. Ela ainda está com a cabeça no meu ombro, e tudo o que consigo pensar é se temos algum controle sobre as nossas vidas. Como posso mudar o futuro? Porque o que é o futuro senão aquele momento em que você está jogando contra o computador no nível mais difícil, fica sem energia e comete aquele erro fatal? É aquele doloroso momento que dura uma eternidade antes do golpe final. Em que você sabe que estragou tudo e não há como voltar. Em que pode pressionar *pause* o quanto quiser, mas isso não evita o que vai acontecer.

É hora de recomeçar, despausar o jogo e deixá-lo transcorrer até o final.

Ela levanta a cabeça e abre os olhos.

– Ainda não chegamos?

Sakura

– Ueno, por favor – ela diz, enfiando a cabeça no carro e se acomodando no banco de trás.

Assinto, puxando a alavanca debaixo do volante, que fecha automaticamente as portas traseiras. Partimos em silêncio. Ela está vestindo um quimono cor-de--rosa com flores de *sakura* bem sutis. Pelo seu penteado tradicional, eu diria que ela é de fora. As mulheres de Tóquio não usam mais os cabelos assim. Ela deve ser de uma cidade histórica – talvez algum lugar como Kyoto. Rica e abastada. Não quero tentar adivinhar a idade dela – isso não seria muito educado. Às vezes, quando estou entediado e o dia se arrasta, tento descobrir que tipo de pessoa é o passageiro. É bom avaliar as pessoas que entram, adivinhar quem são, o que fazem e para onde vão. Não tenho o hábito de ficar me intrometendo em suas vidas. Na maioria das vezes, só me concentro no caminho adiante. Esforço-me para não ser enxerido. Afinal, não tenho nada a ver com a vida delas.

– Lindo dia de primavera, não é?

– Com certeza – respondo.

– Faz anos que não vejo as flores em Tóquio. – Ela suspira.

– Veio de longe, não é?

– Kanazawa. Não venho muito para cá. É um prazer.

– Bem, espero que aproveite.

– Obrigada. – Pelo retrovisor, vejo seu sorriso. – Vim ver minha amiga estadunidense. Ela é de Portland, Oregon. Morava em Kanazawa, mas se mudou para cá para trabalhar como tradutora.

Sorrio. As pessoas de outras cidades sempre me encantam. Nenhum cidadão de Tóquio falaria tanto sobre si mesmo em um primeiro encontro. Ficamos em silêncio por um tempo, até que ela continua a conversa.

– Já foi para Kanazawa?

– Não. Não viajei muito.

– O senhor deve trabalhar muito.

– Bastante.

– Tem filhos?

Uau. Pergunta pessoal.

– Sim, uma filha.

– Onde ela mora?

– Nova York.

– Que maravilha! O que ela faz lá?

Diminuo um pouco a velocidade porque os semáforos fecharam.

– Ela se casou com um estadunidense chamado Erik. Bom rapaz, adora beber. Ama uma cerveja e *shochu*. A gente se divertiu quando ele veio passar o Ano Novo aqui. É sempre triste vê-los indo embora. Ela vai ter um filho logo, logo. Quem acreditaria nisso? Eu, avô!

– O senhor não parece ter idade para ser avô. Quantos anos tem?

– Sessenta.

– O senhor e a sua esposa vão visitar Nova York quando o bebê nascer?

Não sei o que responder, pois não quero estragar o clima.

– Tomara.

– Vocês vão se divertir.

Ela se divertiria mesmo.

– Tomara.

Quando chegamos em Ueno, ela tira notas novinhas da bolsa e me agradece. Entrego-lhe o troco e puxo a alavanca para abrir a porta traseira. Bem úteis essas portas automáticas. Aposto que os táxis amarelos de Nova York não têm isso. Ela faz uma reverência para mim e eu retribuo o cumprimento. Ela coloca a mão habilmente sob o quimono ao sair do táxi. Na rua, encontra outras três moças, todas vestidas com quimonos de cores primaveris. Vejo a amiga que ela mencionou – de cabelos loiros e olhos azuis. O quimono que ela está usando combina muito bem com ela. Elas começam a conversar animadamente na mesma hora – a estadunidense fala um japonês incrível. Então elas seguem para o parque. A conversa se dissipa enquanto eu vou embora.

⁙

As pessoas estão todas na rua hoje. Elas se acomodam sob as flores bebendo cerveja, comendo *bentô*, distribuindo recipientes plásticos com frango frito da loja de conveniência. Alguns senhores já estão bêbados – dormindo sobre as lonas azuis espalhadas pelo chão. Todos deixam os sapatos cuidadosamente alinhados ao lado das lonas. Centenas e centenas de sapatos – principalmente sapatos pretos de assalariados, mas também há sandálias, saltos e tênis. Eu me pergunto quantas pessoas perdem sapatos no caos do *hanami*.[16]

Queria poder me juntar a elas para beber debaixo das árvores. Mas preciso almoçar e tirar uma soneca rápida – esse é o único jeito de sobreviver às longas horas de trabalho, das oito da manhã às quatro do dia seguinte. Eu mal passo tempo em casa, mas tudo bem. Não gosto de ficar sozinho. Os espaços vazios são um grande lembrete do que havia lá antes. O espaço negativo. O buraco na cama, a cadeira fantasma, o par de pauzinhos na gaveta sem uso, a tigela de arroz ao lado da tigela de sopa na prateleira, agora toda empoeirada. É engraçado – apesar de eu ter me mudado para a casa nova, longe da casa de Nakano, não consigo jogar fora as coisas dela.

Paro na mesma loja de conveniência da Lawson a que vou quase todos os dias para comprar um *bentô* e uma garrafa de chá verde. Assinto e sorrio para o

---

16 Tradicional celebração japonesa de apreciação das flores, especialmente das flores da cerejeira (*sakura*). As cerejeiras florescem do fim de março ao começo de maio. Durante o *hanami*, realizam-se festas ao ar livre, embaixo das árvores, durante o dia ou à noite.

novo caixa. Os funcionários de lá parecem estar mudando o tempo todo, indo e vindo sem parar. Recentemente, percebi que muitos dos trabalhadores são de outros países asiáticos, como Vietnã e China. Devem ser estudantes, e é bom ver que estão vindo estudar no Japão. Todas as embalagens de comidas e bebidas da loja estão decoradas com flores de cerejeira, e fico tentado pelos desenhos coloridos nas latas de cerveja. Bah, preciso trabalhar.

Geralmente, almoço no carro. Assim posso ouvir música. Estou escutando um CD do Cat Stevens neste momento. Às vezes, eu o coloco quando estou dirigindo, mas alguns passageiros reclamam. É melhor ouvir música durante as minhas pausas ou quando estou sozinho.

Enquanto dirijo por uma rua secundária, vejo o lugar perfeito para almoçar: debaixo de uma cerejeira em flor que se projeta no asfalto, produzindo um pouco de sombra. Fico ali no carro, coloco "Father and son" para tocar e como meu *bentô* e bebo meu chá, admirando as flores. É meu *hanami* particular.

Depois que termino de comer, reclino o banco, estico-me com as mãos atrás da cabeça e fico observando as flores acima. Uma forte rajada de vento balança as flores e as pétalas caem no para-brisa feito uma nevasca de flocos cor-de-rosa. Fecho os olhos e quase consigo sentir as pétalas caindo no meu rosto.

▲▲

Estou sonhando. Sei que estou sonhando porque estou no escritório do meu pai e ele ainda está vivo. Estou observando-o escrever suas histórias. Ele está usando a caneta-tinteiro que me deu antes de morrer. Está escrevendo cuidadosamente em *kanji* – sistema de escrita japonês formado por ideogramas de origem chinesa – com tinta azul brilhante em folhas quadradas. Quando entro, ele levanta a cabeça e sorri. Há pilhas organizadas de papel por toda parte, prontas para serem enviadas para as editoras. Livros em montes instáveis. O canto da estante de baixo está repleto de livros de *rakugo* que meu irmão mais velho, Ichiro, costumava ler sem parar. Ele está encolhido no chão lendo, e é um garotinho de novo.

Ainda tenho a caneta que meu pai me deu, mas está guardada em uma gaveta. Faz anos que não a uso. Eu lhe prometi que escreveria mais poemas. Mas nunca mais escrevi, não desde que a conheci. Depois que a conheci, não senti mais necessidade de escrever. E quando Ryoko nasceu, tudo o que eu queria fazer era trabalhar e ganhar mais dinheiro para elas. Para deixá-las felizes.

Quando olho para o rosto do meu pai de novo, vejo que ele se transformou no rosto do meu irmão. Ele está na postura *seiza*, de quimono, com as mãos à sua frente, como se estivesse prestes a começar uma apresentação de *rakugo*.

Ichiro sempre foi o famoso contador de histórias.

E agora ele também se foi.

Não pude nem ligar para ele quando ela morreu.

⁂

O despertador do celular me acorda. O sol está entrando pela janela do carro e estou suando. Minhas costas estão doendo bastante. Abro o porta-luvas e procuro o pote de remédios. Meus dedos se atrapalham com a tampa e acho difícil pegar um comprimido. Coloco-o na língua, sinto seu amargor e engulo-o com o resto do chá. Depois, coloco um par de luvas brancas para dirigir, ajeito o chapéu no lugar, olho-me no espelho e sigo em frente.

Quando estou passando na estação Ueno, um homem estranho de cerca de trinta anos me chama. Seu cabelo é comprido e bagunçado e sua barba não está feita. A julgar por suas roupas e aparência, ele deve ser um operário de fábrica em seu dia de folga. Ele entra sem falar nada e partimos.

– Para onde?

– Akihabara – ele diz, olhando pela janela.

Do lado de fora, os prédios serpenteiam e se aglomeram ao nosso redor. O sol está alto e o calor do meio-dia está queimando o asfalto. Ondas quentes cintilam no ar. Ligo o ar-condicionado. Os arranha-céus de vidro do bairro dos eletrônicos refletem o azul profundo do céu, e as janelas de caixas de concreto cinza revelam nuvens brancas e fofas. Se eu tivesse minha caneta, escreveria essas coisas. Papai teria gostado.

Quando passamos por um bando de turistas, o cara diz:

– Sou eu que estou viajando ou a cidade está infestada de *gaijins*?[17]

Ele estala os dedos. Estremeço.

– Sim, tenho orgulho...

– Eu tenho nojo. – Ele não está ouvindo.

– É mesmo?

– Eles vêm aqui pra desrespeitar nossa cultura. Nem falam japonês. – Ele bufa.

– Sério?

– Eles vêm e pisoteiam nossos templos, santuários e sepulturas. Desrespeitam a nossa história, nossa cultura. Vão a bares, bebem demais e apalpam nossas mulheres. Nos tratam como idiotas.

– Minhas desculpas, Kyaku-sama, mas, bem, provavelmente devo ter entendido errado, mas pensei que eles vinham porque estão interessados na nossa cultura...

– Ah, o senhor acha, é? – Ele faz um barulho engraçado no fundo garganta, como se eu tivesse dito a coisa mais estúpida do mundo. – Os estadunidenses atiraram bombas em nós, nos castraram e nos fizeram aceitar a paz. Não a *nossa* paz, a paz *deles*. E agora a gente fica parado deixando os chineses nos tomarem as ilhas Senkakujima, enquanto os coreanos tentam roubar a ilha Takeshima. Nos tornamos a piada da Ásia porque deixamos todo mundo passar por cima de nós. Os *gaijin* não respeitam o Japão nem nossa cultura. Fico até enjoado.

Que monte de besteira, é o que penso, mas não posso dizer isso para um passageiro.

– Sei – é o que digo.

– Obrigado. Vou descer aqui.

Paro o carro e ele paga a corrida. Enquanto lhe dou o troco, ele me entrega um cartão.

---

17 *Gai* significa "de fora", *jin* significa "pessoa". Forma pejorativa de se referir aos estrangeiros. (N. E.)

– Se estiver interessado.

Depois que ele sai, observo o cartão. Impressas em papel barato e velho, leio as palavras: *Não se torne uma formiga!* O que é isso? *Uyoku dantai* – um grupo político de direita? Olho pela janela e vejo-o desaparecer num dos "cafés" em que garotas estrangeiras prestam seus serviços. Balanço a cabeça e enfio o cartão no saquinho de lixo que deixo no chão.

Nas horas seguintes, pego alguns passageiros aqui e ali – um grupo de estudantes do ensino médio a caminho de um karaokê, lutadores de sumô que fazem o carro ranger e tombar levemente para trás, um velho professor simpático carregando uma pilha de romances de segunda mão que comprou nas livrarias de Jinbocho. No fim da tarde, estou na área ao redor da estação de Tóquio. Os escritórios de Marunouchi estão se esvaziando conforme a jornada de trabalho termina. A maioria dos trabalhadores seniores passou o dia todo bebendo sob as flores de cerejeira, e agora os juniores estão saindo dos escritórios às pressas para participar das festividades. Pego um jovem no ponto de táxi da estação a caminho de Shimbashi. Parece que ele já bebeu um pouco no trem. Deve estar em uma viagem de negócios, vindo de fora da cidade.

– Desculpe, o senhor poderia dirigir um pouco mais devagar? – ele diz, tossindo.

– Certamente, senhor. Desculpe.

– Está tudo bem, eu só... eu só...

– O senhor está bem? – pergunto, parando o carro.

– Preciso... – Ele tem uma ânsia de vômito e cobre a boca com a mão.

Pego um saco na lateral da porta, que entrego para ele o mais rápido que consigo. Olho para o outro lado enquanto ele vomita. Ouço o conteúdo sólido e aquoso atingir a base de papel do saco. O cheiro azedo se infiltra pelas minhas narinas, e cubro discretamente o nariz com a mão, abrindo um pouco a janela.

– Desculpe – ele diz.

– Imagine, senhor. Acontece. Não precisa pedir desculpa.

Sorrio para ele e vejo um longo fio de saliva descendo dos seus lábios até o saco. Ofereço-lhe um lenço, que mantenho na porta do carro para situações assim.

– Obrigado. – Ele limpa o rosto.

– Está bem para seguir viagem? – pergunto.

– Acho que sim. Podemos ir mais devagar?

– Claro. Gosta de Cat Stevens?

– Adoro. – Ele sorri.

Aperto o *play*.

▲▲

A cidade fica livre à noite. Durante o dia, o tráfego é intenso. Mas, à noite, as ruas se esvaziam e meu táxi viaja sem problemas de uma ponta a outra. O concreto canta uma melodia tranquila sob meus pneus. É como se a cidade toda estivesse sobre rodinhas, movendo-se ao meu redor, e eu estivesse no centro, mantendo tudo unido. Gosto dessa sensação. Isso me lembra algo em que sempre penso antes de dormir, desde que era criança. Meu *futon* vira um tapete mágico e posso voar pelas ruas ainda deitado. As pessoas me olham e apontam para mim enquanto passo voando, e às vezes diminuo o ritmo para conversar.

Tomo mais um comprimido porque minha lombar voltou a latejar, e paro em um ponto de táxi para tomar um café. Wada e Yamazaki estão fumando perto da máquina de venda automática. Wada ganhou ainda mais peso e Yamazaki está mais magro. De longe, eles parecem aquelas criaturas engraçadas daquele filme da Disney sobre o leão que eu costumava assistir com Ryoko quando ela era pequena. Quais eram seus nomes mesmo? Um deles era um javali e o outro era uma espécie de rato brincalhão ou algo assim.

– Ah, se não é Taro-san! Como está?

– Nada mal, Yamazaki-san. E você?

– Trabalhando feito um cachorro, mas não posso reclamar.

Coloco uma moeda de 120 ienes na máquina e retiro uma latinha gelada de café. Abro-a e solto um suspiro de alívio.

– Taro-san, quer um cigarro? – Wada sacode o maço com a mão gorducha.

– *Arigato*. Te devo um. – Aceito a oferta, e Yamazaki já está estendendo o braço comprido com o isqueiro na mão.

– Que isso, você está sempre dando seus cigarros pro Wada. Ele é um ladrão safado. – Yamada abre um sorriso, revelando seus dentes amarelos.

Wada fica chateado.

– Falando em ladrões, como vai seu filho, Yamazaki? – Wada dá uma piscadela para mim.

Yamazaki revira os olhos.

– Ah, não começa. Já não basta minha mulher comendo minha orelha em casa? Não preciso de vocês me lembrando dos meus problemas também. Sinceramente, fico feliz por ter um trabalho que me tira de casa o dia todo, só pra poder ficar longe da minha família.

– Como vai a sua família, Taro-san? – Wada se vira para mim.

Yamazaki encara Wada. Olho para o outro lado, como se estivesse baforando. Não quero constranger Wada. Talvez ele não tenha ouvido as notícias sobre a minha esposa, então mudo de assunto.

– Alguém viu o placar dos Giants? – pergunto.

– Você acha que temos tempo pra ver beisebol? – diz Yamazaki, aliviado por termos mudado de assunto.

– Nem quero saber dessa temporada. Os Carp me deixam deprimido. – Wada é de Hiroshima e tem orgulho disso. – Ei, por que não vem beber com a gente qualquer dia desses, Taro-san?

– Ah, não sei – digo.

– Vamos, vai ser divertido! – Yamazaki fala.

– Conheço um lugar que tem um *okonomiyaki* delicioso. É de uns amigos – Wada sugere.

– Wada, Taro-san nasceu e cresceu em Tóquio – Yamazaki diz. – Ele é sofisticado. Acha que vai querer comer aquela porcaria caipira?

Wada dá um tapa brincalhão na nuca de Yamazaki, e todos damos risada. Ficamos ali conversando e fumando, e eles pegam meu número para combinarmos de sair. Depois há um silêncio desconfortável diante do entendimento de que, por mais que eu goste de ficar ali bebendo café e fumando com eles, tempo é dinheiro. Peço licença e Wada gentilmente pega minha latinha vazia com sua mão gorducha, como sempre. Faço uma reverência e volto para o carro. Enquanto me afasto, observo-os acendendo outro cigarro. Não consigo deixar de rir sozinho. Será que esses dois trabalham?

Já é noitinha e o céu sem estrelas lança sua escuridão sobre o caos fluorescente da cidade. As ruas se emaranham e se contorcem, envolvendo viadutos e cavando túneis. Tudo se cruza e se entrelaça feito grossos fios brancos de massa em uma tigela de *udon*. E, conforme a noite avança, a cidade começa a suar e a feder. Fumaça escapa das barracas de *yakitori* sob os trilhos da estação Shimbashi, flutuando entre as luzes coloridas e os cartazes amarelados do cinema da era Showa descascando das paredes. Na calçada, funcionários do escritório sentam-se em caixas de cerveja vazias viradas de cabeça para baixo que funcionam como bancos baratos. Fumando e conversando, beliscando palitos de *yakitori* e acompanhando tudo com copos de cerveja gelada.

A noite segue e os bêbados vão ficando mais barulhentos e solitários. Vejo um grupo de jovens trabalhadores abraçados uns aos outros, berrando canções no ar noturno. Há um rapaz fazendo xixi de cima de uma passarela. Seus amigos o encorajam. Não consigo deixar de rir. Eles precisam extravasar. Passam os dias acorrentados às suas mesas, trancados em seus cubículos. Servindo a empresa. Pobres idiotas. Eu nunca poderia fazer isso. É por isso que escolhi ser taxista. Aqui fora, sou meu próprio patrão. Ninguém me diz o que fazer ou para onde ir. Tudo só depende de mim.

Mais tarde, pego uma corrida em Roppongi. Dois garotos e uma garota. Os rapazes estão de terno preto e camisa branca – funcionários de escritórios. A moça é um pouco diferente. Está vestindo um suéter polo cor-de-rosa e calça creme. A blusa me lembra da passageira de antes, a que tinha flores de cerejeira no quimono. Só que esta é mais jovem e está com o cabelo preso. O primeiro cara e a garota entram no carro em silêncio – ele de terno, todo elegante e inteligente, cabelo arrumado, e não todo espetado como os jovens de hoje gostam de usar. O outro cara demora um pouco para entrar porque está xingando alguém na rua. Quando ele finalmente se acomoda no banco, vejo que tirou o terno e sua camisa está desabotoada. Noto uma mancha de molho de soja logo abaixo do bolso lateral. A pobre garota está espremida no meio deles.

– Shibuya! – fala o garoto desleixado.

– Nah – o outro diz. – Desculpe, Ryu. Vou passar. Chega de beber. Vou pra casa.

– Vamos lá, Makoto! Não seja chato! Kyoko, você quer mais um drinque, não?

– Bem, a gente já bebeu bastante... – a garota responde.

– Que isso! A noite está só começando. Motorista! Nos leve pra Shibuya!

– Entendido.

Parto em direção a Shibuya, mas algo me diz que a corrida vai ser difícil. Quando se tem três bêbados no carro, geralmente há algum desentendimento.

– Pra qual bar a gente vai? – pergunta o bêbado chamado Ryu.

– Estou ficando sem dinheiro – diz o outro, Makoto.

– Motorista, o senhor aceita cartão? – Ryu pergunta.

– Sim – respondo. – Mas se vocês tiverem dinheiro é melhor. A empresa me faz pagar a taxa do cartão.

– Sem problemas. Pode parar num caixa eletrônico? Preciso sacar.

– Claro.

Paramos no caixa eletrônico e Ryu desce do carro com o cartão na mão. Os outros dois ficam sentados, sussurrando um com o outro.

– Como é que vamos nos livrar dele? – Makoto diz.

– Ah, meu Deus – a garota, Kyoko, fala. – Sei lá. Ele é tão irritante quando está bêbado.

– E se a gente descer em alguma estação de metrô? Daí a gente pode ir pra algum outro lugar. Talvez voltar pra Chiba?

– Perfeito.

– Motorista, pode nos deixar em alguma estação antes de levar nosso amigo pra Shibuya? – Kyoko pergunta, falando mais alto.

– Sem problemas.

Não consigo evitar um pressentimento de que vamos ter problemas – o perigo está por vir. Parte de mim gostaria de mandar todos eles crescerem e se comunicarem melhor. Serem claros sobre o que querem. Talvez em Nova York, onde Ryoko está, os taxistas sejam mais atrevidos e falem algo, mas, no Japão, sempre dizemos que o cliente é um deus. E como é que se diz a um deus o que fazer?

Ryu volta, enfiando de qualquer jeito um maço de notas de 10.000 ienes na carteira.

– Beleza! Bora pra farra!

Quando nos aproximamos da estação, observo-os pelo retrovisor. Makoto está enfiando a mão no bolso para pegar seu dinheiro.

– Aqui, isso deve dar – ele fala, entregando as notas para Ryu.

– Pra que isso? – Ryu pergunta.

– A gente vai descer aqui – Makoto diz.

– Como assim? Para onde vocês vão?

Paro o táxi na frente da estação e abro a porta do lado de Makoto. Ele desce primeiro, seguido por Kyoko. Ela fica parada perto dele, sem tocá-lo.

– Aonde vocês vão? – Ryu repete.

– Pra casa – Kyoko diz.

– Pensei que a gente fosse beber em Shibuya – ele fala com uma voz chorosa.

– Foi mal, Ryu. Estamos cansados. Vá sem a gente.

– Não podemos beber mais uma aqui antes? Motorista, obrigado, vou descer também.

Ryu empurra o dinheiro para mim. Começo a estender a mão para pegá-lo, mas depois viro o rosto.

– Não, Ryu. Vá pra casa – Makoto fala.

– Está bem. – Ele passa o dinheiro para Makoto. – Pode ficar. Não quero.

– Não seja bobo. Aceite. Você pode beber uma em Shibuya e depois ir pra casa.

– Não preciso. Tenho dinheiro.

– Bem, se você diz. – Makoto pega suas notas.

Ryu faz uma carranca.

– Te vejo amanhã – Kyoko fala, sorrindo e acenando.

– Que seja – ele solta.

Fecho a porta do táxi e partimos para Shibuya.

– Cuzões do caralho – Ryu murmura baixinho no banco de trás. – Traidores de merda.

Fico em silêncio. Tenho bastante experiência com bêbados. Não só no trabalho, mas em casa também – lidei com o pior de Ichiro. Posso lidar com esse cara.

– Merda.

Coloco Cat Stevens para tocar, torcendo para que a música o anime.

– Desliga essa bosta.

– Desculpe, senhor. – Desligo o som.

– Cuzões do caralho. Tudo é uma merda.

– Ainda quer ir para Shibuya, senhor?

– Claro que sim! Que tipo de pergunta é essa?

– Desculpe, senhor. – Toco o chapéu e assinto. – Só estava confirmando, me perdoe.

– Só faça o seu trabalho. Dirija o carro e cuide da sua vida, caralho.

– Desculpe, senhor.

Ele olha pela janela balançando a cabeça. Estamos chegando ao cruzamento de Shibuya. É meia-noite e os jovens estão todos na rua, prontos para beber até altas horas.

– Pode parar.

– Sim, senhor.

– Aqui. – Ele me oferece o cartão.

– Senhor, se importaria de pagar em dinheiro? É só…

– Está me dizendo o que fazer?

– Não, senhor. Eu só…

– Pois parece que o senhor está me dizendo o que fazer. Qual o seu nome?

– Se olhar na identificação aqui atrás do banco, senhor, vai ver meu nome e meu número…

– Não foi isso que eu perguntei. Te fiz uma pergunta simples. Qual é o seu nome?

– Ohashi Taro.

– Bem, Taro. – Ele está tão perto que sinto o cheiro de álcool no seu hálito. – Você sabe quem eu sou, o que eu faço e quem é meu pai? Eu poderia mandar te demitirem, sabe. Seu imbecil.

Penso em Ichiro e nas coisas terríveis que ele já falou para nós. Lembro daquele dia debaixo da cerejeira do jardim.

– Desculpe, senhor. Não quis ser desrespeitoso – falo baixinho.

– Isso aí. Lembre-se disso. Eu sou o cliente, não você.

– Sim, senhor.

Passo seu cartão o mais rápido que consigo. Depois abro a porta para que ele saia.

– Vá se foder, Taro. Seu merda, escória de taxista.

Ele desce do carro.

– Obrigado, senhor. Tenha uma boa noite.

Fecho a porta e vou embora.

Quando estou dirigindo à noite, às vezes olho para a janela e vejo um rosto se movendo na mesma velocidade que eu. Nesse instante, é como se estivéssemos ambos parados, dois rostos espectrais pairando no ar. Às vezes, ele olha diretamente para mim; outras vezes, ele observa algo invisível à distância. Mas, assim que o vejo, ele começa a esvanecer na mesma hora. O rosto sobe em um viaduto; desce em um túnel. E assim nos separamos.

⁂

É uma da manhã. Paro no McDonald's de Shibuya, aonde sempre vou quando estou na área a essa hora. As pessoas me achariam estranho se eu lhes dissesse por que vou à mesma lanchonete. É difícil até admitir para mim mesmo, mas vou para ver uma das garotas que trabalha à noite ali. Ela está de serviço hoje, como de costume. Espero na fila e deixo algumas pessoas passarem na minha frente. Calculo o tempo para que ela me atenda.

– Ah, oi de novo! Como está? – ela me pergunta.

– *Genki* – digo. – Pra um velho como eu.

Ela dá risada e seus olhos verdes brilham.

– O que vai querer?

– Só um café.

– Mais alguma coisa?

– Talvez um desses *brown hashes*.

– Quer dizer *hash browns*? – Ela dá uma risadinha.

– Isso mesmo.

Observo-a registrar meu pedido. Sorrio e a agradeço quando ela me entrega a bandeja. Sua tatuagem aparece debaixo da manga quando ela estende o braço, mas tento não olhar. Em vez disso, olho para seu crachá, como sempre, fico estudando o N, o A, o O, o M e o I – e noto que não há estrelas ao lado de seu nome. Escolho uma mesa perto do balcão, de frente para a janela, para poder ver seu reflexo sem que ela saiba que a estou observando. Ela sempre sorri para mim. Às vezes, pergunta como estou. Mas comecei a ficar com vergonha quando ela me reconhece. Fico me perguntando se ela acharia esquisito eu vir só para vê-la. Ela tem as mesmas maçãs do rosto acentuadas e as mesmas covinhas que Sonoko, minha sobrinha. Sonoko faleceu há muito tempo, quando ainda era criança. Mas se ela tivesse vinte e poucos anos, gosto de imaginar que seria parecida com a garota que trabalha aqui. Bebo meu café e como metade do *brown hash*, e ela acena para mim quando estou saindo. Aceno de volta. Volto para o carro e sigo para uma rua mais tranquila de Shibuya, longe dos bares. Estaciono e tomo mais alguns analgésicos antes de tirar outra soneca.

⁂

Há uma cerejeira. E só. Apenas uma cerejeira, como a do nosso antigo jardim. Onde Ichiro costumava se apresentar, antes de ficar tão bêbado que não conseguia nem contar suas histórias. Tive que enfrentá-lo uma vez na frente de Sonoko e Ryoko, e ele cuspiu e me xingou.

Ela está em plena floração e não consigo tirar os olhos da estranha cor das flores – branco tingido de vermelho sangue.

As pétalas caem lentamente da árvore. Uma por uma, vão se depositando no chão feito lenços brancos cobertos de sangue. Pisco, e quando olho novamente, todas as flores desapareceram. E agora tudo o que vejo é uma velha árvore murcha, com flores apodrecendo na base.

⁂

O ícone da caixa postal está piscando no meu celular. É um número de Tóquio. Uma ligação no início da noite. Deve ser Wada ou Yamazaki me chamando para jantar. Toco no ícone e ouço.

– Alô, aqui é o Sargento Fukuyama da Polícia Metropolitana de Tóquio. Estou tentando entrar em contato com Ohashi Taro-san. Consegui esse número com a empresa de táxi. Estou saindo do escritório agora, mas se puder me ligar neste número, agradeço. Senão, ligarei novamente amanhã. Obrigado. – A mensagem termina.

Sobre o que diabos poderia ser essa ligação? Estou cansado demais para pensar. Preciso ir para casa para tomar um banho e dormir.

As ruas estão vazias e as fileiras de postes de luz amarela passam enquanto acelero em direção aos subúrbios a oeste. À distância, vejo uma das lâmpadas piscando e, conforme vou me aproximando dela, meus olhos começam a lacrimejar. Pisco e esfrego-os, mas a lâmpada continua piscando. Distraindo-me. Ela provavelmente só precisa ser trocada. Esfrego os olhos mais uma vez e então noto um movimento. Uma pequena figura sai correndo pela rua e para bem na minha frente. Seus olhos refletem os faróis do carro, pairando no ar feito um rosto medonho do submundo.

Ela não se move e eu não tenho tempo. Por que ela não se move? Estou pisando no freio, mas não tenho tempo... vou atropelá-la. Não quero tirar nenhuma vida. Então viro o volante. A gata fica parada, mas estou preso e meus pneus cantam e agora, em vez de bater na gata, estou avançando direto para um carro estacionado, cada vez mais perto, mais perto, não consigo parar, é isso, o leite na minha geladeira vai estragar, o lixo precisa ser tirado, vão ligar para Ryoko em Nova York para avisá-la, não vou poder comer *okonomiyaki* com Wada e Yamazaki, talvez seja melhor assim, talvez eu a veja de novo.

E então há um barulho de carro derrapando e vidro se estilhaçando, e sinto uma dor na cabeça quando meu nariz atinge um balão branco brotando do volante que vai ficando cada vez maior e ouço o terrível som de metal sendo rasgado e esmagado e e e e e... não há nada além de silêncio e fumaça. E uma dor lancinante na minha perna.

– Olá?

Tento erguer a cabeça do volante e olho para as minhas luvas brancas. Noto uma grande mancha vermelha e redonda em uma delas, lembrando a bandeira Hinomaru. Tudo o que consigo pensar é que elas estão arruinadas e que vou ter que comprar novas luvas. Meu celular está no banco ao meu lado, em pedaços.

– O senhor está bem?

Levanto um pouco a cabeça e vejo um rosto fantasmagórico flutuando no ar. Ele está pairando tão perto que posso ver a preocupação e a pena e a ternura e a compaixão e todas as emoções que conheço tão bem em sua expressão. Temo que o rosto e eu nos afastemos devagar – ele vai desaparecer e me deixar sozinho de novo, fugindo do meu *futon* mágico, para longe da cidade, para a escuridão sobre a baía. Pisco e em meio ao sangue vejo o contorno de uma moça ocidental com um cachorro. Será um anjo? Será que estou morto? Ela está espiando pelo vidro estilhaçado. Tento falar, mas as palavras não saem.

– Não se mexa, vou chamar uma ambulância – ela fala em japonês, com um sotaque pesado.

Então tudo fica branco, tingido de vermelho.

Detetive Ishikawa: Notas do caso (1)

No dia em que entraram no meu escritório pela primeira vez, eu estava jogando xadrez *shogi on-line* com um colega da faculdade. Já era tarde e o trabalho estava devagar.

Os únicos casos em que eu estava trabalhando, além dos casos de infidelidade de sempre, eram de gatos desaparecidos. Talvez houvesse algo na água, mas havia um aumento significativo no número de gatos sumindo das ruas. Até recebi um garoto que tinha feito desenhos de sua gata desaparecida. Perguntei se ele tinha alguma foto, mas ele só tinha aqueles desenhos. Garoto estranho. Gatos e cachorros desaparecidos são o ganha-pão dos detetives de Tóquio, mas o grande número de desaparecimentos recentes era um pouco fora do comum. O boato era que os estavam tirando do caminho para as Olimpíadas. Mas, como acontece com a maioria dos boatos, nunca dava para saber se era verdade.

De qualquer forma, eu não podia fazer muita coisa além de caminhar pelos subúrbios colando cartazes aqui e ali. Que inferno, as pessoas nem prestam atenção nisso. Se eu encontrasse algum bichinho perdido, eu o entregaria para Taeko, para que ela o levasse para casa por uns dias. Desse jeito, eu poderia cobrar do cliente um pouco mais. Ei, eles sempre ficam felizes de pagar – desde que tenham seu precioso bebê de volta.

Estava pensando na minha próxima jogada no xadrez quando Taeko me chamou pelo interfone.

– Ishikawa-san.

– Sim?

– Temos clientes. Um homem e uma mulher. Falo para entrarem?

– Claro.

Fiquei estudando o tabuleiro de *shogi* na tela até que eles chegaram. Então fechei o *laptop*.

⁂

As pessoas falam muito sobre casos abertos e encerrados. A verdade é que não existem muitos deles. Abro os casos e muitos deles permanecem assim. Neste momento, tenho um monte de casos abertos. Casos que não sei se um dia vou encerrar. Todos demandam tempo e sorte. Principalmente sorte. E algumas pessoas não têm nenhum dos dois. Esse casal que acabou de entrar no meu escritório parece o par mais azarado que já vi. Se eu os colocasse em uma casa grande e velha cheia de dinheiro, eles acabariam nas ruas, abraçados um ao outro, em uma semana.

Ela estava nervosa e inquieta – ficava mexendo nas mãos sem parar. Quando não estava contorcendo as mãos na frente do corpo, estava enfiando o cabelo desgrenhado (e oleoso) atrás das orelhas. Dava para perceber que tinha escolhido suas melhores roupas, mas elas estavam gastas e surradas. Era óbvio que essa mulher não tinha muitas opções.

O mesmo valia para o seu marido. Ela também não teve muito o que escolher.

A camiseta dele estava toda manchada. Do lámen do almoço, eu chutaria. Seus dentes eram tortos, seu cabelo estava despenteado. Que desleixo. Ele não era pequeno. Tinha um certo volume, mas ia murchando lentamente à medida que a velhice se aproximava. Ele curvava o tronco como se tivesse vergonha de sua altura.

– Por favor. – Gesticulei para as cadeiras na frente da minha mesa. – Sentem-se.

Eles se sentaram, constrangidos, espremendo as traseiras largas nos bancos apertados.

Esperei que um deles falasse.

– Detetive – ela disse, erguendo os olhos das mãos. – Precisamos da sua ajuda.

– Bem, que surpresa. – Eu precisava de um cigarro.

– Sim... – ela continuou. – A gente... bem... como posso dizer? – Ela apertou as mãos com tanta força que elas ficaram brancas. Pensei que fossem cair.

– O s-senhor p-pode... – Ele se inclinou para frente na cadeira, enxugando a testa suada com um lenço. – Nos a-ajudar a e-encontrar nosso f-filho?

Ótimo. Isso ia demorar.

– Antes de entrarmos nos detalhes, devo informá-los sobre meus honorários.

Aprendi que era sempre melhor ser franco em relação ao dinheiro. Não havia nada pior do que ficar ouvindo um longo lamento só para depois os clientes dizerem que não tinham como pagar. Eles começam a chorar de verdade.

– Sim, sim. Boa ideia. – Ela estava enfiando a unha no pulso.

– Aqui. – Entreguei minha tabela de valores.

O homem a pegou e vi seus olhos se arregalarem. Sua mandíbula se abriu um pouco e ela arrancou a tabela das mãos dele. Depois, colocou-a de volta na mesa e pegou um lenço branco para limpar o pulso. Notei manchas vermelhas no tecido quando ela o guardou na bolsa.

– D-d-detetive Ishikawa – ele começou. – Tem algum jeito...

– De pagarmos em prestações? – ela terminou a frase.

– Talvez a gente possa pensar em alguma coisa. – Suspirei.

O resto da reunião correu bem, mas notei seus olhos um pouco marejados. Eles me deram algumas fotos dele (por que é que pessoas desaparecidas sempre parecem prestes a desaparecer nas fotos?). Nos despedimos e eu disse que faria o que pudesse.

Mas percebi que eles ainda estavam pensando no dinheiro.

▲▲

Não há nada pior que aceitar casos de pessoas que não podem pagar pelo serviço. Não é sempre que recebo pessoas que não têm condições de honrar meus honorários, então, quando isso acontece, sempre me sinto meio estranho. O que ocorre geralmente é mais ou menos assim:

– *Detetive Ishikawa, que satisfação conhecê-lo.*

– *O prazer é meu. Por favor, sente-se.*

Aceno a cabeça para Taeko, mas ela já sabe que deve trazer café.

Trocamos reverências e cartões de visita.

Sentamo-nos e, enquanto nos acomodamos, colocando o meishi na mesa à nossa frente, tiro um tempinho para estudá-lo.

O cartão de visita é caro, inteiramente branco, com letras pretas simples, em inglês. É minimalista – sem e-mail nem endereço –, com apenas um nome, digamos "Sugihara Hiroko", e um número de telefone. Não há o nome da empresa nem o cargo.

– *Sou proprietária de um bar.* – *Ela me olha com olhos sagazes.* – *Um bar exclusivo. Nossa clientela exige o máximo sigilo. Por isso não tem o endereço aí. Peço desculpas.*

Ela nem olha para o meu meishi.

E pega um estojo prateado no bolso interno da blusa.

– *Se importa se eu fumar?*

– *Imagine.*

Tiro um cinzeiro na gaveta e o coloco à sua frente.

Taeko entra com o café na bandeja, que ela pousa sobre a mesa com cuidado. Em seguida, faz uma reverência para nós antes de sair e fechar a porta.

– *Quer um?* – *Sugihara oferece-me o estojo aberto.*

Não dá para saber qual é a marca, mas vejo que ela tem autocontrole. Só há sete cigarros ali.

– *Não, obrigado. Parei de fumar. Por favor, fique à vontade.*

Ela acende o cigarro e me arrependo imediatamente de não ter aceitado um. Seus lábios tocam o filtro de leve e noto um prazer cheio de eletricidade iluminar seus olhos enquanto ela inala. Ela olha diretamente nos meus olhos do outro lado da mesa.

– Detetive Ishikawa, vou direto ao assunto. Não sou do tipo que fica enrolando, e sei que tempo é dinheiro. Para o senhor e para mim.

– Como queira.

– Meu marido está tendo um caso e eu gostaria de pegá-lo no flagra para conseguir um bom acordo no divórcio.

Deixo a informação pairando no ar por um instante.

– Tem certeza de que ele está tendo um caso?

– Tenho.

– Ele demonstrou alguma mudança no comportamento recentemente?

– Não.

– Nada que tenha feito a senhora levantar suspeitas?

– Não exatamente.

– Em minha experiência, parceiros que têm casos extraconjugais costumam apresentar algum tipo de mudança no comportamento, geralmente para melhor. Quem sabe seu marido começou a se vestir de maneira diferente?

– Não.

– Sei. Ele parece mais feliz? Está mais gentil com a senhora? Comprou presentes?

– Nada disso.

– Sei. – Faço uma pausa. – Bem, como todo respeito, Sugihara-san... Como a senhora tem tanta certeza de que seu marido está tendo um caso?

Ela dá uma longa tragada, bate a cinza e exala um dragão de fumaça no ar, que flutua pela mesa e desliza perfeitamente para minhas narinas.

– Detetive Ishikawa, meu marido é um mentiroso.

– Desculpe, eu...

Ela levanta a mão para me silenciar.

– Meu marido é um mentiroso profissional. Seu trabalho é mentir. Ele tem mentido para mim desde que nos conhecemos. Nosso relacionamento foi fundado em mentiras, em mentir com sucesso um para o outro. Mas uma mulher sabe quando o marido está sendo infiel. Não tenho provas, pois ele é esperto demais para deixar provas. Mas sei que ele está me traindo. Só preciso que o senhor consiga provas. Só isso.

Fico em silêncio. Deixo-a ferver por um instante.

– *Detetive Ishikawa, o senhor tem liberdade para recusar este caso. O senhor certamente não é o primeiro detetive que visito em Shinjuku hoje. No entanto, assim como deixei claro para os outros, o senhor será generosamente recompensado. Estava pensando neste valor, além das despesas.*

Ela me entrega um papel dobrado. Eu o abro e olho para os zeros. Dobro-o e o devolvo.

– *Tudo bem, eu aceito.*

E é assim que ganho meu dinheiro. Flagrando pessoas casadas traindo umas às outras e coletando evidências. Às vezes, não sei quem é a pior pessoa envolvida na trama. Mas pelo menos sou pago no final.

⁂

Depois que o casal foi embora, falei para Taeko que ela podia sair mais cedo, trabalhei um pouco e fechei o escritório.

Estava chovendo, então abri o guarda-chuva e me juntei ao mar de assalariados de terno preto caminhando pelas ruas de Shinjuku em direção à estação de trem. Eu parecia igual a todos eles. Esta é a minha força – me encaixar, ser discreto. *Deru kui wa utareru* – o prego que sobressai, martelada leva.

Shinjuku. Que esgoto. Eu não escolheria ter um escritório ali. Sou de Osaka – nasci e cresci lá. Mas Shinjuku é a parte mais suja e *sexy* desta cidade, onde acontece toda a ação. É perfeito para um *tantei* como eu. É ali que fica a decadência, o bairro gay *2-chome*, os bares transexuais *nyuhafu*, os bordéis, as *soaplands*,[18] os motéis, a infidelidade.

Esta é a parte da cidade que esconde os vícios de Tóquio. Conheço todos eles. Já fiquei de tocaia com minhas jaquetas dupla face, meus chapéus e óculos

---

18 Tipo de estabelecimento adulto japonês; casa de banho. Tradicionalmente, a prostituição no Japão é ilegal, mas há brechas na lei. Nesses lugares, são oferecidos serviços não sexuais, como massagens, mas que na prática incluem atos que levam à excitação sexual.

falsos, minha minicâmera escondida na caneta. Vigiei homens cujas esposas e filhos os esperavam em casa. As pessoas nunca percebem o quanto estão encrencadas até que estejam do outro lado de um processo de divórcio – e pagando caro por isso.

O trem estava mais que abarrotado aquela noite. Alguém tinha pulado na Linha Chuo, então o trem estava atrasado e lotado além da capacidade. A chuva deixou o vagão quente e pegajoso. Me espremi ali dentro e prendi a respiração enquanto seguimos para o oeste, para os subúrbios. Adormeci em pé e quase perdi a estação.

Ao sair do trem, percebi que não tinha comido nada desde o café da manhã, então parei em um restaurante de lámen, pedi uma sopa de missô com *chashu* extra e uma cerveja. A comida chegou rápido e eu estava com tanta fome que pedi outra cerveja e um prato de *gyoza*. Enquanto virava o resto da sopa goela abaixo, reparei nos padrões de gordura vermelha escorrendo pelas laterais da tigela branca. Pareciam carpas *koi* nadando umas sobre as outras no lago, desesperadas para conseguir pegar um pouco de comida com suas bocas terrivelmente estúpidas. Tóquio era assim – todos viviam brigando por algumas migalhas. Talvez a cerveja tivesse me deixado sentimental. Eu precisava beber mais.

A próxima parada foi o restaurante de *okonomiyaki* a caminho de casa, onde tomei um monte de *shochu* de uma garrafa que eu tinha deixado atrás do bar outra noite. O dono é um cara bem legal de Hiroshima, com quem gosto de conversar. Tivemos a clássica discussão sobre qual seria o melhor: o *okonomiyaki* de Osaka ou o de Hiroshima (o de Osaka, claro). Todos os clientes participaram do debate, dando risada e contando piada – era por isso que eu gostava dali. O lugar me fazia lembrar de casa. Havia alguns personagens que eu não conhecia – uns motoristas de táxi bem figuras. Ficamos conversando e eles me contaram uma história besta sobre uma garota que tinha se transformado em uma gata ali no restaurante um tempo atrás. Achei um absurdo, se quer saber, mas até o velho Tencho ficou branco feito um lençol, acenando a cabeça enquanto eles falavam. Acabei bebendo bastante e saindo tarde demais.

Podia ser o *shochu*, mas acabei comprando de Tencho um maço de cigarros da marca Calico e fumando alguns.

⁂

Na manhã seguinte, acordei de ressaca e rouco de arrependimento por ter comprado – e fumado – cigarros. Amassei o resto do maço e o joguei no lixo. Abri as cortinas do meu pequeno apartamento, dei uma olhada lá fora e vi uma gatinha tricolor caminhando pelo beco. Ela estava bem longe, mas saquei na hora que era a gata do garoto – aquela do desenho. Eu tinha certeza. O garoto era talentoso. Ele captara algo naquela gatinha, não tinha erro. Estava prestes a sair correndo para tentar pegá-la, mas ela desapareceu em um segundo, passando por baixo de uma sebe. Nunca mais teria chance de encontrar a pequena sarnenta naquela cidade velha e enorme. Pobre garoto.

Daí notei uma sensação estranha no estômago. Foi tão forte que tive que colocar a cabeça entre as mãos e meu corpo todo tremeu. Podia ser da bebedeira da noite anterior, mas não parecia ressaca. Era algo diferente – mais profundo.

A sensação passou. Fui até a cozinha, peguei um copo d'água e bebi um pouco. Levei o copo até a antiga poltrona e o apoiei em um descanso na estante de livros. Por dentro, meu estômago ainda estava com aquela sensação de vazio – a ausência do que acabara de me dominar. Sentei-me e peguei o celular e a carteira. Disquei o número do cartão de visitas que o casal me dera.

O homem atendeu na mesma hora.

– *M-m-moshi moshi?*

– É Ishikawa.

– Ah! O-o-olá, d-d-detetive!

– Shhh. Ouça. Vou fazer o trabalho de graça. Mas é melhor manter isso entre nós, está bem?

Caracteres chineses

O homem estava deixando Flo desconfortável ao apertá-la no vagão do trem, então ela decidiu descer na estação de Shinjuku e trocar para o vagão só de mulheres. Ela caminhou pela plataforma, esquivando-se dos passageiros que saíam e evitando as longas filas de quem esperava para embarcar.

A Linha Yamanote estava sempre cheia de manhã, e o vagão só de mulheres era sempre o mais lotado. Flo fazia o possível para evitá-lo e há tempos não ocorria um incidente assim. Ela se posicionou atrás das outras mulheres que esperavam para embarcar e ficou ouvindo os sons artificiais de pássaros cantando e piando na plataforma e o familiar toque da estação Shinjuku. O alarme soou, indicando que o trem estava prestes a partir, e ela seguiu a massa de corpos femininos. Quando entrou com as outras passageiras, uma onda de ar gelado a atingiu e ela se engasgou levemente com a mistura bruta de perfumes e xampus flutuando no espaço carente de oxigênio acima de todas aquelas cabeças. Flo tentou não pensar naquela vez que desmaiou no trem assim que se mudara para Tóquio. Fora constrangedor.

Com o rosto encostado no vidro da janela, ficou observando a plataforma. Notou o pequeno cartaz que se via bastante nas estações da cidade, mostrando a silhueta de uma jovem que tinha derrubado o chapéu nos trilhos e um funcionário ao seu lado pegando-o com uma ferramenta comprida. Abaixo da imagem, lia-se em japonês: "Se você deixou cair algum pertence nos trilhos, informe a um funcionário". Isso sempre fazia Flo sorrir. Os outros cartazes eram de propagandas de coisas que ela não poderia comprar ou que não precisava:

viagens, espuma de barbear, eletrônicos, passes de academia, cerveja. Até que ela viu um cartaz vermelho e amarelo nas paredes da estação com o desenho de um homem apalpando uma mulher no trem. Ao final do cartum, o homem estava sendo levado da estação pelos seguranças ou pela polícia. Abaixo da imagem, lia-se:

痴漢は犯罪です！

Chikan é crime!

Era bem perturbador que a Japan Rail tivesse de pagar para produzir cartazes informando aos passageiros que *chikan* – assediar uma mulher – era crime. Não deveria ser senso comum? Flo olhou novamente para os caracteres da palavra *chikan. Chi* 痴 significava "estúpido", e *kan* 漢 significava "chinês". Era o mesmo *kan* 漢 da palavra *kanji* 漢字, "caracteres chineses". Quanto mais Flo pensava nisso, mais estranha lhe parecia a palavra – o que é que os chineses tinham a ver com homens japoneses assediando mulheres nos trens? Será que a palavra sugeria que os assediadores eram iguais aos chineses estúpidos? Ela achava tudo um pouco bizarro e bastante racista.

Bem, pelo menos havia algo ali com o que todos poderiam concordar: assediar pessoas no trem é crime!

A estação começou a se mover. Seus olhos se fixaram em um dos condutores que trabalhava na plataforma enquanto o trem se afastava lentamente. Ela notou sua ligeira surpresa, mas sorriu para ele, e ele sorriu de volta e fez uma reverência, apertando as mãos enluvadas contra as calças cinza bem passadas. Ela teria acenado se tivesse espaço para mover os braços, mas às vezes um sorriso já era o suficiente.

Sentiu o suor das outras passageiras molhar suas pernas e braços expostos e o frio que o ar-condicionado produzia ao resfriar o líquido em sua pele. Fechou os olhos e tentou pensar em coisas melhores.

Flo recorreu a seu familiar truque para lidar com o deslocamento pela cidade, tirado de uma palestra de um homem que pedira para que toda a turma imaginasse o momento mais feliz de suas vidas. Ele instruiu a sala a manter essa lembrança na mente sempre que estivessem estressados, com raiva ou deprimidos – era só reviver aquele momento. Flo pensou na manhã em que testemunhou o sol nascendo no topo do Monte Fuji – ela lembrou do orbe vermelho e oval emergindo lentamente acima das nuvens, dos suspiros coletivos dos escaladores, que sentiram o calor fluindo de volta aos membros gelados. Ela subira a montanha rápido demais e passara várias horas sozinha, encolhida ao lado de um muro antigo. Sentira-se uma tonta por não ter levado o equipamento adequado e ficara sentada tremendo até que uma moça boazinha lhe ofereceu um pouco de chá verde. Se sua lembrança para superar momentos difíceis era o sol nascendo no topo do Monte Fuji, o que poderia ter usado para superar tudo o que aconteceu antes daquele momento?

Sua estação foi anunciada nos alto-falantes. Abriu os olhos e saiu do trem com as outras passageiras, seguindo para o trabalho naquele estado zumbi que ela compartilhava com todos os outros assalariados e garotas de escritório. Ela aprendera isso rapidamente quando se mudou para Tóquio.

⁂

– Flo-san?

Antes mesmo de se virar, Flo já sabia quem estava falando.

– Sim, Kyoko-san?

– Ah, Flo-san.

Kyoko observou Flo da cabeça aos pés. Kyoko, com seu suéter polo imaculado e sua calça creme, que usava roupas parecidas todos os dias, como se fosse um uniforme, cujo guarda-roupa devia ter fileiras intermináveis de cabides para os suéteres polo cor-de-rosa e as calças creme perfeitamente passadas. Kyoko tinha talento para fazer Flo sentir que o que quer que estivesse vestindo para trabalhar era inaceitável.

– Você viu meu bilhete?

– Seu bilhete? – Flo já sabia onde isso ia parar.

– Sim, o bilhete que deixei na sua mesa.

– Ah, não. Acabei de chegar. Vou ler agora. – Flo fez uma reverência.

Qualquer um entenderia isso como o encerramento da conversa.

Mas não Kyoko.

Ela seguiu Flo pelo corredor ladeado por baias do amplo escritório até sua mesa sem parar de falar.

– Há cinco itens que preciso que você faça. Primeiro...

Kyoko começou a listar as tarefas. No segundo item, Flo já tinha chegado à mesa e pegado o bilhete; estava olhando para a folha que Kyoko tinha deixado lá. Kyoko estava recitando o texto palavra por palavra. Flo costumava brincar de acompanhar as palavras na página, comparando-as com o que Kyoko estava dizendo – ela obteve 100 por cento de pontuação hoje. Acertara tudo.

– As Olimpíadas estão chegando, Flo-san. Estamos muito gratos por todo o seu trabalho, suas traduções são inestimáveis para a cidade. – Kyoko inclinou a cabeça e olhou Flo nos olhos, um pouco desconfortável. – Tem alguma pergunta?

– Não. Está bastante claro – Flo respondeu. – Muito obrigada, Kyoko-san.

– *Yoroshiku onegai shimasu.* – Kyoko fez uma reverência.

– *Yoroshiku onegai shimasu.* – Flo devolveu a reverência.

Flo ficou sorrindo para Kyoko até ela ir embora. Depois, girou na cadeira e ligou o computador. O antigo PC demorou para iniciar, então ela foi pegar um café gelado na máquina de venda automática. Quando voltou, a tela de *login* a esperava. Digitou a senha e entrou no *e-mail* do trabalho.

Vinte *e-mails* não lidos. Um deles era de Kyoko – uma réplica exata do bilhete / discurso que ela tinha acabado de receber. Traduza isso. Traduza aquilo. Preencha este questionário sobre a opinião de um estrangeiro sobre o *kabuki*. Preencha aquele relatório sobre o sumô. Prazos. Mais prazos. Flo suspirou.

Ela abriu o *e-mail* pessoal em outra janela. Havia duas novas mensagens – uma de Ogawa-sensei, outra de sua mãe. Correndo o *mouse* sobre o *e-mail* da mãe, ela viu as duras letras do alfabeto romano que abriam o texto: "Faz séculos que não tenho notícias suas, querida. Quando vem pra Portland?". Flo balançou a cabeça e escolheu a escrita japonesa suave e curva do *e-mail* de Ogawa. Abriu-o e o leu duas vezes.

Querida Flo-san,

Como está o tempo em Tóquio? Espero que esteja quente. Por favor, cuide de sua saúde neste verão. Tomara que você encontre melancias gostosas na cidade. Quem sabe eu leve algumas de Kanazawa para você quando for te visitar.

Kanazawa é a mesma de sempre. Estamos nos preparando para o festival de verão. Sakakibara-san e os outros da turma de conversação sempre perguntam de você. Todos querem saber como está indo seu novo trabalho em Tóquio. Falei para eles que agora você está trabalhando em uma empresa de relações públicas e não está mais traduzindo videogames. *Eles ficaram tristes de saber que você não estava feliz na empresa de games, mas todos achamos que seu novo trabalho parece muito melhor. Sakakibara-san ficou bastante impressionado – nossa Flo vai traduzir o material das Olimpíadas de 2020! Estamos tão orgulhosos de você.*

Lembro de quando você chegou a Kanazawa tantos anos atrás. Você tinha acabado de descer do avião vindo dos Estados Unidos e não falava uma palavra de japonês. E olhe só para você agora! Tradutora das Olimpíadas. Eles deviam lhe dar uma medalha de ouro!

Você ainda pratica shodo? *Espero que não tenha parado – você é extremamente talentosa. Sinto muita saudade das nossas aulas de caligrafia, viu?*

Bem, chega de tagarelice. Mal posso esperar para te ver em Tóquio. Podemos tomar café no sábado de manhã, e depois infelizmente tenho um compromisso à tarde. Diga-me onde e que horas você quer me encontrar. Estou animada!

Cuide-se,

Ogawa

貓 *PS: tenho um novo caractere chinês para te ensinar. Você conhece este?*

Flo olhou para o caractere e ficou pensando por um instante. Ela tinha quase certeza de que significava *neko*, "gato", mas precisava verificar. Pegou seu velho dicionário de *kanji* em uma prateleira de livros na escrivaninha e o folheou. Sim, ali estava: *neko*, "gato". Mas o caractere estava diferente de como era normalmente grafado. A forma comum de escrevê-lo era 猫 – com o radical 犭 à esquerda. O caractere que Ogawa escreveu tinha 豸 à esquerda. Era o radical de *tanuki*. Devia ser uma versão mais antiga, associando o gato a outros animais metamorfos como o texugo, a raposa e o *tanuki*. Flo sabia que, nos velhos tempos, os japoneses acreditavam em coisas chamadas *bakeneko* – gatos que podiam assumir a forma humana e aterrorizar as pessoas de várias maneiras. Mas essa versão do caractere não estava mais em uso. Ogawa sempre lhe ensinava caracteres que iam além do uso prático da vida cotidiana, e Flo adorava isso.

Ela viu o topo do rabo de cavalo de Kyoko se agitando do outro lado da baia. Fechou o *e-mail* pessoal e se enterrou no trabalho. Logo o sino que anunciava a hora do almoço soou. Pegou a bolsa e saiu do escritório para ir para a lanchonete de sempre.

Tinha uma hora.

⁂

Flo pediu uma massa com um café gelado e se sentou em uma mesa no canto. Da bolsa, sacou um livro em japonês e um lápis. Fez uma breve pausa e, após refletir um pouco, produziu um pequeno manuscrito em inglês com o título "Copy Cat". Ela colocou o manuscrito no assento ao seu lado e depois voltou a atenção para o livro em japonês. Entre garfadas de espaguete, ela segurava o livro aberto contra a mesa e lia de olhos arregalados, abaixando o garfo de vez em quando para fazer anotações nas margens e sublinhar frases.

Flo terminou o macarrão e ficou absorta no livro até que o alarme do celular tocou, avisando-a de que ela só tinha dez minutos para voltar ao escritório. Guardou o livro e o lápis na bolsa e sorriu para o garçom, que veio retirar sua bandeja. Ainda tinha um pouco de café gelado no copo e ela se recostou no assento para terminá-lo devagar, olhando para o nada.

Uma linda japonesa de cabelo curto e um estrangeiro – ele parecia britânico – compraram dois cafés e foram se sentar na mesa ao lado. Flo estava sonhando acordada, mas sorriu, retribuindo o aceno presunçoso do homem e o tchauzinho desinteressado da garota enquanto eles se acomodavam. Os dois começaram a falar alto e Flo não conseguiu evitar ouvir. Ele estava se esforçando para falar japonês em um tom que sugeria que estava fazendo isso principalmente para o benefício de Flo, enquanto a garota respondia em um japonês lento e condescendente, ou voltava para o inglês com um sotaque estadunidense perfeito. Eles não estavam conversando sobre nada de mais, e Flo fazia o possível para bloquear os vizinhos e aproveitar os últimos minutos de seu intervalo.

– *Kono café kawaii ne* – a garota disse.

Flo se encolheu. *Kawaii* – "fofo" – era uma das palavras japonesas mais usadas (especialmente pelas mulheres, ela tinha que admitir), e era empregada em todos os contextos, de tal forma que quase já não tinha significado. Era algo só para preencher o silêncio. Não havia nada de fofo naquele café.

– Ontem noite! Tanto *broooor brooor*! – o homem falou em um japonês infantil. Ele gesticulou para complementar o som que estava fazendo.

– O que quer dizer com *broor broor*? – a garota perguntou no seu japonês condescendente.

– Tempestade! – ele disse.

– Sim, teve uma tempestade ontem à noite. E daí?

– Relâmpago! – ele falou.

– Sim, trovejou bastante – a garota falou em inglês e, ao fazê-lo, olhou para Flo em busca de empatia. Flo fechou os olhos.

– Não. Não trovão! Relâmpago! – insistiu o homem, falando um japonês ruim.

– Ah, George. Por que você fica falando isso? – A garota bufou um pouco.

O homem suspirou e mudou para o inglês com sotaque britânico.

– Olha, Mari, qual é a palavra para raio em japonês?

– *Kaminari* – ela respondeu.

– Não, isso é *trovão*. Como é raio?

– Não entendi o que está querendo saber.

Flo se levantou para sair. Deu um passo, pensou melhor e voltou para a mesa. O casal olhou para ela.

– *Inazuma* – Flo comentou.

Ela se virou depressa e seguiu para a saída.

Quando as portas se abriram, ouviu o homem perguntar:

– O que ela falou?

Flo saiu da lanchonete e não escutou a resposta da garota nem o homem gritando "Ei, senhorita, espere!", mas ficou vermelha, se arrependendo no mesmo instante de ter falado com eles. Voltou tão rápido para o escritório que o homem correndo atrás dela com o manuscrito de "Copy Cat" desistiu e voltou para a lanchonete só para ser repreendido pela companheira.

⁂

Depois de algumas horas extras, Flo estava pronta para ir embora. Ela recusou educadamente os convites para beber com os colegas, dizendo que não estava se sentindo bem. No trem, pegou o livro que estava lendo, mas percebeu que estava sonolenta e se permitiu tirar um cochilo.

No caminho da estação até sua casa, parou em uma loja de conveniência para comprar uma salada. Não quis pegar o molho porque tinha uma enorme garrafa de molho de gergelim na geladeira.

Fechou a porta do apartamento, tirou os sapatos no *genkan*[19] e ficou pensando, como todas as noites, que era impossível traduzir a palavra *genkan*.

---

19 Entrada tradicional de lares japoneses. Um tipo de varanda com capacho em frente à porta.

Poderia ser algo como "entrada" ou "saguão", mas, na verdade, não era nenhum dos dois. O objetivo do *genkan* nas casas japonesas era indicar onde terminava o espaço exterior e começava o interior.

Flo entrou no apartamento abafado e abriu a janela. Ela não tinha ar--condicionado, já que era caro demais, mas tinha um monte de livros. Suas estantes estavam abarrotadas e todos os espaços nas prateleiras estavam tomados. Ver seus livros a tranquilizava, a acalmava. Ela já tinha lido a maioria, mas ainda havia vários esperando para serem devorados, o que lhe dava uma certa empolgação e conferia sentido a uma das suas palavras favoritas do japonês – *tsundoku* –, que exigia toda uma frase para ser traduzida: comprar livros e empilhá-los na estante sem lê-los. Ligou o ventilador e foi para a cozinha com a salada que tinha comprado na loja de conveniência. Pegou o molho de gergelim na geladeira e o despejou sobre a salada, misturando tudo com um par de palitinhos. Depois, levou a salada para a escrivaninha e se sentou para comer na frente do computador, que ela ligou para assistir a seus *youtubers* japoneses favoritos.

Enquanto comia, pensou consigo mesma pela milionésima vez como era mais fácil comer salada com pauzinhos do que com garfo e faca. Os tomatinhos podiam ser pescados e comidos inteiros. Era difícil espetá-los nos dentes do garfo e várias vezes eles acabavam voando para o chão.

Flo tinha centenas desses pensamentos rodopiando em sua cabeça ao longo do dia, mas ninguém com quem compartilhá-los. Ela sempre dizia: *Quem é que precisa de amigos quando se tem livros?* Suas estantes estavam cheias não apenas de seus romances favoritos, mas também de calhamaços de linguística, dicionários e livros de referência, todos sobre língua e cultura japonesa. Ela se considerava uma japonóloga, e não uma japonófila. Para ela, havia uma grande diferença. Japonófilos eram pessoas que simplesmente *amavam* o Japão e não faziam muitas perguntas – pessoas que pensavam que o Japão não poderia errar, que viviam em um mundo de fantasia de animê e mangá.

Flo preferia se identificar como japonóloga. Ela respeitava a língua e a cultura, pois achava que todas as línguas e culturas deviam ser respeitadas. Mas reconhecia em si uma necessidade profundamente arraigada de chegar ao fundo de todas as perguntas que tinha. Estava em uma busca por conhecimento sobre o Japão. Para aprender, estudar, absorver.

Enquanto comia, pegou um enorme dicionário de caracteres chineses da estante e folheou o livro para encontrar o caractere *kan* 漢 das palavras *chikan* e *kanji*. A pergunta que se fizera no trem sobre o caractere não deixava sua mente. Localizou o ideograma e leu a definição enquanto engolia a salada, e descobriu que ele significava "chinês Han", mas que também poderia significar apenas "homem, cara, sujeito". Provavelmente era a isso que o caractere se referia na palavra *chikan*. Portanto, o ideograma de "assediador" não carregava um estereótipo racista do povo chinês. *Chikan* significava simplesmente "cara estúpido".

Limpou a mesa e, enquanto estava na cozinha, abriu a geladeira e tirou uma jarra de café gelado. Pegou um copo no armário e ficou segurando a jarra acima da borda. Olhou para o relógio, balançou a cabeça e guardou a jarra de volta na geladeira. Encheu o copo com água da torneira e levou-o para a mesa.

Sentou-se para trabalhar e ficou admirando o ideograma que Ogawa lhe dera como presente de despedida quando ela se mudara para Tóquio. Ogawa escrevera o caractere chinês para *gato*, mas habilmente o moldara na forma de um gato. Ela e Flo compartilhavam a afinidade por gatos, e o próprio ideograma contava a história da amizade delas. Ao lado do ideograma emoldurado havia uma foto de Flo, Ogawa e alguns amigos. Estavam todos de quimono – Ogawa escolhera um lindo quimono cor-de-rosa quando visitara Tóquio na primavera para ver as flores de cerejeira. Flo lembrou-se daquele dia e de como fora divertido. Elas tinham ido ao Parque Ueno para ficar sob as flores, comendo *bentô* e bebendo chá verde.

Agora era verão e estava calor.

Flo pegou o livro em que estava trabalhando na bolsa, abriu um documento do Word e começou a digitar a parte que tinha revisado no almoço. Estava traduzindo o romance de um de seus autores japoneses favoritos havia meses e estava quase terminando. Como sempre, acabou se perdendo na tarefa e ficou chocada quando olhou para o relógio e viu que já eram duas da manhã.

Esfregou os olhos, se enfiou na cama e ouviu o despertador disparar antes mesmo de perceber.

▲▲

Os dias de Flo no trabalho eram quase iguais. A única diferença naquela semana era que ela tinha algo pelo que esperar no fim de semana – a visita de Ogawa. Além disso, estava quase terminando a tradução do romance em que vinha trabalhando todos esses meses. Ela planejava ter o rascunho revisado e pronto para imprimir para entregar a Ogawa quando elas se encontrassem para tomar café no sábado, e estava feliz pelas coisas estarem dentro do cronograma.

Fora a própria Ogawa quem apresentara Flo ao autor que ela estava traduzindo. Ela dera a Flo um de seus contos de ficção científica para crianças em japonês. A história recebera o título de "Copy Cat", e o pseudônimo do autor era Nishi Furuni (nome verdadeiro: Ohashi Gen'ichiro). Flo era apaixonada pelo escritor e estranhava o fato de ele ainda não ter sido traduzido para o inglês. Ogawa lhe contara tudo sobre ele com prazer.

Furuni fora um escritor prolífico, embora um tanto excêntrico – era obcecado por gatos e caracteres chineses. Ele começou uma coleção de histórias quando sua neta foi diagnosticada com câncer e escreveu um conto para ela todos os dias. O filho mais velho de Furuni, pai de sua neta, era um famoso *rakugoka*, mas acabou permitindo que o álcool o dominasse. Por conta disso, os cuidados com a neta ficaram com Furuni, que passava o dia todo trabalhando nas histórias para lê-las para a neta todas as noites antes de ela dormir. Ele fez isso até ela morrer. "Copy Cat" era um desses contos e fazia parte de uma longa coleção de 300 contos que o autor escreveu para a neta. Flo tinha lido todos e fez até uma tradução de "Copy Cat", que dera de presente a Ogawa. Ela planejava enviá-lo para algumas revistas literárias, mas ainda não fazia ideia de quais.

Já o romance que estava traduzindo era um projeto mais pessoal.

Litorais desolados era a obra-prima de Furuni. Ele escrevera o romance antes de cometer suicídio. A morte de sua neta teve um impacto enorme em seu estilo e em sua filosofia de vida. O escritor, antes sóbrio, tornou-se dependente de álcool e se envolveu com drogas alucinógenas. *Litorais desolados* era a obra confusa de um gênio perturbado, e Flo a lera de cabo a rabo dez vezes. Enquanto a escrevia, Furuni ficou obcecado pelos *kanji* – os caracteres chineses usados para escrever palavras em japonês. Ele começou a ter alucinações, imaginando que, se escrevesse um ideograma, ele poderia ganhar vida. Evitou usar certos caracteres enquanto escrevia *Litorais desolados*, com medo de que eles se transformassem em monstros no mundo real e o atacassem durante o sono. Também se recusou a escrever *rato* ou *barata* no romance, e de noite costumava escrever o ideograma de *gato* repetidamente, formando uma corrente com giz no chão ao redor de seu *futon*, acreditando que enquanto ele dormisse os caracteres ganhariam vida, transformando-se em gatos reais que o protegeriam.

Ao terminar o manuscrito de *Litorais desolados*, Furuni o enviou ao seu agente e engoliu um frasco de comprimidos para dormir com vodca.

Ele havia se tornado uma espécie de obsessão mútua das amigas. Elas passavam horas falando sobre sua vida e obra, e Flo ouvia atentamente Ogawa lamentar o fato de ele não ter sido traduzido para o inglês. Flo planejava corrigir isso.

⁂

Logo já era o fim de semana e Flo mandou a Ogawa uma mensagem para avisar em qual estação elas se encontrariam. Flo escolheu um *cat café* nos subúrbios a oeste da cidade para fazer uma surpresa para a amiga. Não havia nenhum *cat café* em Kanazawa, então a visita seria um presente para Ogawa.

Flo chegou à estação trinta minutos adiantada, então foi dar uma volta no parque para matar o tempo. Quando voltou para a estação, Ogawa já a esperava do lado de fora. Ela distinguiu seu cabelo de longe na multidão. Ogawa usava um quimono branco com estampa floral de narciso e se protegia do sol com uma sombrinha branca. Estava com o diário aberto e o estudava cuidadosamente. Flo acelerou o passo, querendo se aproximar sem que Ogawa percebesse para lhe fazer uma surpresa.

Flo se posicionou atrás dela e cutucou seu ombro. Ogawa deu um pulinho de susto e se virou. Seu susto logo se transformou numa risada, e as duas agarraram-se com entusiasmo pelos cotovelos e fizeram uma dancinha. Alguns transeuntes viraram a cabeça para elas, claramente surpresos de verem uma senhora tão antiquada dançando com uma jovem estrangeira.

– Flo-chan!

– Ogawa-sensei!

– Ah, não me chame de *sensei*!

– Você sempre vai ser minha *sensei*. – Flo sorriu.

– Oh, sou só uma velha boba! – Ogawa deu risada.

– Certo. Vamos tomar um café, Velha Boba-sensei?

Elas deram risada e caminharam de braços dados pelas ruas até o *cat café*.

⁂

O café – chamado Café Neko – estava surpreendentemente silencioso quando elas entraram. Havia mais gatos que clientes ali. Ogawa tinha adivinhado que tipo de café era antes de entrar e soltou um gritinho de empolgação quando Flo acenou com a cabeça. Elas ficaram olhando para as mesas, radiantes. Um homem, aparentemente o dono, aproximou-se delas e lhes indicou uma mesa baixa com almofadas. Ele explicou como funcionava a cobrança e anotou seus pedidos. Enquanto isso, Ogawa ficou fazendo carinho em um gato malhado que tinha ido até a mesa delas.

Nas paredes, havia enormes fotos da mesma gata tricolor. Todas tinham sido tiradas na área suburbana de Tóquio, e cada foto retratava uma estação diferente – a neve do inverno, o festival de verão, as folhas do outono e as *sakuras* da primavera. Flo se levantou para observar a foto da primavera, que tinha chamado sua atenção. A gatinha estava sentada ereta, encarando a câmera desafiadoramente. Ela era majestosa, cercada por pétalas caídas, com as cerejeiras ao fundo em um borrão cor-de-rosa. Comparada aos gatos domesticados que saltitavam pelo café, brincando com os clientes, aquela parecia diferente. Havia uma espécie de rebeldia nela: seu rosto dizia que ela não tinha dono nem lar – era uma verdadeira gata urbana. Flo olhou com atenção para seus olhos e viu algo refletido ali – a forma escura do fotógrafo agachado para tirar a foto. Ela se perguntou quem poderia ser.

Voltou para se sentar com Ogawa, que estava dando uma boa coçada no queixo de um gato ruivo e gordo. Ele estava até babando um pouco.

– Lindas fotos, né? Quem será que tirou? – Ogawa comentou.

– Sim, estava pensando nisso – disse Flo.

– E aí, como você está?

Quando Flo ia responder, o homem chegou com seus cafés gelados.

– Obrigada. – Ogawa fez uma reverência graciosa enquanto ele colocava as bebidas na mesa. – Estávamos nos perguntando quem tirou essas lindas fotos.

– Ah, foi um estrangeiro. – Ele olhou para Flo. – Seu nome é George. Ele é da Inglaterra. De onde você é? – Depois se virou para Ogawa: – Ela fala japonês?

Ogawa não respondeu, só acenou a cabeça para Flo responder.

– Sou de Portland, Oregon, nos Estados Unidos – ela falou.

O homem deu um salto para trás de leve.

– Nossa! Seu japonês é *incrível!* – ele soltou, de olhos arregalados. – Você fala *igual* uma japonesa!

Os cantos da boca de Ogawa se curvaram para cima.

– Bem, tive uma ótima professora. – Flo apontou para Ogawa, que abanou a mão.

– Impressionante. – Ele sorriu para as duas. – Bem, todas essas fotos estão à venda. Se estiverem interessadas, é só me avisar.

Ele fez uma reverência e se retirou para que elas colocassem o papo em dia e brincassem com os gatinhos, que ficavam indo e vindo sem nenhuma preocupação no mundo.

Enquanto conversavam, Flo se sentiu rejuvenescida. Elas relembraram a época em que Flo morara em Kanazawa. Ogawa lhe falou sobre todos os seus amigos e alunos de lá. Flo havia se mudado para Kanazawa logo depois de se formar em artes liberais no Reed College, em Portland. Ela nem se interessava pelo Japão nem nada, só queria fugir para algum lugar diferente. Então arranjou um emprego no Programa JET, para dar aula de inglês em algumas escolas de ensino fundamental de Kanazawa, e decidiu aceitar. Cinco anos depois, já era fluente em japonês e foi à capital para trabalhar como tradutora em uma empresa de *games*.

Mas ela não se sentia tranquila como em Kanazawa. Tóquio era exaustiva. A rotina nunca parava. Às vezes, a cidade lhe parecia grande e impessoal demais, como se ela tivesse sido engolida sem que ninguém percebesse. Conversando com Ogawa, ela percebeu o quanto sentia falta de Kanazawa. Ogawa bebia seu café e falava sobre esse e aquele aluno – quem ia se casar, quem tinha tido filho, quem tinha feito um escândalo se embebedando no trem. Flo ouvia pacientemente. Não conseguiu deixar de contar a Ogawa como uma de suas primeiras aulas de japonês sobre caracteres chineses de repente começou a fazer sentido para ela. A lição se desenrolara assim:

Flo sempre ficava nervosa sentada no centro comunitário em frente a Ogawa na mesa dobrável, com as frágeis cadeiras rangendo e chiando toda vez que ela se mexia. O lugar fornecia chinelos para todos e, no verão, Flo sentia o suor acumulando-se nas solas dos pés, fazendo-os grudarem no plástico dos chinelos.

Ela mastigava nervosamente o lápis enquanto Ogawa abria o caderno com calma e os sons das conversas dos outros professores e alunos zumbiam ao seu redor. Tinha o australiano arrogante no canto, que estava lá havia mais tempo que todos os outros e falava alto para que sua voz fosse ouvida acima de todas as outras. Flo fez o possível para bloquear tudo e se concentrar em Ogawa, que falava lenta e claramente enquanto desenhava os ideogramas, explicando um por um.

– Os caracteres chineses são bem simples, Flo-chan. As pessoas olham para os complicados ideogramas e pensam que nunca vão conseguir aprender, que são difíceis demais. Mas, assim como com qualquer coisa, se começarmos com os mais simples e os dominarmos, vamos ver que os complicados são apenas derivações dos simples, e que todos contam uma história.

$$人 + 木 = 休$$

– À esquerda, temos *pessoa*. Se adicionarmos *árvore*, teremos *descanso*. Imagine uma pessoa em um campo encostada em uma árvore, *descansando*. Os caracteres mudam de significado quando são colocados junto de outros, então é importante nos concentrarmos na relação entre eles. Nenhum caractere existe em isolamento, e sempre há uma história, até para os mais complicados ou simples. Lembre-se disso, Flo-chan.

O tempo tinha voado desde aquela aula. Agora elas estavam sentadas em um *cat café* em Tóquio, e Flo estava com o primeiro rascunho da tradução de um romance guardado na bolsa para entregar para a antiga professora. Estava se coçando de ansiedade.

– Ah, Ogawa-sensei, antes que eu esqueça... – Flo pegou a bolsa.

– Não! Eu primeiro. – Ogawa já tinha aberto a bolsa e estava retirando um pacote. – Aqui, eu te falei que ia trazer melancia de Kanazawa.

Ela entregou o pacote a Flo, que o pegou com as duas mãos.

– Muito obrigada, Ogawa-sensei. – Flo fez uma reverência.

– Não tem de quê! – Ogawa falou. Então abriu um sorriso tímido e pegou mais um pacote. – Aqui, tem esse também.

Flo aceitou o presente, que parecia um livro de capa dura.

– O que é?

– Abra! – Ogawa estava sorrindo.

Flo retirou cuidadosamente a fita que selava o pacote e puxou o livro. Seu coração parou quando viu o título:

Litorais desolados.

Em inglês. Traduzido por William H. Schneider.

– Acabou de ser traduzido para o inglês! Pensei que você gostaria de ler em inglês também – Ogawa disse.

As mãos de Flo deixaram marcas de suor na sobrecapa.

– Obrigada. – Ela se esforçou para parecer entusiasmada.

– O que foi, Flo-chan? Você está bem?

– Acho que sim... Desculpe, não estou me sentindo bem.

– Quer um pouco de água? – Ela chamou o homem. – Pode trazer água, por favor?

Ele assentiu e saiu para pegar uma jarra e dois copos.

– Tem certeza de que está bem, Flo-chan?

– Sim, estou.

Ogawa esticou o braço sobre a mesa e pousou a mão sobre a de Flo.

– Sabe, você pode falar comigo sobre qualquer coisa...

Flo – preenchida por uma intensa solidão – queria ser tocada por outro ser humano com essa ternura havia meses, mas agora se sentia entorpecida.

O homem voltou com a água e Ogawa afastou o braço.

– Querem mais alguma coisa? – ele perguntou.

– Sim – Ogawa falou alegremente. – Queria saber quanto custa aquela foto da gata na primavera. Pode verificar?

– Com certeza. – O homem foi para trás do balcão.

– Você gostou daquela foto, né? – Ogawa perguntou.

– Gostei – respondeu Flo.

Ele voltou para a mesa e disse:

– Dez mil ienes. Vai querer levar?

– Quer levar, Flo-chan? – Ogawa sorriu para Flo. – Presente.

Flo ficou desconfortável.

– Não precisa.

– Tem certeza? – Ogawa falou. – Não se preocupe com o valor... tenho bastante dinheiro pra gastar. – Ogawa deu risada.

– Não, tudo bem. – Flo disse com os olhos marejados. – Mas obrigada.

Ogawa ergueu a cabeça para o homem.

– Então pode só trazer a conta. – Ela olhou para Flo. – Eu pago.

Depois de acertar a conta, Ogawa foi ao banheiro. Enquanto isso, o homem do café se aproximou de Flo e pediu seu telefone. Flo mentiu e disse que não tinha celular. Ficou aliviada quando Ogawa voltou. Elas saíram e caminharam devagar e em silêncio até a estação.

– Desculpe por não poder passar mais tempo com você, Flo, mas você sabe como Suzuki-san é difícil. Quer se juntar a nós? Você vai ser mais que bem-vinda. Tenho certeza de que ela vai adorar te ver.

Elas estavam paradas na frente da estação.

Flo queria desesperadamente dizer sim, mas também sabia que era incapaz de manter uma conversação, especialmente em grupos grandes. Já tinha feito um esforço enorme para esconder suas emoções de Ogawa, e não conseguiria segurar a máscara no lugar por muito mais tempo.

– Obrigada, mas preciso trabalhar numas coisas.

– Você anda muito ocupada ultimamente. – Ogawa sorriu. – Estou tão orgulhosa de você.

Flo pensou que ia chorar, então mordeu o lábio.

– Você está bem, Flo-chan? – Ogawa tocou seu braço.

– Sim.

– Desculpe por não poder ficar muito, mas sabe, você é sempre bem-vinda em Kanazawa, se precisar sair um pouco.

– Obrigada, Ogawa-sensei.

– Cuide-se, Flo-chan.

– Tchau.

Elas se abraçaram e Flo prendeu a respiração, sem querer deixar as emoções escaparem.

Elas acenaram uma para a outra e Ogawa entrou na estação para pegar o trem. Olhou para trás e acenou mais uma vez, antes de subir para a plataforma pelas escadas rolantes.

Flo caminhou lentamente em direção à sua casa, tentando não chorar, pensando na pilha de papel A4 que não entregou e no livro de capa dura pesando em sua bolsa.

⁂

O despertador de Flo tocou na segunda de manhã, e, como sempre, ela não queria ir para o trabalho.

Viajou nos trens lotados alheia a tudo, sem livro nem música para distraí-la da realidade do vagão abafado. Em vez disso, ficou apenas segurando a alça que pendia do bagageiro acima como todos os outros passageiros, apoiou a cabeça em um braço e fechou os olhos, tentando dormir um pouco, apesar do terrível cheiro de gente ao seu redor.

Estava cochilando quando sentiu uma mão apalpar seu seio.

Virou a cabeça de uma vez, procurando o assediador, mas não soube dizer, em meio àquela multidão, de onde viera a mão. O cheiro de gente estava mais forte.

Então uma mão agarrou suas nádegas – dedos ossudos a beliscaram dolorosamente.

Ela poderia ter gritado *"Chikan!"* como os japoneses costumavam fazer, mas Flo queria descobrir quem era o assediador sozinha. Fingiu dormir de novo, apoiando a cabeça no braço, mas, por dentro do peito, seu coração estava acelerado.

Assim que a mão fez contato com seu peito novamente, ela a agarrou e a torceu. O homem soltou um gemido de dor. Flo cerrou os dentes e falou em inglês enquanto torcia o braço com mais força até quase quebrá-lo:

– Seu *porco*. Seu porco *imundo*!

Os outros passageiros ficaram olhando em volta para entender o motivo da comoção, e Flo continuou torcendo o braço do homem.

Ela deu três socos brutais na orelha dele.

Outro homem gritou em japonês:

– Ei! Você não pode fazer isso! Estamos no Japão!

Flo retrucou:

– *Chikan!* – ela gritou em japonês. – Ele fez *chikan!*

As portas se abriram e Flo saiu do trem aos prantos. Subiu as escadas rolantes o mais rápido que pôde, tentando fugir da cena. Não queria se meter em problemas.

⁂

Flo ainda estava tremendo quando subiu pelo elevador do escritório. De vez em quando, tinha que cobrir a boca com a mão para se impedir de cair no choro de novo. Um de seus colegas acenou a cabeça para ela – um cara legal chamado Makoto. Ele a olhou, preocupado, mas ela ficou aliviada por ele não poder falar nada nem lhe fazer nenhuma pergunta dentro do elevador – como mandava a etiqueta japonesa.

Estava a caminho da sua mesa quando ouviu uma voz:

– Flo-san!

Continuou caminhando.

– Flo-san! Bom dia. – Kyoko tinha corrido atrás dela e estava ligeiramente ofegante. – Não me ouviu? Estava te chamando.

– Desculpe – disse Flo.

– Leu meu bilhete?

Flo balançou a cabeça.

– Ah, tudo bem. Hoje tenho sete tarefas pra você...

Ela sentiu a cabeça tremer enquanto se esforçava para conter as lágrimas.

– Flo-san? Você está bem? – Kyoko baixou o papel que estava lendo e olhou direto nos olhos de Flo.

– Não. Não estou.

Kyoko olhou em volta para ver se alguém as observava e sussurrou:

– Siga-me.

Elas não falaram nada enquanto Kyoko conduzia Flo até o banheiro feminino.

Lá dentro, ela se virou para Flo.

– O que aconteceu?

– Um homem... no trem... – Flo disse com dificuldade.

– *Chikan?*

– É só... é só que... – Flo explodiu em lágrimas e começou a falar em inglês. E depois não conseguiu mais parar: – É demais pra mim. Não aguento, não aguento mais, Kyoko. Eu trabalho e trabalho e trabalho pra nada. É tudo a mesma coisa dia após dia; nada de cores, nem luzes, nem esperança. Esta cidade está me comendo por dentro. Ela é gigante pra caralho, fria e cruel. Um homem pode fazer isso comigo e ninguém nem liga. Ninguém se importa, ninguém o parou, só ficaram assistindo... deixando que acontecesse... são cúmplices. Todas aquelas pessoas, todas aquelas vidas... todo mundo é autocentrado demais. As pessoas não percebem que tem gente precisando de ajuda... Quem é que sabe, talvez estejam todos sofrendo? Eu não devia julgar. – Ela soluçou um pouco. Kyoko a observava. Flo tentou respirar fundo e falar em japonês de novo. – Eu só... me sinto tão sozinha.

Ela cobriu o rosto com as mãos.

Kyoko colocou a mão no ombro de Flo e falou em um inglês perfeito:

– Ei, Flo. Olhe pra mim.

Flo ergueu os olhos em meio às lágrimas.

– Você não está sozinha. Às vezes você pode se sentir assim, mas não é verdade.

O nariz dela estava escorrendo. Ela o cobriu com os dedos.

– Esta cidade é grande demais, populosa demais, e tem muita loucura acontecendo que passa despercebida ou é ignorada. Lembro de quando comecei a trabalhar aqui e saí da casa da minha família pra morar sozinha em Chiba. Eu pegava o trem todos os dias pra ir pro trabalho e me sentia tão perdida e oprimida... Eu não conseguia lidar com o transporte. E é ainda mais difícil quando coisas horríveis como *essa* acontecem.

– Você não é daqui? – perguntou Flo, fungando.

– Isso que é engraçado, Flo. Sou de Tóquio, nascida e criada aqui. Sou uma das poucas... se bem que às vezes as pessoas me fazem sentir que não devia estar aqui. – Kyoko mordeu o lábio.

– Como assim?

– Nada... bem... na verdade... foda-se. Eu também sou estrangeira. Sou meio japonesa. Minha *ma* é coreana. Eu não falo sobre isso porque quero pertencer. – Kyoko de repente pareceu alarmada. – Nossa, por favor, não conte pra ninguém, Flo. Meu Deus, eu nem contei pro meu namorado ainda.

– Não se preocupe, Kyoko. Não vou contar pra ninguém. – Flo franziu a testa. – Mas você é tão... japonesa. Desculpe, isso foi meio rude.

Kyoko deu risada.

– Ha, mas você também é, Flo. Só temos que nos esforçar ainda mais pra nos encaixar, certo?

Elas ficaram se olhando no espelho em silêncio. Então Kyoko falou novamente:

– Pode ser uma surpresa pra você, mas poucas pessoas que trabalham aqui são realmente de Tóquio, ao contrário de mim. A maioria veio de outros lugares procurando felicidade. Só que o que encontram aqui... bem, não é o que pensavam. – Ela fez uma pausa. Então foi até uma das cabines e voltou com um papel higiênico, que ofereceu a Flo. – O que vai fazer este fim de semana, Flo?

Flo assoou o nariz.

– Não sei, acho que vou trabalhar na minha tradução.

– O que está traduzindo?

– Bem... eu estava trabalhando em um romance, mas...

– De quem?

– Nishi Furuni.

Os olhos de Kyoko cintilaram.

– Ah! Eu adoro as ficções científicas dele!

Flo dobrou o papel higiênico com cuidado.

– Eu também.

– Ouça, Flo. Pode ser uma pergunta estranha, mas você gosta de *kanji*... não é?

Ela assentiu.

– Já experimentou caligrafia?

– Eu adoro.

– Quer ir a uma aula de caligrafia? Estava procurando alguém pra ir comigo, não quero ir sozinha.

Flo abriu um sorriso.

– Eu adoraria.

– Perfeito. – Kyoko sorriu. – Descobri uma aula em Chiba. É um pouco longe de Tóquio, mas...

– Sem problemas. Eu vou adorar.

– Excelente.

– Obrigada, Kyoko.

As duas se ajeitaram diante do espelho, preparando-se para voltar ao escritório decadente. Flo limpou o rímel do rosto e reaplicou o delineador. Kyoko amarrou o cabelo e ficou esperando pacientemente por Flo.

Quando ficou pronta, ela assentiu para Kyoko.

Kyoko segurou o pulso de Flo quando elas estavam saindo do banheiro e falou gentilmente:

– Esta cidade é difícil, mas você não está sozinha, Flo. Não se esqueça disso.

Ela apertou o pulso de Flo duas vezes antes de soltá-la. Ambas voltaram para suas mesas, sabendo que teriam que se separar. Mas, durante esse curto trajeto, atravessaram o corredor ladeado por baias lado a lado. Juntas.

Flo sentou-se em sua mesa e mexeu no *mouse*.

Soltou um suspiro e sorriu.

Folhas de outono

– Quero que você me dê um tapa na cara e me faça chupar seu pau – Mari sussurrou em inglês. – Quero que você enfie tudinho lá dentro.

George não sabia o que dizer. Tentou responder, mas só soltou um grunhido baixo.

– Está bem? – Ela ergueu os olhos do café e o olhou direto nos olhos. – Vai fazer isso por mim? Da próxima vez que a gente transar?

– Mas por quê? – Ele se mexeu na cadeira, desconfortável.

– Porque eu te pedi. Por isso.

– Mas eu te amo. Por que te trataria desse jeito?

Ela estreitou os olhos.

– Se você me ama, faça o que estou te pedindo.

– Mas por quê?

– Porque isso me deixaria feliz.

Os dois estavam sentados no Mister Donuts de Koenji, bebendo café em copinhos vermelhos. George tinha cerca de quarenta anos, Mari, uns trinta. Estavam no último andar da loja de *donuts* e podiam ver a estação pelas janelas. Os trens passavam fazendo barulho, e os sons da estação com suas musiquinhas e anúncios na plataforma ressoavam em um ritmo constante. O sol brilhava e a cafeteria estava ficando quente para uma manhã de outono. Lá fora, o céu estava azul e o ar-condicionado zunia, falhando um pouco depois do longo verão mantendo milhares de clientes frescos. Havia poucas pessoas por perto: um senhor sozinho com sua bengala; três estudantes do ensino médio rindo; um grupo de jovens mães, todas olhando para seus celulares, embalando preguiçosamente seus bebês e fazendo *shhhh* se eles gritassem ou chorassem.

Mari olhou os bebês em seus carrinhos e depois observou George sentado à sua frente. Pegou distraidamente o *donut* que havia pedido. George acendeu um cigarro. Ela suspirou e segurou seu exemplar surrado de *O apanhador no campo de centeio* para continuar a leitura, encerrando a conversa com dificuldade.

George pegou a esferográfica para escrever em seu caderno, com o cigarro pendurado nos lábios.

Se viram no outono
No maior parque da cidade [*sílabas?*]
Folhas ouro rubro

Ele tão bêbado
Ela bastante sóbria
Dia de outono

Ele bebia
A noite toda sem trégua
O sol raiou alto

Todo ano sempre
Ela pegava uma folha
Para pôr no livro

Páginas sem fim
Um catálogo de cores
Folhas da história

Ele disse a ela...
Ela ficou assustada...
Sua voz em ondas

"O que está fazendo?"

"Nada. Coletando folhas."

"Que tal esta aqui?"

"Acho que serve." [*sílabas?*]

[*Nota para mim mesmo: terminar esta estrofe*]

"Quer tomar café?"

"O quê? Com você? Agora?"

"Sim. E por que não?"

George fez uma pausa. Dava muito trabalho escrever tudo na forma de haicai. A estrita estrutura de sílabas 5-7-5 fazia sua cabeça doer. Ele se considerava um purista. Não gostava quando os ocidentais traduziam o haicai para o inglês e perdiam a estrutura silábica do poema. Estava lendo Matsuo Basho traduzido e ficava irritado quando notava uma sílaba sobressalente no verso, ou quando faltavam uma ou duas sílabas. Por que as pessoas não respeitavam a forma? Por que chamar o poema de haicai se ele não tinha a estrutura do haicai? Ele queria poder ler os poemas no original. Devia dar um passo de cada vez, como dizia o haicai de Kobayashi Issa:

蝸牛　　　　　　　　　　　　Ó meu caracol

そろそろ登れ　　　　　　　Suba o Monte Fuji, mas

富士の山　　　　　　　　　Sempre devagar!

George não fazia ideia de que esse haicai aparecia no romance *Franny & Zooey*, do mesmo escritor que Mari estava lendo naquele momento. Ela não teria ligado, mesmo se soubesse.

Mari estava lendo *O apanhador no campo de centeio* pela décima vez em inglês. Era seu romance favorito. Adorava tudo nele. Ela o tinha lido pela primeira vez em japonês durante o ensino médio. Lembrava-se da empolgação de ler sobre uma alma como ela, perdida em uma megacidade gigante, uma Nova York alienígena, um garoto da sua idade, isolado e diferente. Mari se identificava com ele. Quando era adolescente, ela se imaginava encontrando Holden. Ele seria bem mais alto que ela, com cabelo loiro e olhos azuis, e estaria usando seu famoso boné vermelho. Ela o conduziria por Tóquio e cuidaria dele. Eles ficariam felizes juntos. Não estariam mais perdidos, porque suas vidas teriam significado.

Olhou de relance para George enquanto ele escrevia. Ele parecia tão descolado concentrado daquele jeito. Ela adorava sua pele curtida, seu cabelo loiro e seus olhos azuis. A cinza do cigarro estava se acumulando, mas ele não a deixou cair. Ela desejou poder fotografá-lo. Era seu próprio Holden. Seu *gaijin* perdido e desesperado. Na verdade, ele não era de Nova York. Não era nem dos Estados Unidos. Ela demorou um pouco para acostumar os ouvidos àquele sotaque britânico abafado, com suas sílabas duras e terrivelmente reprimidas – não era nada parecido com o sotaque dos estadunidenses com quem ela namorara antes de conhecer George. Ela conhecia vários deles no trabalho, já que lidava com contas estrangeiras na casa de comércio. Falar com estrangeiros era fácil para ela – mas George era diferente. Primeiro, foi como se houvesse uma barreira entre eles. Ela sentia falta do relaxamento e da abertura dos estadunidenses.

Aquele britânico era igual a um japonês. Exatamente o que ela não queria em um parceiro. Havia uma parte dele que ela não conhecia tão bem. Ela sabia que ele tinha sido policial na Inglaterra, o que a deixava um pouco excitada. Se ao menos ele tivesse guardado o uniforme e o cassetete... Levando em conta somente sua aparência – se ele ficasse de boca fechada –, ela poderia imaginá-lo como um estadunidense. Ela se esforçava para não pensar em sua ex-mulher e filha no Reino Unido. O que é que ele estaria escrevendo? Quem sabe um romance, como esse que ela estava lendo. Ela se permitiu fantasiar um pouco sobre sua vida como a esposa de um escritor estrangeiro. E também escreveria sobre isso, só que em japonês. Talvez eles morassem em Nova York e ela viajasse para o Japão para participar de *talk shows* para promover seu último romance. Voltou a atenção para o livro.

George precisava tirar uma folga da escrita; seu pulso estava doendo. Olhou para Mari lendo em silêncio do outro lado da mesa, com as maçãs do rosto acentuadas pairando sobre o livro aberto. Seu cabelo preto era curtinho como o de um homem. Às vezes, ela parecia feroz, mas agora estava mais suave, mais acessível. Ela tinha pagado o café, como sempre, e talvez ele pudesse pegar um pouco de dinheiro emprestado depois. Ele queria conversar com ela quando ela estava assim – parecendo mais razoável. Ele tossiu e deslizou o caderno na direção dela. Ela não levantou os olhos do livro, então ele abanou a mão diante do nariz. Ela franziu o cenho.

– *Mari-chan, mi-te* – ele disse.

As sílabas estrangeiras vacilaram em sua língua enquanto ele se esforçava para impressioná-la, para se aproximar dela. Quando tentava pronunciar seu nome em japonês, sua língua congelava no meio do caminho e não caía nem aqui nem ali. Ele nunca acertava o som da consoante – não era nem L nem R. Ela preferia quando ele pronunciava seu nome com seu forte sotaque de estrangeiro, com aquele R mágico e enrolado, que continha em si o exótico. Um som que ela mesma lutara para conseguir produzir e que agora sentia certo orgulho de ser capaz de emitir. Quando se apresentava em inglês, ela se esforçava para dizer seu nome como eles diriam – "Olá, meu nome é *Mari*. Sim, igual à palavra *marry*, casar" – para agraciar os ouvidos estrangeiros com o idioma emprestado.

Ela ignorou seu japonês.

– Mari, olhe – ele disse em inglês.

– O quê?

– Estou escrevendo um poema sobre nós. Sobre como nos conhecemos.

Ela abaixou o livro e suspirou. Ele lhe entregou o velho caderno e ela revirou os olhos. Leu o poema depressa.

– Legal. – Ela o devolveu para ele.

– Não gostou?

– Bem... só parece um pouco...

– Um pouco?

– *Nanka... monotarinai.*

– Poxa, Mari. – George suspirou. – Não conheço essa palavra. O que significa?

– Sem substância?

– Ah...

George bateu o cigarro no cinzeiro. A montanha de cinzas caiu, e ele deu uma longa e melancólica tragada. O cigarro estava no fim.

– Por que não escreve como se fosse uma história, em vez de poema? Talvez em um cenário mais interessante, como Nova York? – Ela sorriu e moveu a mão um centímetro mais perto da mão dele.

Ele se mexeu no assento.

– Eu queria escrever um haicai.

– Ah, sério? Mas isso não é um haicai... – Ela inclinou a cabeça e olhou para a página de novo.

Ele ergueu os olhos.

– É, sim.

– Não, não é. – Ela fixou o olhar nele.

– Bem, cada estrofe é um haicai.

Mari não sabia o que significava *estrofe*, mas não queria confessar. O fato de George ter usado uma palavra em inglês que ela não conhecia a deixava um pouco irritada. Ela balançou a cabeça.

– Haicais devem ser escritos em japonês.

– Acho que não. – Ele abriu um sorrisinho.

– *Yappari gaijin wakaranai ne* – ela falou baixinho.

– O quê? – George não conseguia entender quando ela falava rápido.

– Enfim, ele não tem *kigo*, George.

– *Kigo?*

– É. Sabe, tipo, uma palavra sazonal. Todo haicai deve ter uma palavra sazonal relacionada a uma das quatro estações.

– Sei. – Ele abaixou a caneta.

– E onde está a história que aquela loira esqueceu no café? – Mari estreitou os olhos.

Tanto Mari quanto George sabiam muito bem que ele tinha deixado o manuscrito no táxi que eles pegaram, uma hora depois que a *gaijin* o largara no café. Mari não ia deixá-lo se esquecer disso.

– Não sei.

– Eu queria ler. *Aquela* história parecia interessante. – Mari fez beicinho.

George mordeu o lábio e não mencionou que a palavra *aquela* – com a entonação que ela usou – o deixava um pouco chateado. Talvez ela não tivesse *aquela* intenção.

Eles terminaram suas bebidas e saíram para o Café Neko.

A exposição fotográfica de George no Café Neko tinha se encerrado. Eles iam lá para ver quantas fotos tinham sido vendidas e para recolher as que sobraram. O dono do café, Yasu, era amigo de Mari e tinha lhes dado um desconto de 30.000 ienes para que George expusesse seu trabalho. Mari pagara a taxa, e ele passara horas avaliando sua vasta coleção para decidir quais fotos exibir. Até que, com a ajuda de Mari, acabou escolhendo uma série de fotos que tirara da mesma gata tricolor que sempre via quando perambulava pela vizinhança com a câmera na mão.

A série era bem pensada: as fotos tinham sido tiradas ao longo dos últimos anos e mostravam claramente a mudança da paisagem urbana ao longo das estações. Mari lhe explicara que esse era um tema comum na arte e na literatura japonesas – assim como no haicai. O fluxo das estações atrairia os visitantes japoneses que vissem as fotos de George, e a gata era um ótimo tema.

Definitivamente agradaria a clientela gateira do Café Neko. Mari tinha certeza de que seria um sucesso.

– Ounnn, olhe só pra essa carinha *kawaii* dele... – ela cantarolou, apontando para a foto do gato brincando na neve na tela do computador de George em uma noite em que ele estava editando as imagens.

– Como é que você sabe que é macho? – George perguntou.

– Macho, fêmea. Qual a diferença? – ela soltou.

George não sabia, mas Mari e Yasu, o dono do café, já tinham transado uma vez. Fora um erro. Uma foda bêbada, uma das muitas do histórico de Mari. Não significara nada, e Yasu era um cara legal – um homem do mundo, que via sexo como sexo –, que não se incomodava de ver Mari com George. Mas ela sabia que George não ficaria tão tranquilo com essa situação se ela lhe contasse, então ficou quieta. *Gaijins* eram sempre tão ciumentos.

Eles chegaram ao Café Neko e, quando entraram, viram vários clientes fazendo carinho nos diversos gatinhos que zanzavam pelo lugar. Yasu foi cumprimentá-los e lhes oferecer algo para beber. Ele falou com George em seu inglês rudimentar, sorrindo e apertando sua mão, e conversou rapidamente com Mari em japonês quando ela lhe perguntou quantas fotos haviam sido vendidas.

– Ah... – Yasu parecia desconfortável. – Mari-chan, estava querendo conversar com você sobre isso.

– Sim?

Mari sorriu para George enquanto ela e Yasu falavam em japonês. George entendeu a deixa e saiu para fazer carinho em um gato gorducho e ruivo no canto.

– Bem, na verdade, Mari-chan... bem, para ser sincero, só conseguimos vender uma foto...

– Só uma? – Sua voz escondia a surpresa.

– Sim, e na verdade fui eu que comprei.

– Sei... – Ela mordeu o lábio. – Só uma.

– Sim... não sabia o que você queria dizer para o George. As fotos estão embrulhadas lá nos fundos. O que quer que eu faça?

Mari pensou um pouco e então pegou a bolsa Louis Vuitton.

– Yasu-san. Desculpe incomodá-lo com isso, mas se importa de ficar com elas por enquanto? Vou voltar pra pegá-las depois, se não tiver problema.

Ela pressionou cinco notas novinhas de 10.000 ienes na mão dele depressa.

– Claro, Mari-chan. Não tem problema nenhum.

– Muito obrigada. Volto logo para buscá-las.

Mari e George saíram do café juntos. Enquanto caminhavam até a estação, George falou:

– E aí, como nos saímos?

– Hum? – Mari estava olhando para o chão.

– Quantas fotos vendemos?

Ela levantou a cabeça.

– Ah, vendemos todas.

– Todas? – George abriu um sorriso largo.

– Sim. Muito bem, querido. Yasu-san deixou comigo seu dinheiro. Você faturou 60.000 ienes.

– Que ótimo!

– Parabéns, querido. Estou orgulhosa de você.

– Precisamos comemorar! Vamos beber. – George saiu dando pulinhos de alegria.

– Boa ideia. – Mari sorriu ao vê-lo tão feliz.

Eles costumavam viajar pelo Japão juntos. Ambos achavam Tóquio opressiva e gostavam de fugir para tirar curtas folgas em outras cidades ou conhecer o interior. As viagens eram financiadas por Mari, já que George não tinha condições de bancar os lugares que ela queria visitar com seu escasso salário de professor de inglês. Após o incidente em que ele torrara todo o seu salário em duas semanas em bebedeira, George passou a entregar seu pagamento para Mari todos os meses. Ela lhe dava uma moeda de 500 ienes por dia para comprar o almoço. George não se importava; ele nunca admitiria isso para ela, mas no fundo gostava que Mari cuidasse das questões financeiras. Numa noite de bebedeira com seus alunos da escola de conversação, um deles – um assalariado de meia-idade – disse a George que antigamente os samurais nunca carregavam dinheiro e suas esposas cuidavam de tudo. George às vezes fantasiava que era um samurai e Mari era sua gueixa do período Edo.

Já Mari tinha gostos caros e era uma grande fã de águas termais, os *onsen*, e de *ryokan* de luxo. Ela não se importava de pagar, porque podia. Além disso, os olhares invejosos que recebia das outras mulheres, com sua bolsa de grife em uma mão e seu *gaijin* na outra, faziam tudo valer a pena.

– O que é *ryokan*? – George lhe perguntara da primeira vez que planejaram uma viagem.

– *Ryokan* é pousada tradicional japonesa – ela respondeu.

– Sua gramática está errada, Mari – George falou. – Se diz "*ryokan* são pousadas tradicionais japonesas" ou "um *ryokan* é uma pousada tradicional japonesa". Um ou outro, pode escolher.

Ela ficou surpresa por um minuto. Então, com a voz um pouco trêmula, disse:

– Bem… Acho que, se sou eu quem vai pagar, posso dizer o que quiser.

– Tudo bem! – George ergueu as mãos para acalmá-la. – Desculpe.

– Não sou uma das suas alunas, George. Não me trate como se eu fosse.

Ele fez cócegas em sua axila.

– Você gosta de ser durona, né?

Ela deu risada.

– Pare!

– Você gosta de me chamar de *sensei*, né?

– Seu bobo! – Ela lhe deu um tapa brincalhão no braço.

Eles se abraçaram e se beijaram, e seguiram planejando a viagem no *laptop* de George.

Mari gostava de olhar o histórico do navegador de George sempre que estava com o *laptop* dele e ele não estava por perto. Ele assistia a bastante pornografia. De uma grande variedade. Ela não tinha ciúme. Ficava fascinada. O que ele curtia? Ele pesquisava coisas como: *Gozada asiática. Garota elegante sendo comida. Gozando dentro. Meninas de uniforme escolar. Pornô cuckold.* De vez em quando, ela encontrava algo super excêntrico, como *ladyboys* ou *bissexuais*. Algumas pessoas ficariam enojadas, mas Mari não. Ela ficava excitada. Ela gostava de ver os pornôs que ele via e pensar nele se masturbando.

Só que não era com ele que ela fantasiava. Ela ficava com tesão se imaginando no filme pornô que ele assistia. Ela pensava que seria ótimo se George clicasse em um vídeo e de repente visse Mari na cena. Ela olharia diretamente para a câmera. Que cara ele faria se visse isso? Ficaria totalmente branco. Bem, mais branco do que já era. Ele já era bem branco.

Depois, uma melancolia estranha a tomava e Mari deixava o *laptop* exatamente no lugar em que o encontrara.

Em seguida, ia lavar as mãos.

A viagem que eles fizeram à ilha de Kyushu, no sul, foi um grande sucesso. Ambos estavam de bom humor e, pela primeira vez, não brigaram muito.

Eles pararam em Fukuoka a caminho de Kagoshima, e depois em Oita, em uma turnê pelas águas termais da região. George tinha tirado ótimas fotos de Mari à beira do lago na cidade *onsen* de Yufuin, e ela as usou como foto de perfil do Facebook por muito tempo. O lago chamava-se Kinrinko – Ouro/Escama de peixe/Lago. Eles alugaram uma piscina privativa em Yufuin e o dia fora perfeito. Até rendera uma história engraçada.

George estava tirando fotos do lago quando de repente ouviu Mari gritar em inglês, enojada.

– Mas que *porra* você está fazendo?

Ele se virou de lado para conferir o que estava acontecendo e viu um japonês de peruca cacheada cor-de-rosa fluorescente, pelado, na porta de um *onsen* particular, caminhando na direção deles. Seu pênis estava totalmente ereto e ele o balançava enquanto sorria timidamente para George e Mari. Tinha um celular na mão e estava tirando fotos do casal – provavelmente para captar a reação deles à sua perversão.

– Ignore esse cara, Mari – disse George, preguiçosamente voltando a tirar fotos do lago. – Ele só está tentando chamar atenção.

– Ele é um tarado escroto! – Mari gritou, e George bufou pelo nariz, achando graça. Ela era muito boa em xingar em inglês, e ele notou a alegria, quase empolgação, em sua voz.

Um grande grupo de turistas se aproximou, e o homem se retirou em seu calção de banho, levando sua ereção, seu celular e sua peruca cacheada cor-de--rosa fluorescente consigo.

– Que cara *maluco*! – Mais tarde eles riram juntos no trem.

– Sabe do que me arrependo de verdade? – George disse.

– Você queria chupar ele? – Mari riu.

O rosto de George ficou um pouco vermelho, mas ele manteve uma expressão divertida.

– Não. Queria ter tirado uma foto dele.

– Por quê? Você é tão *hentai* quanto ele!

– Não! Pra mostrar pras pessoas! – George gargalhava. – Ninguém vai acreditar na gente. Eu devia ter tirado uma foto pra provar que aconteceu.

– Ele teria *adorado* isso! – Mari apertava o braço de George e dava risada.

Naquela mesma viagem, eles foram a um templo budista chamado Tochoji, em Fukuoka. George fez questão de perguntar a Mari sobre a grafia dos ideogramas do templo para registrar em seu caderno.

– *To* é "leste", como *To* de "Tóquio" – ela disse.

Ele colocou a língua para fora enquanto tentava memorizar o simples caractere.

– Não, assim não. – Ela pegou a caneta e o caderno dele, impaciente.

– Deixe-me tentar! – ele choramingou, rabiscando e refazendo o ideograma feito uma criança.

– Está bem. Agora, *cho* é "longo"... Sim, isso. Bom trabalho, amor!

– É isso? – Ele lhe mostrou os caracteres que tinha escrito.

東長寺 era o que estava escrito em traços rudimentares – até um estudante do ensino fundamental faria melhor.

– Sim. Muito bem! Você acertou até o ideograma de *templo*.

Ele sorriu.

– Obrigado.

Eles visitaram o templo e subiram as escadas para ver a enorme estátua do Buda. Mari repreendeu George, apontando para uma placa que dizia que era proibido fotografar quando ele tentou capturar a figura gigantesca do *daibutsu* assomando-se sobre eles.

– Impressionante – ele disse.

– Muito legal – ela comentou.

Eles seguiram por um pequeno corredor atrás da estátua que levava às áreas chamadas de *jigoku* (Inferno) e *gokuraku* (Paraíso). A seção Inferno tinha pinturas engraçadas de pessoas sendo torturadas por demônios.

George apontou para um pecador perturbado agarrando uma barra acima das chamas crescentes que subiam de um lago de fogo.

– Sou eu – ele disse.

Mari soltou uma risada tão alta que ele se aqueceu por dentro.

Eles encontraram outra pintura na galeria do Inferno que retratava pessoas sendo levadas através de um rio em um barco.

– O que é isso? – George perguntou.

– Ah, é uma coisa da mitologia budista. Você tem que atravessar esse rio pra chegar à vida após a morte.

– Quem é esse cara? – George apontou para uma figura bondosa no barco.

– Jizo – Mari respondeu. – Ele cuida de todo mundo e garante que todos atravessem o rio em segurança, até mesmo os bebês ainda não nascidos. Tipo se uma garota fizer um aborto.

– Fetos?

– Isso. Há vários templos no Japão. Se a mulher fizer um aborto, ela pode ir lá e oferecer uma pequena estátua de Jizo para proteger o bebê. – Ela olhou atentamente para o rosto dele enquanto falava.

George murmurou algo para si mesmo e seguiu adiante.

Depois do Inferno, havia um corredor bem escuro que dava no Paraíso. Mari traduziu a placa na parede para George.

– Está dizendo que precisamos segurar o corrimão com a mão esquerda porque a passagem está completamente escura.

– Certo – ele falou, um pouco alheio.

– E que precisamos tocar a parede com a mão direita. Em algum momento, vamos sentir uma peça da roupa de Buda, e se isso acontecer, acredita-se que ela vai te conduzir ao paraíso.

– Interessante. – Ele estava pensando no lámen que iam comer no almoço.

– Certo, então vamos.

George quase não acreditou no breu do corredor. Ele não conseguia ver nada e se agarrou no corrimão, temendo se soltar e acabar tropeçando.

Ele ouvia a voz de Mari se movendo à sua frente:

– Vamos, George!

Avançou com cuidado para não cair. Mari gritou alguma coisa, empolgada, mas estava um pouco distante e ele não conseguiu entender. Ele só se concentrou em sair daquele corredor vivo.

Deu a volta em uma parede e a luz surgiu. Sentiu-se aliviado.

Mari o esperava.

– Achou?

– Hum… – Ele não sabia do que ela estava falando.

– O anel do xale do Buda. Você não o sentiu à sua direita? Na parede?

George tinha se esquecido de tocar a parede com a mão direta. Ficou concentrado demais se segurando no corrimão com a mão esquerda.

– Bem…

– Você não achou? O grande anel pendurado na parede? – Ela apontou para uma imagem do Buda sentado no paraíso. Havia um anel no xale que cobria o corpo dele. – Você não o tocou? Quer voltar pro começo e tentar de novo? – Ela parecia preocupada.

George não queria voltar. O corredor escuro o assustara; havia algo sobrenatural ali. Ele teve a mesma sensação que tinha sempre que ia a algum lugar espiritual. Mesmo que não acreditasse em nenhuma religião, sentia uma espécie de medo à espreita no fundo da sua mente: *E se for real? E se eu estiver irritando um deus? E se eu acabar no inferno?*

Ele mentiu:

– Ah, então era isso! Estava me perguntando o que era aquele anel. – Ele deu risada. – Sim, eu senti.

– Sério? – Mari inclinou a cabeça.

– Sim.

– Que bom. – Ela sorriu. – Agora sabemos que vamos para o céu.

George sentiu algo pesado no estômago.

– Tive um sonho esquisito ontem à noite – George falou.

– Eita. – Mari fez uma careta e se virou para o outro lado na cama.

– O que foi?

– Nada. É só que, bem, detesto ouvir o sonho dos outros.

Ela se voltou para George e se apoiou no cotovelo.

– Como assim?

– Ah, eles são sempre chatos.

– Esse foi bem real.

– Com certeza. Realmente chato.

– Só me ouça, está bem?

– Fale.

– Então, não sei por que, mas tínhamos sido congelados criogenicamente. Sabe, tipo como naqueles filmes de ficção científica em que as pessoas viajam para planetas distantes, só que, como a viagem leva anos-luz, elas entram em tanques e se congelam. Seus corpos não envelhecem. Mais ou menos como aqueles ricaços que querem viver para sempre e por isso congelam seus corpos.

Ele continuou:

– Enfim, nós dois estávamos congelados por algum motivo. Mas acabamos cortados ao meio, bem no meio. Então tínhamos apenas um braço, uma perna, um olho, meio nariz e tal. Estávamos deitados na cama como duas metades. A máquina tinha quebrado, então estávamos descongelando naturalmente, sabendo que íamos morrer. Vimos as entranhas um do outro e tudo estava derretendo lentamente, nossos órgãos pingavam por toda parte e estávamos ficando moles feito um sorvete. Não conseguíamos falar direito, porque ainda estávamos parcialmente congelados. Mas nós dois sabíamos o que tínhamos que fazer. Nos aproximamos e fundimos as laterais dos nossos corpos cortados. E nos tornamos um corpo horrível, formado pelas metades de um homem e uma mulher. E ficamos assim até morrermos.

– Hum – Mari disse.

– O que foi?

– Sei lá. É uma das coisas mais bestas que já ouvi na vida.

Ela odiava a hipocrisia dele. O fato de ele jamais ser honesto com sua sexualidade. De ele querer demais, mas não pedir nada. De ele fingir ser respeitável.

Fingir que nunca era dominado por uma selvageria animalesca. Pelos desejos primordiais que mantiveram nossa espécie viva durante milênios. Ele sempre mentia sobre o que realmente queria. Jamais confessava seus verdadeiros sentimentos.

Ela era um enigma para ele. Era arrebatada quando faziam sexo. Parecia que ele nunca a satisfazia. Havia um fosso profundo, um abismo dentro dela que ele não conseguia preencher. Ele queria fazer amor com ela lentamente, olhar em seus olhos e sentir uma certa proximidade. Mas ela o puxava mais para o fundo. Mordia seu rosto e suas orelhas com brutalidade.

Era verdade: ele gostava de ver atos sexuais extremos. De longe. Da segurança da tela do *laptop*. Sim, seus gostos beiravam o ligeiramente *incomum*, mas eram só fantasias, não coisas que ele queria fazer na vida real. Muitas das coisas que ele pensava eram insanas. Mas ele sabia que havia uma separação entre o que acontecia na sua cabeça e o que acontecia na vida real. Ele sabia a diferença entre realidade e imaginação.

Só que havia algo brincando com sua mente fazia um tempo. Ele desejava ver Mari com outro homem. Queria poder sair do próprio corpo para assistir à cena. Para poder inspecionar o sexo de todos os ângulos. Ele sempre queria transar com as luzes acesas, mas ela não deixava. Adorava olhar para o corpo dela, mas talvez ela fosse tímida. Ela sempre queria transar no escuro, o que, depois de Fukuoka, o lembrava daquele túnel escuro – eles tateavam procurando um ao outro, mas acabavam perdendo o foco.

Às vezes, ele pensava em coisas asquerosas.

Não que quisesse pensar nessas coisas.

Vez ou outra, era a natureza da língua inglesa que conjurava pensamentos doentios em sua mente. Ele nunca se sentia assim com o japonês – embora não o entendesse. O som fluido e monótono por si só tornava o japonês uma linguagem muito mais bela e espiritual. O inglês, com suas tônicas fortes e entonação oscilante, era sujo e repugnante aos seus ouvidos. Ele odiava ter que trabalhar como professor de inglês em uma escola de conversação para adultos para financiar sua paixão como fotógrafo. Ele se sentia uma prostituta ensinando inglês. A empresa o encorajava ativamente a flertar com as alunas que o achavam atraente – para levá-las a marcar aulas particulares, mais caras. Instruíam-no a não dizer que ele tinha namorada. Ele tinha que fingir ser o melhor amigo dos alunos para que quisessem voltar. Era constantemente avaliado para a empresa saber se estava vendendo livros suficientes para os alunos – as cotas precisavam ser cumpridas.

Muitos de seus alunos o deixavam confuso – nenhum deles falava inglês tão bem quanto Mari, e a maioria não parecia ter nada para lhe dizer.

Ele perguntava:

– O que vocês fizeram no fim de semana?

– Nada – eles respondiam.

Como é que ele poderia fazer a aula funcionar desse jeito?

Alguém lhe falou que os médicos japoneses sugeriam a seus pacientes com depressão que estudassem inglês – assim eles fariam novos amigos e poderiam usar os professores como terapeutas. Ele não entendia.

Por que queriam aprender inglês quando já tinham algo tão melhor em japonês?

Mari traiu George algumas vezes. Ela fazia isso com certa frequência. Não era que não o amasse. Ela o amava. Só que ele simplesmente não a satisfazia. Ela tinha uns quatro ou cinco amigos coloridos. Costumava escrever para eles sempre que tinha oportunidade, então eles iam para algum motel, bebiam cerveja, comiam alguma coisa e transavam. Ela dormia principalmente com japoneses. Eles pareciam mais capazes de manter esse tipo de relação. Já tinha tentado ter amizades coloridas com *gaijins* no passado, mas eles sempre acabavam se apegando e quase estragando seu relacionamento. Ela não queria nenhum psicopata *stalker* se apaixonando por ela e interferindo ou destruindo o que tinha com George.

Era a última coisa que ela queria.

Mari queria se casar com George. Tirando a falta de atração física, ele seria o marido perfeito para ela. Não era o melhor na cama, e ela nunca o deixava transar com as luzes acesas porque gostava de fantasiar com outros homens no escuro. Mas tinha certeza de que se eles se casassem e tivessem filhos juntos, as coisas se encaixariam. Ela dedicaria todos os seus esforços na criação desse filho e os dois formariam um ótimo time para educá-lo. O bebê seria super *kawaii*, e ela o vestiria com roupinhas *kawaii*.

Suas amigas teriam inveja – especialmente as que tinham se casado com japoneses e tinham filhos japoneses.

Claro, crianças japonesas eram *kawaii*, mas não eram nada comparadas a criancinhas mestiças. Várias de suas amigas já tinham inveja dela por sua carreira bem-sucedida – ela se formara com as melhores notas em Economia na Universidade de Tóquio, era fluente em inglês e trabalhava para a maior casa de comércio do Japão, sendo a responsável pelas contas estrangeiras. Ela havia conquistado mais do que qualquer japonesa poderia sonhar, e dinheiro nunca havia sido uma preocupação. Tinha alcançado a segurança financeira sozinha. Mas, quando olhava o *feed* do Facebook no computador do trabalho e via as amigas do ensino médio com suas vidas adultas, se encontrando para almoçar com seus bebês, sentia uma inveja incontrolável. Então saía do escritório para fumar um cigarro e tomar um café, dizendo a si mesma que tudo ficaria bem.

A única amiga que ainda não estava casada era Sachiko.

Ela balançava a cabeça sempre que pensava em Sachiko.

Mari andava ignorando as ligações da amiga. Não era que não gostasse dela, só não conseguia lidar com toda aquela reclamação. Quando se encontravam para tomar café, Sachiko ficava resmungando sobre sua vida morando com a mãe, e Mari tinha que ficar lá ouvindo tudo. Uma parte sua sentia pena de Sachiko, que tinha passado por bastante coisa desde a morte do pai, e claro, também havia aquele imbecil do namorado japonês dela, *Ryu-kun*, como ela o chamava – ela era obcecada por ele. Era inacreditável que Sachiko não enxergasse que ele a traía. Quão ingênua ela era?

George de vez em quando também traía Mari. Sempre se sentia culpado depois. Geralmente acontecia quando estava bêbado ou na manhã seguinte a uma bebedeira. Às vezes, ele ia a alguma *soapland* – onde podia tomar um banho com a garota e depois deitar-se enquanto ela deslizava o corpo sobre o dele coberto de lubrificante, terminando o serviço com uma punheta. Ele sempre sentia um arrependimento familiar, mas isso nunca o impedia de voltar quando estava com tesão e de ressaca. Normalmente estrangeiros não eram admitidos nesses lugares, mas eles o deixavam entrar porque era respeitoso. Apesar de não falar bem japonês, confiavam nele. Ele costumava ver uma garota chamada Fumiko com frequência. Ela tinha a foto de uma pelúcia do Monstro do Lago Ness no celular. Ele perguntava por ela toda vez que ia lá. Só que, das últimas vezes, ela não estava.

Ele também tinha transado com algumas alunas da escola de conversação.

George já tinha dado aula bêbado várias vezes. Chegava fedendo a *shochu*, tendo virado a noite. Enfrentava as aulas de merda que tinha que dar para pagar o aluguel. Seus alunos o olhavam desconfiados – era um primata enorme, de terno, com a barba por fazer, exalando álcool, com uma expressão selvagem nos olhos. Bárbaro do Sul.

George tinha se acostumado com as oscilações violentas entre se importar e não se importar com o que as pessoas pensavam dele no Japão. Ele sempre chamaria atenção, não importava o que fizesse – as pessoas o amariam ou o odiariam só por ele não ser japonês. Então ele concluiu que realmente não importava o que fizesse.

Às vezes, quando se esforçava para ser um honrado membro da comunidade, se sentia bem sendo educado, respeitoso e prestativo. As pessoas sorriam para ele – o *bom* estrangeiro. Ele se mantinha sóbrio, ficava em casa com Mari.

Mas então era atingido por uma espécie de complacência ou felicidade, e era alimentado por Mari, que lhe dava dinheiro e lhe dizia que ele merecia uma noite de farra. Daí ele acabava bebendo a noite toda com outros amigos expatriados em Roppongi ou Shibuya – os condenados à prisão perpétua com seus divórcios e filhos mestiços –, que ficavam resmungando sobre suas vidas no Japão. Todos odiavam, mas não iam embora. George acenava a cabeça, ouvia as reclamações e acabava entrando na folia bêbada, com garotas penduradas em seus ombros, bebendo *shochu* demais e passando a noite toda fora, e nos dias seguintes seu comportamento piorava.

Uma vez, ele masturbou uma de suas alunas na sala de aula. Eles já tinham transado antes, e ele se sentia um pouco mal por ter traído Mari. Mas sabia que escaparia impune.

Ela fazia aula particular e era casada. Um dia, quando ele ainda estava meio bêbado da noite anterior, apenas se inclinou e a beijou do nada no meio da aula.

– O que está fazendo? – ela fingiu surpresa.

– Te beijando – ele respondeu.

Ele insistiu tanto que ela o deixou tocá-la por cima da calcinha, que ele empurrou para o lado para sentir sua umidade. Ele a dedou gentilmente até o que ele pensou ser um orgasmo e eles se beijaram. Ela saiu da sala com o rosto vermelho.

E nunca mais voltou para as aulas.

Mari e George decidiram visitar Kyoto no outono. Para ver as folhas coloridas. Eles se sentaram no trem de braços dados. Comeram caqui e beberam chá verde gelado. George leu um livro de haicais em inglês, ocasionalmente escrevendo algo em seu caderno. No iPod, ouviu Edith Piaf cantando uma versão embargada de "Autumn Leaves" várias vezes. Mari pegou seu diário de folhas, como sempre, torcendo para encontrar a folha perfeita para colocar ali. Ela tinha esse diário desde criança e o considerava um tesouro.

George pegou a câmera. Tinha ouvido que as folhas de outono em Kyoto eram um espetáculo. Mal podia esperar para fotografá-las, imaginando todos aqueles templos cheios de musgo e seus jardins de pedra, enquanto as lindas folhas de outono conferiam o toque de cor que todo cartão-postal precisa. Começou a ficar empolgado só de pensar.

Quando foi ao banheiro, Mari pegou o caderno dele para dar uma olhada. Ela não soube o que pensar sobre o que viu. Eram anotações curtas, divididas por linhas riscadas na página. A maioria não fazia sentido; ela leu todo o texto, mas não conseguiu extrair nada da maior parte dele. Uma seção dizia:

Um caroço sólido dentro de ambos os corpos. Violência e esplendor pulsantes. Uma sensação de perda. Paredes de pedra firmes e duras. Lugubridade parcimoniosa e quase linguagem intelectual. Repetição infinita das mesmas frases. Os mesmos pensamentos vazios e desejos inatingíveis. Nada da forma, forma do nada. Caos e ordem. Eles eram iguais. Ela se sentia como uma odalisca fumando um charuto viscoso de dor trovejante. Anos desperdiçados. Ele era apenas um devasso com aparência de cera. Um abismo partilhado, uma escuridão mútua, voltamos ao descanso. A prole da sujeira.

Ela mordeu o lábio. Era meio que uma merda. "Ele" seria George? "Ela" seria Mari? O que significavam aquelas palavras? Ela precisaria pesquisar várias delas no dicionário. Não pareciam significar nada.

Fez uma careta e continuou bisbilhotando.

O inglês tem algumas expressões horríveis. "Órgão sexual" me provoca pensamentos repulsivos. Me faz pensar em alguém que se excita com um pulmão humano ou algo assim. Que órgão sexual.

Mari quis vomitar quando leu isso, mas não conseguiu parar. Especialmente quando viu uma parte com o seu nome:

Tive mais um sonho estranho ontem à noite. Sonhei que fazia sexo anal com Mari. Quando eu meti, ela explodiu feito um balão. Sua pele virou borracha e algumas partes saíram voando pelo quarto, feito um balão estourado em uma festa infantil. Daí fiquei correndo de um lado para o outro tentando resgatá-la. No sonho, tive a sensação de que, se eu reunisse todos os pedaços dela na minha mão ferrada, ela poderia voltar à vida. Acordei sentindo uma profunda tristeza, da qual não consegui me livrar.

Mari olhou para o cenário que passava na janela, se lembrando de quando eles fizeram anal. Foi horrível. Ela tinha topado só para agradá-lo e odiou cada segundo. Depois, quando ele saiu de dentro dela, ela sentiu algo estourar e tentou se virar para ver o que tinha acontecido.

– Sangrou? – ela perguntou.

– Não foi nada. – George empurrou-a de volta para que ela não pudesse se virar.

Ela o ouviu pegando um lenço na mesinha de cabeceira.

– George, o que foi isso? – ela murmurou contra o travesseiro.

Ele ignorou a pergunta e saiu do quarto. Um minuto depois, ela ouviu a descarga. Por que ele não falava com ela? Ele voltou e tentou abraçá-la, mas ela rolou para o lado e fingiu dormir.

Ficou olhando os prédios passando rapidamente pela janela do trem-bala, depois fechou o caderno e guardou-o antes de George retornar.

Pretendia ler o resto mais tarde.

George detestava as ocidentais. Elas eram barulhentas demais. Cheias de opinião. Exigentes demais. Gordas demais. Ofensivas demais. Propensas demais a fugir com outro homem, levando a filha consigo. George tinha sido policial em sua vida anterior na Inglaterra. Tinha tido uma família feliz, até que tudo lhe foi tomado. Então ele foi para o Japão procurando algo novo. Ele se deleitou com a ternura da atenção das japonesas e perambulou pelos bares e clubes de Roppongi do alto dos seus trinta e tantos anos. Encontrou a felicidade ali. Daí contraiu herpes. Depois que conheceu Mari, acalmou-se um pouco e se conformou com a vida monogâmica. Só que pensava muito na filha. Ele sentia muita falta dela, e as conversas pelo Skype nunca eram suficientes.

Mari detestava os japoneses. Eram educados demais. Quietos demais. Rígidos demais. Severos demais. Exigentes demais com a aparência. Arrogantes demais. Propensos demais a namorá-la aos vinte e poucos anos e depois se casarem com outra pessoa. Mari desistiu dos japoneses depois dele. Curtiu uma rápida temporada com homens negros, quando passava bastante tempo em clubes de *hip-hop*. Ela adorava transar com eles. Mas sabia que sua vontade sempre fora se estabelecer com um *gaijin*. Queria ter um filho com George logo. Era o seu futuro.

Deitada no quarto do hotel de Kyoto, ela folheava as páginas do caderno de George enquanto ele tomava banho, e seus olhos se arregalaram em uma parte específica.

> *Mari vive falando de ter um filho. Sei que é o que ela quer, e talvez eu também queira. Só não tenho certeza. Não sei se consigo passar por tudo aquilo de novo. Já tenho uma filha e ela está tão longe. Sinto tanta falta dela que isso está acabando comigo. O que estou fazendo com a minha vida?*

Ela fechou o caderno e o guardou com cuidado no lugar onde o encontrara.

George saiu do banheiro assobiando com uma toalha branca amarrada na cintura. Sua pança estava crescendo e pendia levemente sobre a toalha. Ela teria que fazê-lo parar com as cervejas e o lámen.

– Você está bem, querida? – ele perguntou.

– Hum? – Ela encarou a janela.

– Perguntei se você está bem.

– Vamos sair pra beber. – Ela o olhou nos olhos. – Quero ficar bêbada.

Naquela mesma noite, eles levaram um estadunidense para o hotel de Kyoto, mas George não conseguiu ter ereção. Eles se conheceram em um *happening bar*, um tipo de casa de *swing* japonesa, que Mari descobriu no celular quando estavam no segundo bar da noite. Depois de alguns drinques, não foi muito difícil convencer George de que eles deviam tentar um ménage com outro homem. Mari secretamente desejava vê-lo chupando o pau de outro cara. Mas no fim George só ficou assistindo em uma cadeira no quarto. Nem participou. Só ficou vendo.

– Me enforca – ela sussurrou para o estranho.

– Claro – ele grunhiu.

– Me enforca com vontade – ela pediu.

– Sua puta. – O homem fechou as mãos em sua garganta.

George só ficou ali vendo aquela bunda socando sua querida Mari, enquanto seus gemidos suaves gradualmente se transformavam em um lento crescendo de gritos de êxtase.

Depois que o homem gozou no rosto dela, ele se vestiu depressa e saiu, sem fazer contato visual com George, que estava lendo seu livro de poesia.

Luar de outono
Um verme silenciosamente
Cava a castanha
A lâmpada apagada
Estrelas frias entram
A moldura da janela

Eles se deitaram na cama, mas não se abraçaram nem se beijaram. George teve um sono estranho e superficial. Mari dormiu bem, como não dormia havia anos.

O *ménage* tinha sido um desastre. Ambos sabiam.

No dia seguinte, eles saíram para passear, conforme tinham planejado, e tiveram a primeira briga no Kinkakuji – o templo do Pavilhão Dourado. George passou o dia tirando fotos sem parar, e Mari ficou impaciente porque ele ficava lhe mostrando cada uma, perguntando o que ela achava.

Quando Mari olhava as fotos de George, sempre sentia uma mistura de emoções. Não é que fossem ruins; tecnicamente, não havia nada de errado com elas. Na verdade, muito podia ser dito em termos de exposição e composição. Só não havia nada de especial nelas. Nenhum sentimento. Nada pelo que se pagaria dinheiro, nada que as fizesse se destacar na montanha de imagens digitais da internet.

Ela ficou irritada e gritou com ele quando ele lhe mostrou a foto de um gato que acabara de tirar no bambuzal perto de Arashiyama, para onde foram depois do Templo Dourado.

– Olhe, George. Se quiser ser artista, você tem que correr riscos. Tem que chocar, deixar as pessoas desconfortáveis. Você não pode só ficar tirando fotos de gatinhos. Ninguém liga pra isso.

Ele ficou em silêncio por um instante e depois falou:

– Bem, as pessoas que compraram minhas fotos no café obviamente ligam – ele falou, na defensiva.

– Eu que comprei as fotos. – Ela cruzou os braços. – E agora gostaria de não ter feito isso.

– Como assim?

– Eu que comprei as fotos – ela repetiu friamente. Então acrescentou com determinação: – Você não vendeu nenhuma. Eu que dei o dinheiro pro Yasu.

George congelou, ainda segurando a câmera.

– Por quê?

– Ah, merda. Sei lá. Porque não aguentava mais você choramingando.

– Nossa. – Ele finalmente abaixou a câmera. – Não precisa me poupar, Mari. Fale o que acha.

– Eu *acho* que você está desperdiçando meu tempo. Aliás, escrever aquelas merdas sobre mim no seu caderno não te torna um artista, George.

Ele arregalou os olhos.

– Você leu meu caderno?

– Queria não ter lido. Nada faz sentido. Você devia voltar a ser policial. Ou continuar ensinando inglês. Você é bom nisso, em ser condescendente. – Ela estava tremendo. – Sabe, ser artista dá um trabalho do caralho, George. Tipo aquela garota da tradução que você perdeu no táxi. Quantos anos você acha que ela levou pra aprender japonês? Ela não rabiscou só umas palavrinhas no papel nem tirou umas fotinhos de merda e ficou implorando pela atenção dos outros. As coisas são *difíceis*, George. O que você está esperando? O mundo não te deve nada.

Ela poderia continuar, mas precisava tomar fôlego.

George estava respirando pesado.

– Mari?

– O que foi?

Ela o olhou nos olhos. Estava à beira das lágrimas. Queria que ele a abraçasse e lhe dissesse que tudo ficaria bem. Que nada do que escrevera naquele caderno era para valer. Que queria ter um filho com ela. Ela queria ouvir que não tinha desperdiçado todo esse tempo com ele, que eles se casariam e teriam uma família juntos.

– Deixa pra lá.

Ele seguiu na frente sozinho.

– Quer voltar pro começo e tentar de novo?

Do topo da montanha do Templo Kiyomizudera, eles olhavam para Kyoto. George tentou colocar o braço em torno de Mari. Ela o afastou. Ele suspirou. Ela agarrou a estrutura de madeira do deque em frente ao templo. O sol estava se pondo atrás da cidade adiante e estava ficando frio. As árvores abaixo estavam explodindo de cores: vermelho, âmbar, amarelo e dourado. Mas conforme a luz desaparecia, o mesmo acontecia com as belas cores radiantes das árvores.

– Mari? Ouviu o que eu disse?

– Ouvi.

Ela pegou o diário de folhas na bolsa para guardar a folha que tinha pegado em uma página em branco.

Copy Cat

Por Nishi Furumi

Traduzido do japonês por Flo Dunthorpe

(flotranslates@gmail.com)

A gata tricolor caminhava lentamente pela neve, deixando lindas pegadas na superfície.

Finos flocos caíam e o sol estava prestes a se pôr. Devia haver algum lugar para dormir por ali. Algum lugar quentinho e confortável. Com alguma coisa para comer também – pargo e cavalinha, acompanhados de um pires de leite junto a uma fogueira.

O homem esperava atrás de uma árvore no parque, tão imóvel e silencioso que a gata nem o notou. Podia ser o jaleco branco, que o camuflou contra a neve, ou podia ser o fato de a gata estar pensando demais em encher a pança e aquecer os bigodes. Acontece que, quando ela passou pela árvore, ele saltou, balançando o saco rapidamente. Ouviu-se um miado estridente, seguido por um grunhido de triunfo.

A gata tinha sido capturada.

⚛

O homem caminhou com dificuldade pela calçada lamacenta, segurando o saco pelo ombro. Quando as pessoas cruzavam com ele na rua, ele encobria o miado abafado com um sonoro e exagerado "Ho ho ho! Sou o Papai Noel!". Os transeuntes sorriam ou davam risada, sem desconfiar do homem de jaleco branco zanzando por aí naquele período de festas. Ele atravessou o Bunkyo-ku até o *campus* da Universidade de Tóquio, pisando com cuidado na ponte sobre o lago de Sanshiro.*

Depois de atravessar a ponte, ele se virou para admirar o cenário. A água estava cercada por um manto branco, que cobria também as árvores. As pedras que iam da margem até o lago emergiam das águas escuras feito crânios humanos submersos, cobertos por uma caspa branca e macia. A luz estava desaparecendo rapidamente e o céu tinha um lindo tom de azul que se desvanecia na brancura ao encontrar os arranha-céus no horizonte. Ele suspirou – o vapor ficou parado no ar diante do seu rosto –, e sussurrou uma palavra: *kirei*.[†]

A gata soltou um miado atordoado dentro do saco, trazendo o homem de volta à tarefa que tinha em mãos. Ele se virou e atravessou o pátio, entrando no prédio da faculdade de Ciências.

Ele usou o cartão de acesso de porta em porta e foi avançando pelos corredores até o coração do prédio. A maioria das salas de aula e dos laboratórios de graduação estavam com as luzes apagadas, mas ele finalmente viu uma sala que tinha um pequeno painel de vidro através do qual uma luz fluorescente ainda brilhava. Encostou o cartão no último leitor e a porta se abriu.

Colocou o saco barulhento em uma superfície de trabalho e a rede dobrável ao lado dele e olhou em volta do laboratório. Os equipamentos zumbiam e rangiam, e os espaços livres nas paredes estavam ocupados por cartazes de filmes antigos. No canto havia uma gaiola. Ele segurou o saco, posicionou sua boca

---

* Nota da tradutora: O lago de Sanshiro pode ser encontrado no *campus* Todai (Universidade de Tóquio) e recebeu esse apelido em homenagem ao protagonista do romance de formação de Natsume Soseki, *Sanshiro* (1908). Nishi Furuni era fã dos trabalhos de Soseki e sempre comentava em entrevistas sobre a inspiração que ele lhe fornecia.

† Nota da tradutora: Kirei pode significar "bonito" ou "limpo". Neste caso, provavelmente significa "bonito", mas optamos por deixar como no original.

contra a portinha e empurrou a gata para dentro. Ela sibilou e acertou as barras com as garras cintilantes. Ele fechou a porta bem a tempo, foi até a geladeira e pegou um pouco de leite. Despejou-o em um pires, abriu uma lata de atum e serviu a comida no compartimento de alimentação. Abriu a veneziana enquanto a gata olhava cautelosamente para a comida.

– Pode comer. Você deve estar com fome.

Ele sorriu. A gata o encarou com desconfiança. Quem era aquele homem de cabelo brilhante? Era amigo ou inimigo? Ela avaliou a situação e concluiu que não conseguiria pensar direito de barriga vazia. O atum estava saboroso, e o leite, delicioso e cremoso.

– Boa gatinha. Você estava faminta, né?

Ela o ignorou e continuou comendo. Seria bom tirar uma soneca depois.

O homem ficou observando a gata. Seu cabelo estava penteado para o lado com gel, e ele tinha um belo rosto, bem barbeado. Parecia jovem para a idade.

– Professor Kanda, onde você estava? Detectei resíduos de água no seu jaleco.

O homem se virou e se deparou com uma figura branca que lembrava um manequim atravessando a porta com um chapéu vermelho de Papai Noel. Em seu peito estava escrito "N. 808". O robô se movia de um jeito cômico e espasmódico, levantando demais os joelhos e mantendo os braços rígidos ao lado do corpo, mas sua fala era perfeitamente natural.

– Oi, Bob. Estava lá fora na neve.

– O senhor precisa tomar cuidado, professor. Pode pegar um resfriado. – Bob, o robô, fez uma pausa e inclinou a cabeça para o lado. – Estou detectando uma presença não humana neste laboratório.

– Suponho que sim, Bob. – O professor suspirou.

– É um gato.

– É, sim.

O professor colocou o dedo entre as barras da gaiola e a gata avançou com os dentes à mostra. Ele afastou a mão rapidamente e esfregou a nuca.

– O que vai fazer com ele? – Bob perguntou.

– Vou escaneá-la – o professor respondeu. – E você vai me ajudar.

– Vai fazer um *CAT scan*, professor?

Ele fez uma pausa, relutante em encorajar o risível robô.

– Entendeu, professor? *CAT scan*. Fiz uma piada.*

– Sim, sim, Bob. Muito engraçada.

– Eu tento.

O robô levou a mão à boca e sacou uma trombeta de festa, emitindo um som alto. A trombeta se retraiu rapidamente na mão dele.

– Já te falei pra não fazer isso, Bob.

– Desculpe, professor.

– Vamos trabalhar.

A gata choramingou.

⁂

Eles trabalharam com rapidez e eficiência. Primeiro, tiveram que realizar uma varredura abrangente e em fases. Isso envolvia retirar a gata da gaiola e colocá-la em um compartimento em forma de redoma. Foi Bob quem cuidou dela – ele parecia ter muito mais jeito do que o professor Kanda. Podia ser por conta da secreção de *catnip* sintetizada pelos poros do seu braço robótico, mas talvez também fosse porque a gata não gostava nem um pouco do professor.

– Ela definitivamente me odeia – disse o professor, chupando o dedo que a felina tinha mordido.

– Tenho certeza de que não é isso, professor. Duvido muito que gatos possam sentir emoções tão complexas quanto *ódio*.

---

* Nota da tradutora: Os trocadilhos do robô Bob no original fazem uso da palavra gato em japonês (*neko*) e em português (*gato*, por exemplo, "*ari-gato*") e francês (*chat*). A complexidade desses trocadilhos se perde um pouco na tradução, e em alguns casos me desviei bastante do original, mas sempre num esforço para manter a jovialidade do original japonês.

– Obrigado, Bob. Mas tenho bastante certeza de que ela me odeia.

– Não, não... eu diria que ela não gosta muito de você.

– Ah, obrigado, Bob. Me sinto muito melhor.

– De nada, professor.

– Agora coloque a gata na câmara para que possamos começar – o professor falou, impaciente.

– Claro.

A gata piscou conforme os *lasers* verdes do *scanner* sondaram cada nanômetro do seu corpo. Enquanto isso, uma complexa imagem 3D do animal foi ganhando forma em uma tela conectada ao equipamento. Foram mapeados o cérebro, os ossos, o coração, os pulmões. Cada detalhe da fisiologia da gata foi escrutinado por raios cintilantes e transformado em diagramas de diversos sistemas na tela. Cada pelo do seu corpo foi contabilizado. O professor ampliava determinadas seções de vez em quando e pedia a Bob que executasse algoritmos mais complexos e extraísse informações do vasto banco de dados disponível por meio de sua conexão com a internet.

O professor não havia passado por atualizações biológicas, como algumas gerações mais jovens, por isso não tinha acesso direto à *web*. Ele preferia acessar a rede por métodos mais antigos, como do seu terminal, ou pedindo a Bob que pesquisasse para ele. Havia algo deprimente, ele descobriu, em estar constantemente conectado ao mundo digital. Ele curtia os momentos do dia em que podia se enterrar em alguma coleção antiga de histórias de Hoshi Shinichi ou sentar-se em um jardim e apreciar o mundo natural. Às vezes, sentia pena de Bob por sua existência artificial.

Assim que terminaram de examinar a gata, eles a devolveram à gaiola. Ela tinha começado a aceitar pacificamente seu destino de prisioneira e ficou sentada quietinha com as patas debaixo de si enquanto Bob fechava a porta da gaiola.

– Talvez devêssemos ficar com a gata, pelo menos até termos criado um espécime bem-sucedido. – O professor coçou a cabeça. – Talvez tenhamos que escaneá-la de novo se houver algum problema com nosso mapa de dados atual.

Reestruturei o conteúdo da pele para evitar caspa e eliminei alérgenos dos sistemas urinário e salivar, mas ainda pode haver alguma coisa.

– Concordo, professor. Vamos começar a construção?

– Sim, Bob. Inicie a bioimpressora.

– Claro, professor. Ah, devemos registrar as tentativas?

– Boa ideia. Pode gravar os resultados?

– Sim. Ah, professor?

– Sim?

– Se importa se eu chamar isso de cat-a-log?

O professor suspirou.

– Está bem. Vá em frente.

O robô levou o trompete de festa à boca, mas pensou melhor e desistiu.

⁂

Cat-a-log do Bob + Dia um +

NekoPrint v.1

> *Erros de cálculo com a estrutura óssea. Peguei o objeto de teste, mas os ossos rasgaram a pele. Talvez devido à fraqueza da substância? Sangue por toda parte. De volta à prancheta.*

NekoPrint v.2

> *Coração não impresso. Objeto de teste morreu imediatamente. Catástrofe.*

NekoPrint v.3

> *Faltou o rabo. Orelhas também. Reimpressão necessária.*

NekoPrint v.4

> *O professor Kanda tentou transformar as características faciais do objeto para deixá-lo parecido com a famosa personagem Hello Kitty. Ficou horrível. Reimprimir.*

NekoPrint v.5

Decidi desistir de criar qualquer coisa parecida com personagens de mangá ou animê. Fica assustador. O realismo é o único caminho. Evitar o vale da estranheza.

O professor enxugou as sobrancelhas e olhou para o relógio. Estava ficando tarde e ele só tinha colecionado fracassos. Tinha cinco carcaças de gatos para descartar – terríveis abortos.* Talvez amanhã fosse melhor. Por enquanto, só conseguia pensar em dormir.

– Bob, estou indo pra casa. Pode descartar os objetos? Vou tomar um banho.

– Claro, professor. Até amanhã.

Kanda assentiu e tirou o jaleco. Pegou a bolsa e saiu do laboratório em silêncio, seguindo para o vestiário dos funcionários.

Bob olhou para a gata na gaiola. Ela o olhou de volta, sonolenta, lambendo os lábios e agitando o rabo de um lado para o outro.

– Desculpe, amiguinha. Foi um dia difícil pra você. – Ele colocou as carcaças em um recipiente, removendo-as do campo de visão da gata. – Não precisa ver isso, gatinha. Todas essas amiguinhas desperdiçadas.

O robô fechou o recipiente e o levou até uma portinha na parede. Empurrou-o ali dentro, e os cadáveres deslizaram por uma rampa para serem incinerados na fornalha abaixo.

Depois, voltou-se para a gaiola e estendeu um dedo entre as barras para fazer carinho atrás da orelha da gata. Apesar do dedo de Bob ser frio e rígido, e não quentinho como o do professor, a gata ronronou.

– Sim, gatinha. A vida é dura mesmo.

Bob foi até seu posto de recarga e se conectou.

---

* Nota da tradutora: Tecnicamente não é "aborto", mas repliquei a palavra japonesa original, que também é um pouco perturbadora.

Antes de se desativar, Bob olhou para a gata mais uma vez. Seus olhos brilhavam intensamente na escuridão. Com sua visão perfeita, ele conseguia se ver refletido em suas enormes íris.

– Boa noite.

Ele podia sonhar, se quisesse, mas naquela noite não quis.*

⁂

A casa do professor não era longe da universidade. Ele podia pegar o metrô para percorrer apenas uma parada, mas gostava de sentir o ar fresco e a brisa suave da caminhada, depois de ter passado o dia todo enfiado no laboratório (tirando a estranha incursão para pegar a gata...). O ar frio da noite estava especialmente gelado após o banho quente que ele tomara no *campus*, e sua pele estava sensível de tanto esfregá-la para remover quaisquer traços de pelo de gato.

Sua casa ficava em uma rua tranquila em Bunkyo-ku,† uma área que tinha resistido à modernização e ao desenvolvimento a que outras partes de Tóquio se submeteram ao longo dos anos. Bunkyo-ku tinha lutado contra as lojas de departamentos e os condomínios. A maioria das casas do bairro eram bem parecidas – construções tradicionais no antigo estilo japonês –, de madeira, telhado de cerâmica e portas deslizantes tipo *shoji*. Diminuiu o passo aos poucos enquanto se aproximava do portão da sua velha e linda casa – a que tinha árvores *bonsai* penduradas na cerca. A luz da entrada estava acesa, então ele abriu a porta e sussurrou:

– *Tadaima.*‡

---

* Nota da tradutora: Esta linha causou uma frustração infinita na tradução. O original contém uma simplicidade e melancolia que na tradução se perde um pouco. O que levanta a questão: eu poderia cortar a frase desta versão em inglês?

† Nota da tradutora: Nishi Furuni também morava em Bunkyo-ku com sua esposa e seus dois filhos, Ichiro e Taro.

‡ Nota da tradutora: "Estou em casa". Faz parte da etiqueta japonesa anunciar quando alguém sai e volta para casa. A expressão também pode ser usada em outras situações como uma brincadeira (quando alguém volta do banheiro de um restaurante), ou quando alguém retorna ao Japão após uma viagem ao exterior.

Na mesma hora, sua esposa disparou da cozinha, vestindo um avental.

– *Okaeri nasai.** – Ela fez uma reverência. – Você está atrasado.

– Tive que passar no escritório depois do trabalho.

Kanda tirou os sapatos, apoiando-se na parede para não se desequilibrar.

– Você podia ter avisado.

– Desculpe.

Ele entrou, pendurou o casaco e colocou a maleta no chão.

– É só lembrar da próxima vez. – Ela suspirou. – Só estou pedindo uma ligaçãozinha. Está com fome? Quer que eu esquente alguma coisa para você?

– Não, obrigado. Não estou com fome. Ela está dormindo?

– Sim. Ela queria te ver, mas não podia ficar acordada até tarde. Foi dormir há algumas horas.

– Como ela está? – Kanda perguntou baixinho.

– Acho que está feliz. – Ela respirou fundo. – Fez um desenho hoje e está lendo muitos livros. Acho que ela voltou a jogar aquele jogo... Neko... Neko... cidade dos nekos?

– NekoTown™.†

– Isso, esse mesmo. Ela vive pedindo para sair.

– E o que você falou?

---

* Nota da tradutora: "Bem-vindo ao lar" é a resposta para quando alguém anuncia seu retorno. A chamada e a resposta também podem ser ditas ao contrário (ou seja, *okaeri nasai* seguido de *tadaima*).

† Nota da tradutora: Talvez uma explicação seja necessária... NekoTown™ é um MMORPG ("Massively Multiplayer Online Role-Playing Game", ou "jogo de representação de papéis *on-line* para multijogadores em massa") ficcional que Furuni elaborou em suas ficções científicas vinculadas. Os jogadores criam seu próprio gato e depois exploram uma Tóquio virtual com ele. Eles podem se juntar a outros jogadores *on-line* e completar "missões felinas" colaborativas. Algumas das histórias de ficção científica escritas por Furuni se conectam nesse mundo virtual. Os jogadores de uma história podem se conectar aos jogadores de outra história. A ideia se tornou tão popular entre o público japonês que os direitos foram comprados por um desenvolvedor de *software*, e NekoTown™ virou um aplicativo para *smartphone* extremamente popular no Japão. Os jogadores também podem jogar em outras cidades, como Paris, Roma, Nova York e Londres.

– Que ela não podia, claro – ela respondeu, ríspida, mas depois continuou mais calmamente: – Ela disse que entende. Mas fica sentada na janela olhando para fora.

– Acho que vou pra cama. – Kanda bocejou.

– Enchi a banheira pra você.

– Já tomei banho no trabalho. Boa noite.

– Boa noite.*

Kanda subiu as escadas em silêncio e, a caminho do quarto, parou para dar uma olhada na filha. Ela estava deitada de barriga para cima, e o som do respirador abafava sua respiração suave. As bolhas em seu rosto estavam desaparecendo, mas ainda havia algumas – as infelizes consequências de um único pelo de gato no avental da empregada (imediatamente descartado). Foi um alívio vê-la dormindo tão tranquilamente depois de tantas noites difíceis. Ela abraçava um gato de pelúcia e suas paredes estavam cobertas de pôsteres da Hello Kitty.

– Boa noite, Sonoko-chan – ele sussurrou.†

Depois, foi para a cama e pegou no sono instantaneamente.

---

* Nota da tradutora: Os leitores ocidentais podem achar as interações entre o professor e sua esposa um pouco frias, e elas são de fato um tanto frias no original. Também é importante notar que as gerações mais velhas de casais japoneses não demonstram muito afeto entre si. Quando em público, o marido caminha à frente da esposa, que o segue vários passos atrás. O casal japonês médio raramente diz *ai shiteru*, "eu te amo", um para o outro.

† Nota da tradutora: A personagem Sonoko recebeu o mesmo nome da neta de Nishi Furuni.

⚜

Cat-a-log do Bob + Dia dois +

NekoPrint v.6

A impressão da gata saiu perfeita – bem... quase. Houve uma falha em suas funções motoras. Quando testamos os movimentos básicos antes do implante da IA, a função muscular involuntária estava boa, mas a função muscular voluntária foi revertida – certamente deve ser um problema neurológico introduzido durante a impressão. O objeto andava para trás em vez de para frente, e para frente em vez de para trás. Um passo para frente, dois passos para trás...

NekoPrint v.7

A gata não respondeu a estímulos externos. Parecia estar em estado cat-atônico.

NekoPrint v.8

Quase lá. Quase. Serão necessários pequenos ajustes na entrada da IA atrás do pescoço. Estamos perto. O professor tem certeza de que a próxima versão pode muito bem ser a que estamos buscando.

⚜

A gata ficou observando o homem de cabelo brilhante e o simpático homem de metal do outro lado da sala. Eles estavam agachados sobre uma tela, fascinados com algo no canto. O homem de metal atravessou o laboratório, ligou um interruptor, e a gata sentiu uma queimação no crânio – como se seu cérebro estivesse sendo partido em dois por uma faca gigante. A gata

      sentiu

          algo se

              d

                i

                  v

                    i

                d   d

              i   i

            r   r

O que aconteceu?	*O que aconteceu?*
Quem é?	*Eu.*
O quê?	*Sei lá. Onde você está?*
Aqui! No canto!	*O que está acontecendo? Estou com medo.*
Está tudo bem. Calma.	*Quem são esses homens?*
Você consegue fugir deles?	*Vou tentar.*
Isso! Corra!	*Aff! O homem de metal foi rápido demais!*
Morda ele!	*Este? Ai! Meu dente!*
Não! O outro!	*Não consigo alcançar! Me abaixe!*
Ei! Volte!	*Pra onde estão me levando?*
Está vendo alguma coisa?	*Eles me colocaram em uma gaiola…*

⁂

Desta vez, o professor Kanda pôde carregar a gata clonada em uma cestinha que comprara no *pet shop* recentemente – estava coberta de Hello Kitties empurrando carrinhos de compras e carregando bolsas. Ele tomou o cuidado de desinfetá-la completamente antes de transportar o clone. Voltou para casa triunfante com sua gata, exibindo-a com orgulho a qualquer transeunte que se interessasse. Pela primeira vez, chegou em casa mais cedo, e era véspera de Natal.

Quando se aproximou da porta da casa, foi invadido por emoções conflitantes e complexas. Tinha o dever de gritar *"Tadaima!"* ao entrar em casa, mas sentiu que talvez desta vez devesse entrar de fininho e esconder a gata no escritório. Tinha lido em algum lugar que os ingleses trocavam presentes no Natal... mas também lera que os alemães faziam isso na véspera de Natal. De qualquer forma, como é que ele ia manter a gata clonada em segredo a noite toda? Ela certamente seria descoberta.

Tirou os sapatos e atravessou a entrada na ponta dos pés, meio que esperando pisar em uma tábua solta, o que alertaria sua esposa e filha sobre sua presença. Conseguiu chegar até a porta do estúdio sem ser detectado, mas se sentiu um pouco frustrado. Então voltou para a entrada e gritou:

– *Tadaima!*

Ninguém respondeu.

Subiu as escadas e falou, hesitante:

– *Tadaima?*

– Estou aqui – a esposa falou do quarto da filha.

Ele entrou ainda carregando a gata. Elas estavam amontoadas na escrivaninha. Sonoko estava estudando, e sua esposa estava ajudando-a. A pequena ergueu a cabeça dos livros.

– Papai! – ela falou, sorrindo, e se levantou de um salto para abraçar suas pernas.

– Ela está estudando Matemática. – Sua esposa parecia exausta, com enormes olheiras debaixo dos olhos. – Está dizendo que quer ser cientista como o papai. – Ao contrário de Sonoko, ela não parecia muito animada com essa perspectiva.

– Papai, o que é isso? – Sonoko o encarava de olhos arregalados; tinha visto a gaiola cheia de adesivos da Hello Kitty.

– Sonoko-chan, é seu presente de Natal.

– Uma gatinha. – Seus olhos se arregalaram ainda mais. De medo e curiosidade.

– Uma gata?! – Sua esposa avançou para ele e tentou arrancar a gaiola de suas mãos. – Está maluco, homem? Por que diabos você traria uma gata pra cá?

– Calma! – Ele deu um passo para trás. – Confiem em mim.

Ele ergueu a mão e falou primeiro com a filha.

– Sonoko, esta gatinha é especial. Ela não vai te machucar nem te deixar doente. Pode ir brincar com ela enquanto eu converso com a sua mãe.

Sonoko estava se escondendo atrás da mãe, tremendo de leve.

– Confie em mim, Sonoko. Eu não te machucaria.

– Tem certeza, papai?

– Tenho. – Ele abriu a porta da gaiola e a gata disparou pelas escadas, em um borrão marrom e laranja. – Só vai levar um tempinho pra vocês virarem amigas. Mas a gatinha é segura. Prometo.

Sonoko não conseguiu mais conter a curiosidade e desceu atrás da nova amiga.

– É melhor você se explicar logo. – Sua esposa fez uma careta. – Estou tentada a ligar pra uma ambulância agora mesmo, a menos que você me convença do contrário.

– Querida, por favor. – Ele sorriu. – Essa gata é sintética. Eu escaneei outra gata e reconfigurei sua composição fisiológica. Não existe nada nela que possa causar uma reação alérgica em Sonoko. Sua IA é alimentada por dados da NekoTown™. Ela tem um cérebro robótico; dentro dele há um processador. Posso controlá-la com isso. – Ele tirou um mini tablet do bolso. – Na verdade, é uma peça tecnológica incrível. Acho que isso vai mudar...

– Como é que você pode ter tanta certeza? – Sua mandíbula estava cerrada.

– É ciência simples, querida.

– Bem, eu acho que se ela parece uma gata, mia que nem uma gata, então é uma gata. *Simples assim.*

– Claro que é um *tipo* de gata, mas não é uma gata de verdade, assim como Bob não é humano.

– Bem... às vezes eu acho que aquele robô tem mais personalidade que você.

173

Ela saiu do quarto chamando Sonoko.

O professor Kanda se sentou na cama da filha se sentindo vazio.

Não era isso que esperava que fosse acontecer.

▲▲

E aí, onde você está?	*Sei lá. Em uma casa.*
O que está fazendo?	*Brincando.*
Brincando?! Com quem?	*Sei lá. Uma menina.*
Que menina?	*Só uma menina. Ela tem o cheiro dele.*
De metal?	*Não, o Cabelo Brilhante.*
Ah. Eu odeio ele.	*Eu também. Mas ela é legal.*
E aí, o que você vai fazer?	*Acho que vou ficar brincando aqui um tempinho.*
Mas e eu?	*Por que não vem aqui?*
Ainda estou na gaiola.	*Então você vai ter que dar um jeito de fugir.*
Mas como...?	*Quem sabe o homem de metal ajude?*

▲▲

– Ouça, você não pode deixá-la sair, Sonoko – o professor disse. Ele e a esposa estavam sentados na mesinha baixa bebendo chá verde, observando Sonoko brincar com a gata no tatame.* – Entendeu?

– *Ela* tem nome. – A menina fez beicinho. – Kitty-chan.

– Certo, você não pode deixar Kitty-chan sair. Entendeu?

– Sim, papai.

– Tome cuidado com Kitty-chan.

---

* Nota da tradutora: Tatame é o tapete de junco usado no chão das salas de estilo tradicional japonês. Esses tapetes têm tamanhos ligeiramente diferentes em Kyoto, Tóquio e Nagoya. As imobiliárias ainda usam os tapetes para mensurar o tamanho dos quartos, por exemplo: "Esta é uma sala de oito tatames".

– Pode deixar.

Sonoko se deitou no chão com a gatinha na barriga e ficou lhe fazendo carinho ritmicamente. A gata ronronava de prazer. De vez em quando, ela olhava para o professor e estreitava os olhos. Mas, no final das contas, Kitty-chan era um sucesso.

– Desculpe. Eu não devia ter brigado com você. – A esposa apertou sua mão.

– Tudo bem. – Ele sorriu. – Eu devia ter explicado antes. Só estava animado.

– Ela está tão feliz. – Eles ficaram observando Sonoko brincando com a gatinha.

– Você sabe o que isso significa? – O professor bebeu seu chá. – Posso patentear esse método de clonagem de gatos. Vamos poder vender gatos livres de alérgenos!

– Não se empolgue tanto! – Ela deu risada.

– Posso escrever um artigo sobre isso... – Ele bateu o dedo nos lábios, pensativo.

– Ah, vou sair amanhã à noite para o *mah-jong*. – Ela serviu mais chá na xícara dele. – Pode voltar mais cedo pra ficar com Sonoko?

– Claro. – Ele soprou o chá.

– Muito bem, querido. – Ela apertou sua mão de novo.

▲▲

O professor passou o dia seguinte de trabalho com um ótimo humor. Suas tarefas eram leves, já que estavam nas férias de inverno e a maioria da equipe só aparecia para matar tempo antes do *oshogatsu*.* Ele se concentrou em diversas

---

* Nota da tradutora: *Oshogatsu* compreende o período entre 1º e 3 de janeiro, quando a maioria dos moradores de Tóquio retorna para a casa dos pais para ficar com a família. É um feriado nacional que tem várias consequências: 1) o transporte para as províncias fica caro e lota rapidamente; 2) Tóquio fica muito mais calma, devido ao regresso dos jovens trabalhadores às casas das famílias nas províncias.

tarefas administrativas. Isso geralmente o deixava um pouco irritado, mas estava contente.

– Bob, pode colocar uma música pra gente?

– Claro que sim, professor. O que quer escutar?

– Algo natalino?

– Aqui está uma popular *playlist* natalina.

Eles ficaram trabalhando no laboratório até a hora de ir embora.

– Feliz Natal, Bob. – O professor tirou o jaleco.

– Feliz Natal, professor.

– Vou pra casa agora. Qualquer problema, você sabe como me encontrar.

– Sim. Ah, professor? O que quer que eu faça com a gata?

– Pode se livrar dela. – Pegou a maleta e saiu assobiando "Jingle Bells".

Bob olhou para a gata na gaiola. *Pode se livrar dela.* Bob detectou a ambiguidade da frase, mas escolheu interpretá-la de um jeito oportunamente festivo.

– A liberdade me parece um ótimo presente de Natal, não?

Abriu a portinha da gaiola, pegou a gata e a carregou com cuidado para fora do prédio de Ciências. Então a colocou no chão e ficou observando-a seguir na direção do lago Sanshiro.

– Feliz Natal – Bob disse para ninguém em particular.

Assoprou seu trombone de festa e voltou para o laboratório.

▲▲

Estou livre!	*Ótimo! Venha aqui!*
Onde você está?	*Aqui! Onde você está?*
Estou correndo pelo parque!	*Venha logo! Temos leite e peixe!*
Estou indo! Não coma tudo!	*Não prometo nada.*

▲▲

A gata caminhou suavemente pelo muro do jardim na escuridão. Dali de cima, via a luz das janelas de correr. Podia se ver lá dentro, batendo as patinhas no carpete perto da porta de vidro, mas também se percebia ali fora, no frio. Deu uma olhada no jardim bem cuidado coberto de neve fresca. Havia uma pequena ponte sobre um laguinho – eles certamente tinham tirado a carpa *koi* da água para o inverno. As árvores de bordo estavam secas, mas seus galhos estavam cheios de flocos brancos, assim como as pequenas estátuas do Buda aqui e ali.

Ela saltou do muro e atravessou o gramado branco em direção à porta de correr. Ao mesmo tempo, do lado de dentro, foi até a porta e olhou para a escuridão lá fora. Daquele breu, a gata emergiu e encarou a si mesma, refletida no brilho dos seus próprios olhos.

Então as duas gatas ficaram cara a cara, separadas pelo vidro, pela luz e pela escuridão. Dois reflexos perfeitos.

Oi.	*Você veio.*
Claro que sim.	*Entre.*
Como eu entro?	*Não sei direito. Deve ter algum jeito.*
Você pode sair?	*Ainda não descobri como.*
Aff! É o Cabelo Brilhante!	*Ah, não ligue pra ele. Ele é de boa.*
O que ele tem na mão?	*Aquela coisa verde que ele gosta de beber.*
É melhor tomar cuidado…	*Ai! Quente!*
Ele derramou em você!	*Klmsklmd`asm`lkmads*
Você está bem?	*lkmaLKSDMKLa*
Ei! O que houve?	*…*
Oi?	
Pode me ouvir?	
Por que está tremendo?	
Está aí?	
Você está me assustando…	

— Merda. Merda. Merda!

O professor ficou tentando reiniciar o sistema da gata sem parar.

— Papai? — Sonoko falou do andar de cima. — Você está bem?

— Sim, querida. — Ele pegou a gata, que estava convulsionando. — Só preciso voltar pro escritório rapidinho. Não vou demorar muito. Fique aqui, está bem?

— Sim, papai. — Ela estava no topo da escada, esfregando os olhos.

— Volte pra cama, querida.

— Kitty-chan está bem?

— Sim. Volte pra cama.

Ele calçou os sapatos e saiu às pressas sem nem se preocupar em colocar o casaco. O metrô estava funcionando, mas ele não queria carregar aquela gata trêmula durante todo o caminho. Chamou um táxi e entrou no carro.

— Para onde, senhor?

— Para a universidade. Prédio de Ciências.

— Claro. Esse gato está bem?

— Preciso chegar rápido. Talvez eu consiga salvá-la.

— Pode deixar.

O motorista disparou pelas ruas tranquilas, tomando cuidado para não escorregar no gelo. Eles chegaram à universidade e o professor desceu do carro depressa.

— Obrigado.

Entregou o dinheiro ao taxista com a mão livre e saiu correndo.

O laboratório estava silencioso, exceto pela gata que não parava de vibrar. Bob acordou na mesma hora, e a tela preta e lisa — seus olhos — refletiu a imagem do professor entrando na sala.

— Bob, ela está com defeito.

— Você reiniciou o *software*? — Bob se desconectou e se aproximou do professor, desajeitado.

– Eu tentei. Mas acho que deve ser um problema de *hardware*.

– Deixe-me ver. – Bob pegou a gata e começou a fazer uma verificação de diagnóstico. – Sim, o *chip* da IA sofreu danos causados pela água, mas acho que vamos conseguir consertar.

– Podemos consertar só o *chip*?

– Talvez seja necessário reimprimir a gata toda.

– Onde ela está?

– O quê?

– A gata.

– Você mandou eu me livrar dela, professor.

Apesar de saber que Bob tinha razão, o professor não conseguiu evitar que toda a tensão da última hora explodisse.

– Seu idiota! Como é que vamos reclonar a gata se você a soltou? Como pôde ser tão burro?

Ele cerrou os punhos e os apertou contra a testa.

– Professor, por favor, acalme-se – Bob falou no seu tom controlado de sempre, algo entre robótico e humano, que só serviu para deixar o professor ainda mais desesperado.

– Não me mande ficar calmo. O que é que você sabe? Você só é um escravo, um servo. Não me responda.

Bob reconheceu um conflito em potencial. Se fosse humano, poderia acabar dizendo a coisa errada e deixar o professor ainda mais furioso. Mas não tinha sido construído desse jeito; havia sido projetado para trabalhar bem com humanos. Calculou a melhor resposta para resolver o conflito e disse:

– Professor, fizemos *backups* das impressões. Podemos reimprimir a gata. Vamos levar o dia todo, mas isso não vai ser um problema.

O professor lentamente relaxou as mãos e abaixou os braços.

– Desculpe, Bob. Só estou cansado e chateado.

– Tudo bem, professor. Eu entendo.

– Entende? – O professor o encarou com desconfiança. – Tenho que voltar pra casa pra cuidar da minha filha e lhe dizer que sua preciosa gatinha não vai voltar tão cedo. Tem alguma ideia brilhante de como lidar com a decepção de uma criança?

– Fale pra ela que estou cuidando de Kitty-chan. Ela vai entender. – Bob falou da mesma forma que falaria sobre um problema de programação ou um mau funcionamento da impressora. Foi útil, mas não muito reconfortante.

O professor caminhou de volta para casa.

⛄

Ficou surpreso de encontrar a casa gelada. Subiu até o quarto da filha, mas ela não estava ali.

– Sonoko-chan?

Deu uma olhada no banheiro, mas estava vazio.

Desceu as escadas, verificou a cozinha, a sala de jantar e a sala de estar.

A porta de correr estava aberta. O vento fazia as cortinas se agitarem freneticamente.

Ele se aproximou da porta e olhou para a escuridão. Apertou o interruptor da parede para acender as luzes externas, que iluminavam o jardim. Ali no meio, deitada no chão, estava Sonoko. Correu até ela e, nessa hora, uma gata disparou dos bracinhos dela e pulou a cerca.

Sonoko estava de lado, em posição fetal. Estava sufocando e uma espuma escorria de sua boca. Terríveis feridas vermelhas já começavam a se formar ao redor de sua boca e braços. Ele a pegou no colo e a levou para dentro. Ela abriu um olho lânguido e encarou o pai.

– Papai...

– Sonoko! O que estava fazendo ali no frio?

– Você me falou... para não deixar Kitty-chan sair.

Fragmento A*

O professor Kanda soltou um grito e pegou Sonoko nos braços.

Enquanto a carregava para casa, sentiu um peso no coração. Isso não era tudo obra dele? Fora ele quem criara a gata – aquela gata terrível e adorável –, que por um lado tinha agraciado sua querida Sonoko com alegria e amizade. Por outro lado, fora ele quem a machucara. Ele seguiu em frente, com a visão turva pelas lágrimas, ouvindo uma frase ecoar sem parar em sua cabeça.

Muitas vezes são aqueles que mais amamos que nos fazem mal.

Fragmento B

A gata se afastou da comoção que tinha causado. Seus passos suaves deixavam lindas pegadas na neve. Sua graça era inegável, e alguém poderia até perdoar toda a bagunça que ela causara. Ela avançou para a cidade, com seus próprios planos e seu próprio caminho a seguir. Jamais olhou para trás.

Ah, as histórias que essa gata poderia contar!

Mas por que se importar com a vida dos humanos, ou mesmo com a pequena Sonoko, que tanto a amara?

Pois uma gata é apenas uma gata, e nada pode mudar a sua natureza.

---

* Nota da tradutora: Existem múltiplos finais para essa história. Aqui incluí os Fragmentos A e B, mas a maioria das edições japonesas termina com a frase "Você me falou... pra não deixar Kitty-chan sair". Especialmente porque esta é a versão original, publicada na revista literária *Neko Bungaku* algum momento antes da morte da neta de Furuni. No entanto, Furuni era notório por revisitar e revisar seus trabalhos já publicados, e os Fragmentos A e B foram escritos após Furuni ter completado *Litorais desolados*. Eles foram incluídos para os leitores curiosos, mas de forma alguma devem ser considerados definitivos.

Bakeneko

– Aff – diz Wada, descendo do seu táxi e pisando em uma enorme poça. – A estação chuvosa de Tóquio parece o sovaco de um atleta.

– Quão longe é esse lugar? – Yamazaki pergunta.

– Não muito, velho – Wada responde.

– O quê? – Yamazaki faz uma careta para a nuca de Wada e depois murmura: – É um bom exercício para um gordo feito você.

– Como? – Wada se vira para Yamazaki.

– Venha! Depressa! – Yamazaki acena para Wada.

Os dois caminham pelo beco estreito, espirrando água pelo chão com seus sapatos pretos enquanto a chuva cai com força em seus guarda-chuvas. Nas laterais, as luzes néon roxas e azuis dos pequenos restaurantes e bares emanam um brilho frio conforme o céu escurece. A noite chegou, e grupinhos de homens de terno e garotas de escritório perambulam do lado de fora dos barracos de madeira, decidindo onde passar a noite comendo e bebendo. Acima, os trens vão passando abarrotados de passageiros suados espremidos contra as janelas de vidro. Só os mais animados se aventuram nas noites escuras e chuvosas do *tsuyu* – a estação das chuvas. As ruas estão mais silenciosas que o normal.

Wada para em frente a uma casa de madeira particularmente frágil que deve datar do período Showa – justamente o tipo de construção que o governo disse que iria derrubar para as Olimpíadas, e cujos donos e frequentadores destemidos não querem deixar que uma coisa assim aconteça.

– Ah! Aqui está – ele fala com as mãos nos quadris.

Yamazaki estreita os olhos para a velha placa de madeira escrita à mão pendurada acima das portas de correr, como se estivesse observando uma palavra estrangeira. A caligrafia é bem antiga, com floreios e voltas, e ele lê devagar em voz alta:

– *Hiro-shima O-ko-no-mi-ya-ki.*

Há uma placa iluminada presa na parede, vibrando na chuva.

Bzzzzzz

OKONOMIYAKI. ABERTO.

Bzzzzz

Yamazaki olha para a placa zumbindo com uma cara preocupada. Há um desenho de um menino gorducho enfiando um pouco de comida na boca aberta com pauzinhos. A placa faz barulho e estala quando as gotas de chuva dos beirais acima respingam sobre ela.

– Venha. – Wada abre a porta do restaurante.

Os painéis de vidro da antiga porta de madeira rangem, assustando o senhor sentado atrás do balcão, que está lendo uma revista. Ele se levanta de um salto.

– *Irasshai!* – ele grita.

– Ah, Tencho! *Konbanwa!* – diz Wada, sorrindo e deixando o guarda-chuva de lado.

Yamazaki entra logo em seguida, trombando em Wada.

– Saia da frente, seu maluco! – Yamazaki diz, sacodindo o guarda-chuva e tentando empurrar Wada para dentro do pequenino restaurante. – Estou ensopado! A estação das chuvas é melhor em Hiroshima?

A água do guarda-chuva de Yamazaki deixa marcas marrons nas paredes de madeira e no balcão.

– Tudo é melhor em Hiroshima. – Wada dá uma piscadela para Tencho. – Não é, Tencho?

Tencho assente, enxugando as mãos no avental.

– Não me faça ficar com saudade.

– Tencho, este é meu amigo, Yamazaki. – Wada aponta um dedo gordo para Yamazaki, que ainda está na porta lutando com o guarda-chuva. – Ele é de Tóquio, mas é gente boa.

Yamazaki coloca o guarda-chuva no suporte ao lado da porta, deixa as mãos ao lado do corpo e faz uma reverência caprichada para Tencho.

– É uma honra conhecê-lo. Por favor, trate-me com gentileza.

Tencho abana a mão na frente do rosto.

– Nada de formalidades aqui. Sentem-se e relaxem.

– Sente-se, sente-se! – diz Wada.

Ambos se acomodam no balcão.

– Bebida? – Tencho pergunta.

– Cerveja imediata – Wada responde prontamente.

Tencho pega duas canecas geladas do congelador e sai para enchê-las. Pela primeira vez, o restaurante fica em silêncio, e tudo o que se ouve é a chuva constante do lado de fora, como se fosse um vinil tocando sem parar.

Yamazaki está com uma expressão confusa no rosto. Seus olhos percorrem o lugar escuro e empoeirado, pousando sobre as velhas fotos de Hiroshima e o pássaro empalhado no canto. Ele ergue a sobrancelha, mas, mais que tudo, está se perguntando por que Wada disse "cerveja imediata".

– Wada, por que você falou "cerveja imediata"?

– Só significa "cerveja, por enquanto" no dialeto de Hiroshima – Wada fala, enxugando a água da chuva da testa.

– Ah – Yamazaki diz. – Mas...

– O que foi?

– Bem, não é um pouco grosseiro?

– Yamazaki, pra gente de Hiroshima, todos nós somos simpáticos, e vocês de Tóquio são frios e esnobes. – Wada dá risada.

Yamazaki não sabe se Wada está sendo agressivo ou brincalhão.

Tencho volta com as cervejas, e não consegue evitar uma gargalhada ao ouvir o que Wada está dizendo, derramando um pouco da bebida.

– Tencho, não quer tomar uma com a gente? – Wada pergunta.

– Eu não devia, mas... – Tencho pega uma caneca no congelador e desaparece nos fundos, voltando com o copo cheio até a borda. – Por que não?

Os três fazem um brinde, dizendo:

– *Kanpai!*

O suave som da chuva é acompanhado pelos goles de cerveja, seguidos por três "Ahhhhh!" em uníssono.

Uma tábua do assoalho range acima deles. Tencho ergue os olhos e balança a cabeça.

– Aquela mulher sabe fazer barulho – ele zomba e toma um longo gole de cerveja. – E aí, como vão as coisas no mundo dos taxistas?

– Péssimas, como sempre. – Wada balança a cabeça.

– Estamos ansiosos para as Olimpíadas, com todos os estrangeiros que vão chegar.

Yamazaki fica olhando para a cerveja e Wada faz um barulho de reprovação; eles não gostam de comentar sobre o declínio da clientela. Antes que o silêncio cresça e se torne desconfortável, eles notam a esposa de Tencho descendo as escadas silenciosamente para dar uma olhada nele atrás do balcão. Wada e Yamazaki a veem, mas ela coloca o dedo na boca, gesticulando para que fiquem quietos. Então se aproxima o máximo que consegue dele e depois grita na sua orelha:

– O que diabos está fazendo aí com essa cerveja?

Tencho dá um pulo e derrama a bebida.

– Mulher! Não me assuste desse jeito.

– Você achou que eu fosse um fantasma? – Ela dá risada. – Você não devia beber por conta da sua saúde – ela fala com um beicinho. – Ordens médicas.

– É mais provável que eu morra de infarto com você me assustando assim.

– Fui. – Ela lhe dá um beijo na bochecha. – Não me espere.

Ela vai até a porta, abre-a, olha para a chuva e se vira para dizer:

– Cuidem dele, meninos.

Depois, pega o guarda-chuva de Yamazaki e vai embora.

– Então é por isso que você se mudou para Tóquio. – Yamazaki estala a língua e dá risada.

– Cada coisa que a gente faz por amor, né? – Wada comenta sorrindo.

– Vocês vão comer alguma coisa ou o quê? – pergunta Tencho.

– *Hiroshima-yaki*? – Yamazaki sugere timidamente.

Tencho e Wada olham para Yamazaki com sobrancelhas franzidas de desaprovação.

– O que foi? – ele pergunta.

– Conte pra ele. – Tencho abana a mão para Yamazaki e sai para picar repolho.

– O nome do prato é *okonomiyaki* – Wada explica. – Não *Hiroshima-yaki*.

– Mas e o *okonomiyaki* de Osaka? Como vocês os diferenciam? – Yamazaki pergunta de cenho franzido.

– Não é necessário. O pessoal de Osaka não sabe fazer *okonomiyaki* decente. – Wada sorri e dá um gole em sua cerveja.

– Hum... bem, em Tóquio, dizemos *"Hiroshima-yaki"* para o que é de Hiroshima, e *"okonomiyaki"* para o que é de Osaka – Yamazaki fala, acanhado.

– Está querendo começar uma briga? – Wada ergue a sobrancelha.

– Bem, é só que... qual é a diferença? Não são a mesma coisa? E, de qualquer jeito, estamos em Tóquio, e como diz o ditado, *go ni haitte wa, go ni shitagae*. Quando estiver na aldeia, cumpra as regras da aldeia!

Wada gesticula para que Yamazaki fale baixo. Com os olhos, ele pede para que Yamazaki não deixe Tencho ouvi-lo falando coisas sem sentido como aquelas. Depois, sussurra:

– Shhh! Estamos na "aldeia" de Tencho agora, e não queremos deixá-lo bravo. Os dois pratos são *completamente* diferentes, Yamazaki. O *okonomiyaki* de Hiroshima é habilmente preparado em camadas, como um sanduíche fino de panqueca com macarrão, repolho, carne e o que você quiser no meio. Já para preparar aquele lixo de Osaka, eles simplesmente jogam tudo em uma tigela, misturam e colocam na chapa quente como se fosse uma torta.

– Certo... – Yamazaki fala, confuso.

Wada dá um gole em sua cerveja.

– Veja.

E gesticula para Tencho, que começou a cozinhar.

Tencho pega uma tigela com a massa de panqueca e uma concha. Então faz duas formas redondas na superfície da chapa embutida no balcão. Ajusta o fogo, e Wada e Yamazaki observam-no atentamente enquanto ele empilha o repolho fatiado em cima das panquecas. Ele as deixa cozinhando ali e o vapor sobe suavemente até o teto. Depois, adiciona carne de porco, queijo e *kimchi*, acrescenta mais massa por cima e pega duas grandes espátulas de metal. Ele as junta, desliza-as sob a panqueca e, com um movimento hábil, vira toda a panqueca – com repolho e tudo – de cabeça para baixo. Quando toca a chapa, ela começa a chiar.

– Pena que Taro não pôde vir – diz Wada.

– Pois é – responde Yamazaki.

Eles bebem suas cervejas e assistem, hipnotizados, Tencho fritar duas porções de macarrão na chapa ao lado das panquecas fumegantes.

– O acidente deve ter sido horrível – Wada comenta.

Tencho quebra dois ovos, depositando-os direto na chapa, e mexe as gemas. Então pega as panquecas com espátulas de metal brilhantes, raspando-as na superfície e emitindo um satisfatório som metálico. Depois, coloca a panqueca e o repolho primeiro nas massas e depois nos ovos. Deixa-os ali um pouquinho antes de finalmente virá-los.

Em seguida, pega uma caneca de metal contendo um molho preto e pegajoso. Enfia um pincel ali e começa a espalhar o molho grosso por cima das porções de *okonomiyaki*. Um cheiro agradável chega às narinas de Wada e Yamazaki e ambos começam a salivar.

– Pobre coitado – diz Yamazaki.

Tencho adiciona finos fios de maionese nas duas panquecas e depois as corta em pedacinhos pequenos. Em seguida, pega o *okonomiyaki* cortado e serve cada um em um prato.

– Logo ele sai do hospital – diz Wada. – Ele vai ficar bem.

– Mas como é que ele vai dirigir sem uma perna? – pergunta Yamazaki.

– Ah, existe todo tipo de coisas pra ajudar hoje em dia – Wada responde.

– Tipo o quê? Carros que dirigem sozinhos?

– Não, idiota. – Wada revira os olhos. – Tipo… como é que era o nome?

– Prótese – arrisca Tencho.

Os dois se voltam para ele, ainda finalizando os pratos, se perguntando como ele sabia a palavra que estavam procurando.

– Wada? – diz Yamazaki, se lembrando de algo.

– O que foi?

– Você fala inglês?

– Não muito, por quê?

– O que a expressão "copy cat" significa para você? – Yamazaki pergunta, acanhado.

– Como é que eu vou saber? *Cat* é *neko*, certo? *Copy* é tipo a palavra que já usamos, *kopi*, não? – Wada olha para Tencho. – Tencho, você sabe o que significa?

– Hum? – Tencho está concentrado nos pratos.

– Deixa pra lá – Wada comenta, se virando para Yamazaki. – Enfim, por que quer saber?

– Por nada – diz Yamazaki, bebendo sua cerveja inocentemente.

– Por que você está todo esquisito? – Wada ergue a sobrancelha e fica observando Yamazaki.

– Hã? Não estou!

– Você está sendo evasivo.

– Não seja mala. – Yamazaki bufa de leve.

Eles ficam em silêncio por um instante antes de Yamazaki ceder. Então ele pega a maleta e tira um maço de folhas A4 grampeadas e escritas em inglês.

– Deixa eu ver isso! – diz Wada, esticando o braço para os papéis, mas Yamazaki os afasta.

– Não precisa ver com as mãos – Yamazaki solta, pegando os óculos de leitura dourados do casaco e colocando-os no rosto.

– Deixa eu ver! O que é? – Wada tamborila os dedos na caneca, impaciente.

Até Tencho ergue a sobrancelha.

Yamazaki limpa a garganta, caprichando no sotaque do inglês.

– *Copy Cat, de Nishi Furuni. Traduzido por Flo.* Espere um pouco, como se lê isso? – Ele mostra as palavras para Wada, que estreita os olhos para ler.

– *Dun... Dun... Dungeons and Dragons.* – Wada sorri.

– Não está escrito isso – contesta Yamazaki.

– Bem, como é que eu vou saber? – Wada resmunga. – Não falo nada de inglês. Por que trouxe isso aqui?

– Vamos, Wada. Use seu cérebro, sei que você tem um aí dentro.

Tencho solta uma risada abafada.

Wada faz uma careta.

– Espera. Onde encontrou isso?

– No meu táxi – Yamazaki fala. – E Nishi Furuni? Te diz algo?

– Ei! – Os olhos de Wada se iluminam. – É... esse é...

– Isso mesmo. O pai do Taro – Yamazaki fala, tirando os óculos e guardando-os no estojo. Ele suspira. – Finalmente.

– Mas o que isso estava fazendo no seu táxi? – Wada pergunta.

– Alguém esqueceu lá. Uma *gaijin* engraçada.

– Você vai entregar pro achados e perdidos da empresa?

– Pensei em fazer isso, mas depois me perguntei... por que não levar pro velho Taro no hospital? Sabe, da próxima vez que formos visitar. Ele vai gostar de ver que essa tal de Flo... Flo... sei-lá-o-quê traduziu o texto pro inglês. Se ela tiver feito um bom trabalho, quem sabe Taro não a deixa traduzir outras histórias. Sei que é ele que cuida dos direitos autorais agora. Olha, ela colocou o *e-mail* dela ali. – Ele bate o dedo no topo da primeira página.

– Boa ideia – concorda Wada. – Talvez seja a primeira ideia boa que você já teve.

Yamazaki guarda com cuidado o manuscrito de volta na maleta.

Tencho traz os pratos.

– *Hai, dozo* – ele diz, servindo os amigos.

Yamazaki e Wada pegam pauzinhos no recipiente à sua frente, juntam as mãos e dizem *"Itadakimasu"*. Tencho se senta em uma cadeira atrás do balcão e acende um cigarro enquanto os dois atacam a comida.

– Entendi por quê... – Yamazaki pega um punhado de macarrão e repolho. – Vocês...

– Não fale de boca cheia! – diz Wada, cuspindo um pouco de repolho no balcão. – Não ensinam boas maneiras aqui em Tóquio, não?

Yamazaki engole a comida, olhando para o repolho à sua frente.

– Entendi por que vocês falam tanto sobre o *Hiroshima-yaki*.

– *Okonomiyaki!* – Tencho e Wada gritam em uníssono.

Então as luzes se apagam.

– Que porra é essa? – pergunta Wada.

– Calma! – Yamazaki berra.

Eles ouvem uma pancada na parede atrás do balcão e as luzes começam a piscar. Por um segundo, eles distinguem o contorno de Tencho de pé esmurrando a parede. Depois fica escuro de novo. Após mais algumas pancadas, as luzes voltam. Tencho apoia o punho na parede e todos olham para a luz piscando acima deles.

– Má conexão na fiação – Tencho explica, olhando para Yamazaki.

– Pelo visto, este lugar é bem antigo – Yamazaki comenta, observando as prateleiras empoeiradas e os cartazes amarelados e enrugados nas paredes.

Mais uma vez, ele nota o pássaro empalhado no canto e engole em seco. O restaurante está vazio e lá fora está completamente escuro. De uma janelinha, Yamazaki vê a chuva caindo sem parar.

Tem alguma coisa faltando – não há vozes na rua, nenhum cliente gritando nos restaurantes vizinhos, apenas o crepitar da chuva e o ruído dos trens passando vez ou outra, sacolejando nos trilhos acima e produzindo um barulhão. Há algo estranho no ar de Tóquio esta noite.

– O pai da minha mulher era o dono deste lugar antes e fez toda a fiação – Tencho explica.

– Impressionante – Wada comenta.

– Queria que ele tivesse feito um trabalho melhor – Tencho fala, pegando um maço de cigarros Calico do bolso. Uma tábua range no andar de cima.

– Não fale isso! – Yamazaki fala, se sentando ereto. – Ele pode estar ouvindo.

– Bah, que ouça – Tencho diz. – Juro que ele me assombra há anos. Que diferença vai fazer? – Tencho acende o cigarro e dá uma tragada. Depois tosse, um pouco rouco. – E também não me falta muito tempo.

– Não seja bobo! – Wada dá risada.

– É verdade – insiste Tencho. – Enfim, quando eu morrer, vou voltar pra assombrar vocês dois.

– Não brinque com fantasmas – fala Yamazaki, estremecendo. – Tenho medo.

Os dois encaram Yamazaki para avaliar se ele está brincando ou não.

– Você não... tem mesmo... – Wada cruza os braços.

– Se eu acredito em fantasmas? – Yamazaki segura a alça da caneca com firmeza. – Com certeza.

Ele leva a caneca aos lábios e bebe de uma vez. Depois ergue-a para Tencho, que vai até o congelador e tira duas canecas novas.

– Você já viu algum fantasma? – Wada pergunta.

– Nunca *vi*, mas tenho certeza de que eles existem.

– Como tem tanta certeza?

Tencho coloca as novas canecas no balcão, recolhe as vazias e declara:

– Eu também acredito.

Wada balança a cabeça.

– Nunca vi nem ouvi nada que me convencesse. – Ele nota as canecas, acena a cabeça e pergunta: – Tencho, não quer beber mais uma?

⁙

Alguns poucos clientes entram e saem do restaurante, se espremendo no balcão. Enquanto isso, Wada e Yamazaki ficam bebendo suas cervejas geladas e devorando a comida. Algumas pessoas pedem *okonomiyaki*; outras pedem frituras ou *teppanyaki*.

Mais tarde, quando já estão na quarta rodada de chope, as portas se abrem e entra um grandalhão com cara simpática, usando o macacão azul dos carteiros. Ele parece ter uns trinta e tantos anos.

– *Irasshai*! – Tencho fala automaticamente, e só depois vê o homem parado na porta. – Ah, se não é o velho Shingo? Entre, entre!

– Boa noite, Tencho – cumprimenta Shingo, se sentando no balcão.

Wada e Yamazaki acenam a cabeça respeitosamente para ele, que devolve o cumprimento.

– O de sempre? – Tencho pergunta.

Shingo faz que sim.

– Como vão as coisas, jovem Shingo? Faz um tempo que não te vejo.

– Ah, como sempre – Shingo responde, e depois se volta para os taxistas. – Indo. O trabalho de um carteiro nunca termina e tal. Ou pelo menos até que os *e-mails* acabem de vez com as cartas.

– E como vão as coisas com aquela moça? – Tencho pergunta.

Shingo fica vermelho.

– Ah, sabe como é. Eu nunca sei... – Ele dá um gole sem graça na cerveja que Tencho colocou à sua frente, derramando um pouco no uniforme. – Sei lá, viu.

– Mulheres, né? – Yamazaki fala gentilmente.

– Meu conselho é: não esquenta – diz Wada, mostrando-lhe a aliança de casamento.

Shingo dá risada.

– Mas como você soube... tipo... que ela era a mulher certa?

– Você só sabe – Wada e Yamazaki falam juntos.

Shingo sorri, ainda tímido.

– Não sou bom nessas coisas.

Tencho intervém:

– E se você a convidar pro *omatsuri*? O festival da cidade está chegando, né?

– Ah… ela nunca iria comigo…

– Ela não vai poder ir se você não convidar – diz Wada.

– Quem sabe… quem sabe… – responde Shingo. – Também temos uma diferença de idade…

– Não importa, se for amor – fala Yamazaki. – Não importa.

⠇

Quando Wada e Yamazaki passam do chope para *shochu* com gelo, Shingo já foi embora, e eles estão contando histórias de fantasmas. Yamazaki fala para Wada que uma vez viu um *rokurokubi* – um fantasma *yokai*: uma noite, quando era criança, acordou e se deparou com uma cabeça flutuando, e seu pescoço comprido saía porta afora. Era a cabeça de uma jovem donzela com o cabelo preso no estilo do período Edo. Ele tentou gritar, mas sua voz não saiu. Fechou os olhos e se escondeu debaixo do edredom até de manhã. No dia seguinte, contou tudo para a mãe, que acenou a cabeça e lhe disse que aquela casa tinha pertencido a um rico comerciante cuja filha cometera suicídio.

Wada conta a Yamazaki uma história sobre um padre e um gato, em que a cabeça do gato sai voando pelo ar para arrancar com uma mordida a cabeça da mulher que estava tentando envenenar o padre.

Enquanto isso, Tencho fica sentado do outro lado do balcão, fumando e ouvindo tudo.

Eles param de falar quando ela entra.

Ela está usando um sobretudo comprido. Ainda está chovendo lá fora, e ela está ensopada – as mechas onduladas e molhadas do seu cabelo cobrem o rosto anguloso. Através delas, dava para ver seus estranhos olhos verdes, emanando uma intensidade que deixa tanto Wada quanto Yamazaki com medo de olhar para ela. Ela não tem guarda-chuva. Tira o sobretudo e revela seu vestido preto. Suas costas estão cobertas por uma tatuagem enorme e intricada que se estende até os braços e pulsos. Gotículas de água fazem a tatuagem cintilar na luz baixa.

Wada e Yamazaki abaixam a cabeça para a garota quando ela passa por eles e se senta do outro lado do balcão retangular. Ela ignora ambos. Tencho se aproxima, coloca um copo de leite na frente dela e vai até os fundos para preparar a comida, apesar de ela não ter feito nenhum pedido.

– Viu isso? – Yamazaki sussurra para Wada.

– Vi. – Wada sorri e cumprimenta a garota mais uma vez.

Ela os olha, mas parece ver através deles, como se não estivessem ali.

– Você acha… – Yamazaki fala.

– Shhh. – Wada intervém antes que Yamazaki diga a palavra *yakuza*. – Acho que não.

– O que era a tatuagem? – Yamazaki pergunta baixinho.

– Não consegui ver direito. De qualquer forma, não é tatuagem de gangue.

Tencho volta com um prato de peixe. Coloca o prato diante dela e faz uma reverência. Então volta para os amigos.

– Espero que não estejam incomodando minha cliente – ele fala com os dentes cerrados.

– Quem? Nós? – Wada faz uma expressão magoada.

– Quem é ela? – Yamazaki pergunta.

– Só uma cliente regular que cuida da própria vida. – Tencho sorri para eles.

– Não sabia que você servia peixe – comenta Wada.

– Não sirvo pra clientes intrometidos – responde Tencho.

Wada ergue as mãos.

– Beleza, já entendi…

Então as luzes se apagam de novo. Ouve-se um som estranho de animal vindo da escuridão, quase como um uivo, e o rangido das tábuas do andar de cima, seguidos das pancadas de Tencho na parede. As luzes voltam e os três clientes ficam ali sentados no balcão.

Tencho faz uma reverência para a garota.

– Desculpe, *Ojo-san*.

Ela acena de volta e continua comendo seu peixe com os pauzinhos.

Tencho se afasta, resmungando sobre a fiação.

– Ei. – Yamazaki cutuca as costelas rechonchudas de Wada com o cotovelo. – Ouviu aquilo?

– Aquilo o quê? – Wada pergunta, esfregando as costelas. – Não me cutuque assim, seu idiota ossudo.

– Não ouviu aquele som estranho? Parecia um gato. – Yamazaki abaixa a voz e aponta para a garota comendo peixe do outro lado da sala. – Veio dela!

– Jamais – diz Wada.

– Ela pode ser uma *bakeneko*!

– Lá vai você de novo com essa baboseira supersticiosa. – Wada revira os olhos

– É sério, elas existem!

– Tipo fantasmas, né?

– Tenho um amigo...

– É sempre com um amigo, né? Nunca é com a pessoa que está contando a história.

– Fique quieto e ouça, que tal? – Yamazaki dá um gole no seu *shochu* e limpa a boca com o dorso da mão. – Enfim, esse amigo foi a um *soapland*.

– E a história envolve um amigo e uma prostituta. Quem nunca? – Wada dá risada.

Yamazaki finge não ter ouvido seu comentário.

– Daí ele foi pra banheira com a garota, e disse que era a garota mais linda que ele já tinha visto na vida e que ele se divertiu muito. Mas a garota não falou uma palavra em momento algum. Quando voltou para o quarto, ele ouviu um *miado*...

– Sobre o que ele está tagarelando dessa vez? – Tencho pergunta, surgindo dos fundos e olhando Yamazaki com desconfiança.

– Ah, ele só está contando mais uma história boba sobre fantasmas – Wada responde.

⁂

Yamazaki está bem bêbado, mas Wada está ainda pior. A garota ainda está comendo seu peixe lentamente, e eles são os únicos no restaurante. Está tarde.

– Tencho! Chame um táxi pra gente? – pede Wada.

– Chame você mesmo. – Tencho sorri. – Vocês não são taxistas?

Wada o encara com olhos turvos. Tencho solta um suspiro e vai até o telefone.

Yamazaki desvia o olhar da garota.

– Ela está demorando pra terminar aquele peixe – ele fala.

Tencho desliga o telefone.

– Chegará em quinze minutos – ele diz.

– Obrigado, Tchencho – Wada fala com a voz arrastada, apoiando a cabeça na mesa.

Tencho balança a cabeça.

Yamazaki acena para a garota.

– Como ela vai voltar pra casa?

– Ela vai ficar bem.

– Talvez ela queira dividir o táxi com a gente. – Yamazaki se apoia no balcão. – Ei, mocinha!

– Pare com isso. – Tencho o repreende. – Ela pode se cuidar sozinha, Yamazaki-san.

– Foi só uma ideia.

Yamazaki fica encarando o copo vazio de *shochu*, avaliando se deve se servir de mais uma dose da garrafa quase vazia.

Tencho se coloca na sua frente e pega a garrafa.

– Aqui, vou escrever seu nome e guardar pra você atrás do balcão. Fica pra próxima vez que você vier, pode ser?

– Boa ideia! – Yamazaki fala. – Vamos voltar com certeza. Foi o melhor Hiroshi... *okonomiyaki* que já comi.

Tencho abre um largo sorriso.

– Pode vir sempre que quiser. – Ele acena para Wada. – Esse aí também, contanto que não encha tanto a cara da próxima vez.

Wada levanta a cabeça e pisca.

– Eu não bebi tanto assim, bebi?

– Volte a dormir – diz Tencho. – Seu táxi já vai...

As luzes se apagam.

– Fiquem aí, não se preocupem.

Mais pancadas na parede e tábuas rangendo. As luzes do teto piscam e se apagam de novo.

– Droga – Tencho resmunga na escuridão. – Esperem aí, vou pegar uma lanterna.

Eles ouvem os passos de Tencho na parte de trás do restaurante e notam um pequeno feixe de luz vindo de seu celular enquanto ele procura algo.

– Que medo – diz Yamazaki.

– Não seja bobo – Wada o repreende.

Então eles ouvem de novo, só que dessa vez mais baixo: um uivo fraquinho.

– Aí está! – Yamazaki sussurra.

Tencho fala nos fundos:

– Perfeito!

Uma luz diminuta inunda a sala. A luz se move lentamente para o salão e o rosto de Tencho se ilumina de forma fantasmagórica, com a luz vindo debaixo dele, lançando sombras diabólicas em seu rosto. Ele coloca a luminária no balcão.

– Está todo mundo bem? – ele pergunta.

– Sim – diz Yamazaki.

– Aqui também – responde Wada.

Silêncio.

Eles olham na direção da garota, mas ela não está em lugar algum.

– *Ojo-san?* Você está bem?

– Ela está aí?

– Shhh! – Wada toca seu braço.

Eles ouvem aquele som mais uma vez, mais alto que antes. Há um farfalhar do outro lado do balcão. Algo está se movendo no chão.

Os três homens se agacham. Tencho pega uma faca, Wada, a lanterna, e eles começam a atravessar o espaço juntos. Ouvem um arranhão debaixo do balcão e um cheiro pungente enche suas narinas. Eles param, se entreolham e espiam por cima do balcão.

Estranhos olhos verdes os encaram. Uma língua surge, lambendo os lábios de peixe.

E então a lâmpada se apaga.

Detetive Ishikawa: Notas do caso (2)

Semanas se passam. Trabalho devagar e continuamente. Amo trabalhar.

A cidade foi construída em cima do trabalho. Tóquio é aquele tipo de lugar onde, se você parar de trabalhar, nem que seja apenas por um segundo, vai ser engolido e esquecido. É isso o que aconteceu com aqueles pobres diabos que ficam sentados em lonas azuis nos parques enchendo a cara. A maioria não conseguiu aguentar o ritmo.

A cidade nunca descansa. Jamais.

Especialmente à noite. O sono é apenas algo que Tóquio combina com trabalho.

Tóquio fica mais sonolenta por volta das 4h30 da manhã. O dia está clareando, os táxis ainda estão circulando, alguns levando as pessoas para o trabalho mais cedo, outros levando-as para casa tarde. Os trens ainda não abriram, mas em meia horinha já estarão seguindo seu curso, como sempre. A única coisa que os faz parar é quando alguém pula no trilho – mais um pobre desgraçado que não conseguiu lidar com a cidade. Eles fazem isso na esperança de ir para algum lugar melhor. Daí a companhia ferroviária cobra os custos da família do falecido. Dizem que é para impedir que as pessoas perturbem o trajeto dos trens – Tóquio não gosta de atrasos. Parece que não é impedimento suficiente para alguns. Talvez algumas pessoas nem tenham família para pagar essa conta. O que elas têm a perder, certo?

Esta cidade é uma das maiores prisões do mundo – são trinta milhões de habitantes.

Não é como onde eu cresci.

Não me entenda mal, Osaka é uma cidade grande, mas as pessoas lá sabem relaxar. Elas também sabem se relacionar. E conseguem enxergar a parte engraçada da vida. Tóquio se leva a sério demais. E por um bom motivo – é um lugar sério.

Sei por que vim para esta cidade. Por amor.

Mas quase sempre me pergunto quando estou indo de trem para o trabalho na maior ressaca:

Já que me divorciei, o que me mantém aqui?

⁂

Assim que cheguei ao escritório, percebi que havia algo errado.

A porta estava aberta. Taeko só entrava mais tarde, então sabia que não era ela. Avancei devagar, empurrei a porta e as dobradiças rangeram. A fechadura estava pendurada. Alguém tinha forçado a entrada.

Prendi a respiração e, tentando não fazer barulho, atravessei a sala de espera e fui até o escritório dos fundos. Dava para ver a silhueta de uma pessoa baixinha e corpulenta refletida na janela. Ela segurava as fotos dos casos e as examinava uma a uma. Era aquela velha história – alguém estava tentando roubar minhas provas.

Cruzei a porta e olhei para a figura parada no meu escritório usando uma balaclava e luvas de couro. Estava vestida com *jeans* e uma camiseta do *Pulp Fiction*, ainda mexendo nas fotos. Alheia.

– Posso ajudar? – perguntei.

Sua cabeça se ergueu, e tudo o que pude ver foram olhos e lábios. Os lábios estavam comprimidos, e os olhos, surpresos, mas havia algo mais ali. Ficamos nos encarando, respirando lentamente. Esperando. Eu ouvia a musiquinha da estação informando a partida de mais um trem. Os berros de um homem anunciando uma nova *lan house* subiam da rua. E havia o suave som do trânsito.

Os olhos por trás da máscara se voltaram para o chão, e eu os imitei. Quando levantei a cabeça, um objeto voava na minha direção. No caminho, ele se expandiu no ar. Ergui os braços instintivamente, senti a pancada e algo se espalhando quando a pilha pesada de fotos atingiu meu braço e rosto. Senti um corte na bochecha, um empurrão forte e caí no chão. Olhei pela porta aberta e vi uma forma escura desaparecendo rapidamente.

– Bem, que jeito de começar a manhã.

Limpei a bochecha com a mão e vi que estava sangrando.

Fiquei ali deitado de costas, cercado por centenas de pequenos retângulos brilhantes, cada um retratando uma traição.

⚠

Quando Taeko chegou, eu tinha acabado de limpar tudo.

Ao longo dos anos, o escritório já tinha sido invadido várias vezes, e não havia necessidade de ela saber de cada uma das invasões. Era uma atitude bastante comum quando um marido ou esposa descobria que seu cônjuge tinha informações sobre suas sujeiras. Eles costumavam contratar outra pessoa para tentar roubar qualquer prova em posse do detetive particular. O que esses invasores não sabiam era que eu sempre fazia múltiplas cópias das evidências. Minha ex-mulher descobriu do pior jeito quando contratou um idiota para roubar as fotos que eu tinha dela.

– Bom dia! – Taeko sorriu, mas então seus olhos pousaram na fechadura pendurada na porta. – Ah, meu Deus. De novo?

– Tivemos um visitante.

– O senhor está bem? – Ela mordeu o lábio, e desviou o olhar da fechadura para a minha bochecha. – O que aconteceu com seu rosto?

– Me cortei fazendo a barba.

– Pensei que o senhor seria melhor nisso, na sua idade.

– Nunca peguei o jeito.

– Vá se sentar, vou fazer um café. – Ela suspirou.

– Bem forte, por favor.

– Também vou pegar o *kit* de primeiros socorros.

Ela balançou a cabeça e saiu para a cozinha.

Ouvi sua voz em meio aos ruídos das colheres e canecas.

– Pelos céus! – E depois algo como: – Não aguento mais.

– Eu também não – sussurrei.

⁂

Naquela noite, a caminho para a estação, depois do trabalho, um maluco me entregou um papel. Ele estava segurando um grande monte, oferecendo o panfleto para quem quer que o aceitasse, como se fosse membro de alguma seita. Abanou o papel na minha cara e diminuí o passo só porque não tinha como passar por ele.

Ele era grandalhão e me olhou nos olhos quando peguei o papel.

– Não se torne um deles, irmão – ele disse.

– Deles quem? – perguntei.

(Olhando em retrospecto, eu devia ter falado "Não sou seu irmão, cara" ou alguma coisa do tipo.)

Ele meio que olhou para longe.

– As formigas – ele disse.

– Ah, sim, cara. – Assenti e segui às pressas para a estação.

Tirei o papel do bolso para ler no trem. Era um bando de baboseira:

Sou a sombra da cidade, esculpida e sombreada na pele viva da paisagem. Ando pelos becos. Vivo de mofo. Vivo de podridão. Faço companhia para as baratas. Para as lesmas, os ratos. Sou a câmera que não julga. Sou a onda que atinge a usina de Fukushima. Sou os cavalos, cães e gatos deixados para trás, decompondo-se em ossos. Cadáveres branqueados pelo sol. Sou seu enorme estádio olímpico em ruínas. Eu não procrio. E mesmo assim aqui estou. Você não pode me esconder atrás do aço. Dos edifícios. Das telas dos computadores. Dos enxames de pessoas, multidões de formigas. Assim como a mais negra das tintas que se derrama e tudo mancha – aqui estou e aqui estarei. Para sempre e sempre. Estou sozinho em minha solidão, e você também.

Pois sou a cidade das trevas. E estou esperando.

Como eu disse: baboseira.

▲▲

Fui até o clube do meu colega de faculdade da yakuza. Ainda estávamos no meio de uma partida de *shogi* e ele estava ganhando, mas não era sobre isso que eu queria falar com ele.

Nas últimas semanas, enquanto perambulava pelas ruas colando cartazes de "Queijo e Picles" (um casal de gatinhos peludos que tinha desaparecido da casa de uma rica senhora de Azabu) e me escondia atrás de vasos para tirar fotos de um casal bêbado entrando em um motel de temática italiana, continuei fazendo pesquisas *pro bono* para a mãe e o pai do filho desaparecido.

No começo, não consegui nada – não havia registros em lugar algum que eu consultasse. Nenhuma identificação, histórico profissional, propriedade, carro, apartamento, casa. Era quase como se eu estivesse procurando um fantasma. Passei alguns dias coçando a cabeça, perguntando-me se tinha sido mal-informado. Será que esse cara existia? Só que eu já tinha vivido isso antes. Quando procuramos por alguém que não existe em nosso mundo, é melhor presumir que eles vivem em outro mundo. Nosso garoto desaparecido provavelmente não era o anjo querido que seus pais pintavam.

Se ele não era um pobre trabalhador de alguma empresa de Tóquio, tinha que ter outra história. Não, esse cara devia ter conexões. E não das boas. Estava me parecendo cada vez mais que nosso filhinho da mamãe tinha uma história com a única outra organização disponível para aqueles que vivem às margens da sociedade respeitável: ele era da yakuza. E para a minha sorte, meu velho colega de faculdade agora era o mandachuva de uma das maiores famílias de Shinjuku. Eu não gostava de lhe pedir favores, mas precisava de ajuda com esse caso.

Quanto a esses caras, não se trata apenas de pedir a ajuda deles, mas de informá-los de que você quer vasculhar a roupa suja deles. Eles não gostam quando você não pede permissão – é um sinal de desrespeito, que provavelmente acaba com você sendo encontrado morto no meio dessas roupas sujas, talvez estrangulado, usando calcinha e sutiã. Eles não bancam os bonzinhos.

Ainda estava claro na hora que bati à porta do clube. E foi isso que estranhei quando o porteiro me deixou entrar – lá dentro já era noite.

– Nome? – ele perguntou sem rodeios.

– Ishikawa.

Ele falou baixinho no fone que estava usando. Fingi não estar prestando atenção e fiquei observando a tela com as câmeras de segurança, mostrando várias partes do clube. Ela estava dividida em várias cenas, cerca de treze, e era difícil prestar atenção em todas ao mesmo tempo. Eram tão diferentes, em ângulos diferentes, que era impossível processá-las de uma vez. Havia uma câmera filmando o lado de fora e outra olhando diretamente para nós. Eu podia me ver parado ali, observando alguma coisa, enquanto o porteiro falava com seu fone e acenava a cabeça de leve. Não consegui ouvir o que ele estava dizendo, até que ele falou:

– Ei.

Encarei sua imagem na vida real e ele estava assentindo. Ele gesticulou para que eu passasse pela porta ao lado, mas notei algo em seus olhos.

Não vá tentar algo, maluco.

Um corredor comprido me levou a outra porta que foi aberta por um braço invisível, e então eu estava dentro do clube.

Parecia uma cena besta de um filme decadente.

Havia garotas de *topless* rodopiando em postes e bandidos de terno babando nelas. Havia uma bola de discoteca cafona pendurada no meio do salão com luzes coloridas e desanimadas quicando pelas paredes. E havia um cheiro estranho no ar: algo entre *marijuana*, incenso barato e água sanitária. Segui para o bar e pedi um café só para agitar um pouco as coisas. O *barman* me olhou como se eu fosse um pedaço de merda, mas se virou para a máquina de expresso e começou a preparar a bebida. Curti sua camiseta do *Cães de aluguel*. Já sua atitude, nem tanto. Virei o corpo para observar o clube, apoiando as costas no balcão.

Então ela me chamou atenção. Uma das garotas que estavam dançando se destacava das demais.

Não sei se era por causa dos seus olhos verdes ou pela tatuagem que cobria totalmente suas costas. Quando ela rodou e se contorceu no poste, tentei descobrir o que era a tatuagem. À primeira vista, ela parecia esguia, mas dava para ver seus músculos por baixo do desenho enquanto ela fazia acrobacias lentamente, sustentada por braços e pernas poderosos. O que seria? Uma onda? Um animal? A imagem parecia viva, algo fervendo de energia, mas era difícil saber o que era com todas aquelas luzes piscantes e aquele movimento todo.

– Ei – alguém falou atrás de mim.

Virei-me para o bar. O homem estava apontando para uma xícara de café fumegante.

– Obrigado, amigo.

– Não sou seu amigo, cara – ele murmurou, indo atender outra pessoa.

Balancei a cabeça, peguei o café do pires e me virei, dando um gole. Estava intrigado pela garota da tatuagem estranha. Mas, quando observei o palco, a música tinha mudado e havia outra garota dançando. Ela tinha a pele mais pálida, seios maiores e não tinha tatuagem.

Perdi o interesse nas dançarinas.

– Ishikawa?

Virei-me e me deparei com um homem corpulento de terno e cabelo curto com um fone de ouvido.

– Sim?

– Por aqui, por favor.

Ele saiu andando na mesma hora e eu o segui por outra porta no canto. Subimos as escadas e entramos em um escritório nos fundos. Ele segurou a porta para mim, mas não entrou. Quando fechou a porta, Shiwa levantou a cabeça para mim. Em sua mesa, havia um tabuleiro de *shogi*. Reconheci nosso jogo. Então ele sabe montar um tabuleiro de *shogi* de verdade. Interessante.

– Ishi! Seu velho vira-lata!

– Shiwa-san. Quanto tempo.

– Sente-se. – Ele sorriu.

– Obrigado.

– Cigarro? – Ele me ofereceu um.

Balancei a cabeça.

– Parei.

– Desde quando?

– Semana passada.

– Só me pergunto quanto tempo vai durar, hein, Ishi?

– Três dias já são suficientes até pra virar padre.

– Se importa se eu fumar?

– Fique à vontade.

Ele acendeu o cigarro, e entre sua pele flácida e seu bigode fino vi o rosto jovem do cara com quem fiz faculdade. Perguntei-me o que ele achava de mim. Será que eu também tinha envelhecido desse jeito? Será que dava para notar as diferenças na minha aparência? Quando me vi no espelho, não notei nada. O tempo parecia passar só para os outros.

– E aí, como você está, Ishi?

– Nada mal. Indo.

– Muitos casos?

– O trabalho nunca para.

– Que bom, que bom.

Ele deu uma longa tragada e soprou uma nuvem de fumaça no ar.

– E como vai o submundo do crime? – Cruzei as pernas.

– A mesma coisa de sempre. O trabalho nunca para. – Ele deu risada. – Você não acreditaria nos idiotas com quem tenho que lidar.

– Sei lá... minha lista de clientes contém personagens bastante *interessantes*.

– Ah, Ishi. Queria poder te contar algumas histórias.

– Eu também.

– O que é que eu deveria dizer em seguida? – Ele olhou para o canto da sala, e algumas gotículas de suor cintilaram em sua testa. – Ah, é. *Mas daí teria que te matar depois.*

– Que jeito de abraçar o clichê de gângster, Shiwa-san.

Ele gargalhou.

– Mas me conte, o que te trouxe aqui?

Ele se inclinou para frente na cadeira e bateu o cigarro no cinzeiro.

– Desculpe aparecer desse jeito, mas estou procurando alguém.

– Ah, é?

Ele olhou para a mão apoiada no cinzeiro e inclinou de leve a cabeça.

– Sim.

– E quem seria?

– Um cara chamado Kurokawa. – Prendi o fôlego.

– Kurokawa... – Ele balançou a cabeça. – Não me parece familiar...

– Deve ser peixe pequeno.

– Então por que esse peixinho é importante pra você?

– Ele está desaparecido.

Ele me olhou direto nos olhos e fingiu que cortava a garganta.

– Desaparecido *desaparecido*?

– Não desse jeito. – Fiz uma pausa. – Os pais dele me contrataram para encontrá-lo.

– Hum. – Shiwa se recostou na cadeira e olhou para o teto. – Ishikawa, você sabe que está pedindo muito de mim, né?

– Eu sei, Shiwa-san. – Sentei-me mais para frente. – Eu não te procuraria se tivesse outros meios.

– Quando as pessoas se juntam à família, elas dizem adeus à família antiga. – Ele suspirou. – Os pais dele não sabem disso?

– Acho que sabem. – Me mexi na cadeira. – Mas agora ele não é mais parte da sua família…

– Ele está morto pra nós.

– Eu sei.

– E as pessoas não voltam do mundo dos mortos, sabe?

– Sei.

Ele deu outra longa tragada no cigarro e a ponta ficou vermelha. Exalou a fumaça e me encarou.

– Tudo bem. – Ele assentiu. – Só porque voltamos. Não faça disso um hábito, Ishikawa.

– Obrigado, Shiwa-san. – Fiz uma reverência completa.

– Fale com Seiji na saída, ele vai te ajudar.

– Qual é o Seiji?

– O barman.

– Obrigado, Shiwa-san. – Fiquei de pé e segui para a porta. – Te devo uma.

– Com certeza, e vamos cobrar o favor quando precisarmos. Pode ser que eu tenha um caso pra você em breve. Enfim, depois a gente se fala.

Coloquei a mão na maçaneta.

– Ah, Ishi?

Virei-me para ele mais uma vez.

– Sim?

– Não esqueça que é a sua vez. – Ele olhou para o tabuleiro.

▲▲

Quando voltei para o clube, Seiji estava me esperando no bar, só que do lado dos clientes. Ele estava sentado em um banco, fumando um cigarro. Tinha cabelo comprido e cacheado e barba – parecia um daqueles vadios que ficam zanzando pela praia de Shonan, fingindo que sabem surfar e tentando descolar umas gatinhas. Aproximei-me dele, mas ele me ignorou. Só ficou fumando seu cigarro, com a outra mão no bolso, olhando para frente. Observei-o com atenção; havia algo familiar no jeito que ele comprimia os lábios e soprava anéis de fumaça. A música estava baixa, tornando a conversa possível.

– Seiji? Sou Ishikawa. Shiwa me disse que...

– Sei quem é você. Sente-se, porra.

Fiquei parado no lugar.

– Que fofo. Vai me pagar o jantar?

Ele se levantou e me encarou. Era baixinho, mas dava para notar algo em seus olhos, e mais uma vez senti aquele incômodo no fundo da mente. Havia algo ali – ele não gostava de mim. Por algum motivo.

– Escute, seu merda – ele falou com os dentes cerrados. – Não venha de gracinha comigo ou vou te jogar de bunda no chão. Entendeu?

– Em alto e bom som, querido.

– Eu sei quem é você, Ishikawa. Conheço seu trabalho. Você sai por aí mexendo no lixo dos outros pra depois pendurar no varal pra toda a vizinhança ver. – Sua voz era quase um rosnado.

– Você sempre trata os caras assim no primeiro encontro? – Sorrio.

Ele me empurrou com força no peito com um dedo.

– Você é um *escroto*.

– Eu costumo beijar antes de avançar, sabe. – Mantive a postura.

Ele apontou o dedo na minha cara.

– Sei tudo sobre você, Ishikawa.

– O que é que você sabe, amorzinho? – Encarei-o de volta, ignorando seu dedo.

– As fofocas se espalham. Sei que você vendeu sua ex-mulher.

Como é que ele sabia o que acontecera com a minha ex?

– Continue falando, raio de sol. Vou enterrar você.

– E o que é que você vai fazer, Pau Particular? Você está na nossa área agora. E só vai sair daqui vivo porque é amigo de Shiwa.

– Pois é, você tem razão. Sou amigo de Shiwa-san.

Deixei a frase pairando no ar.

– Só vou atrás desse maluco que você está procurando porque é meu dever. – Ele abriu um sorriso malandro. – Sabe, Ishikawa. Até a gente, a ralé da yakuza, sabe mais sobre lealdade e honra do que um cafetão como você. Que tipo de homem vende fotos da esposa pra outra mulher só pra usá-las como provas pra se sair bem no próprio divórcio? Não me surpreende que ela estivesse te traindo. – Ele me mediu dos pés à cabeça. – Você é a escória da humanidade.

Como é que ele sabia disso tudo?

– Você não sabe do que está falando, pinto fino.

– Ah, sim. Pode guardar pra próxima vida, seu canalha. – Ele abanou a mão, me dispensando. – Vamos entrar em contato pra falar do seu amigo.

– Obrigado, querido. – Estava prestes a sair, mas então algo me ocorreu. – Só mais uma coisinha: da próxima vez que você invadir meu escritório, vou deixar a chave debaixo do capacho, pra você não precisar quebrar a fechadura. Combinado?

Ele se aproximou e se moveu mais rápido que eu esperava, me dando um soco tão forte na barriga que fiquei até sem fôlego. Esforcei-me para me manter de pé e continuar sorrindo.

– Dê o fora do meu clube. – Ele mostrou os dentes.

Eu me mantive firme até estar a algumas centenas de metros do clube, então dobrei o tronco para recuperar o fôlego.

Omatsuri

A pequena gata tricolor estava deitada ao sol no telhado quente de ferro corrugado. Era manhã de verão, mas o calor já estava ficando insuportável. Ela ergueu a cabeça, piscou para a luz forte e decidiu que era melhor achar um lugar na sombra. Saiu procurando algo – uma espécie de lembrança de uma vida anterior –, um aroma, uma imagem. Seria o homem de cabeça roxa ou alguma outra coisa?

Ela se levantou e caminhou suavemente pelos telhados da paisagem suburbana de Tóquio, cheia de determinação. Disparou depressa quase com movimentos ensaiados. Aproximou-se de uma janela aberta e deu uma espiada lá dentro; viu uma garota de vinte e tantos anos cantando na banheira, lendo um livro de Nishi Furuni.

Bem, *tentando* ler um livro de Nishi Furuni.

Sachiko passou o mês todo ansiosa pelo *omatsuri*. Ficava lendo e relendo as páginas do romance, pois não conseguia absorver nada da história. Ela gostava daquele livro. Mas só conseguia pensar no festival.

E, claro, em Ryu-kun.

No ano anterior, ela foi de *yukata* vermelho, e estava se perguntando o que usaria naquela noite. Deixou o livro aberto ao lado da banheira, que absorveu a água parada ali. Talvez escolhesse o azul com estampas de ipomeias brancas – chamadas *asagao*. Passou a mão nas partes do corpo que a preocupavam. Seu estômago vazio roncou, mas ela o ignorou, querendo estar na sua melhor forma de noite. Ficou parada por um tempo com os olhos fechados.

Não percebeu a gata que a observava silenciosamente.

– Sachiko!

A voz alta a arrancou do seu devaneio. Ela revirou os olhos, ergueu as mãos da banheira e olhou para os dedos – estavam tão enrugados quanto *umeboshi*, ameixas secas.

– Sachiko! – A voz estava mais alta. Mais perto. – Sacchan! Onde você está?

Sachiko afundou na banheira.

– Sacchan! Está na banheira?

Bateram à porta.

– Não. Não estou aqui.

Sua mãe abriu a porta e fez uma carranca.

– Não diga mentiras. Há quanto tempo está aí? Saia já. Você vai virar uma ameixa seca.

– Sim, *okasan*.

Depois de mais uma encarada da mãe, ela estava novamente sozinha, ou…

A gata mexeu a cabeça, e Sachiko a viu pela primeira vez. Elas ficaram piscando uma para a outra em meio ao vapor.

Era isso que a gata estava procurando?

Sachiko inclinou a cabeça e estalou a língua.

– Você é tão lindinha!

A gata tinha adoráveis olhos verdes e um ar régio e despreocupado.

Depois, desviou o olhar para o outro lado da janela. Não, não era isso o que estava procurando. E saiu saltando pelos telhados, procurando algo para o café da manhã.

⁂

Seca, maquiada e vestida com *jeans* e camiseta, Sachiko entrou na cozinha. Sua mãe estava parada perto da geladeira segurando dois grandes rabanetes – *daikon* –, um em cada mão. Havia várias sacolas abarrotadas de compras em cima da mesa.

– Aonde você acha que está indo? – Ela agitou um *daikon* para Sachiko.

– Eu estava indo pro salão... pra fazer o cabelo pra hoje...

– Só depois que me ajudar a guardar essas compras.

Ela apontou um *daikon* para Sachiko e o outro para as sacolas.

– Sim, *okasan*.

Sachiko começou a guardar as coisas. Sua mãe continuou falando:

– Não sei por que desperdiçar seu dinheiro fazendo o cabelo naquele salão chique. Sei que é *omatsuri*, mas eu poderia arrumar seu cabelo pra você, como sempre fiz.

Sachiko reprimiu o tremor de pensar em todos os penteados horríveis a que sua mãe a submetera no passado.

– *Okasan* está tão ocupada... eu nem sonharia em te dar trabalho...

A mãe se virou para ela e deu uma piscadela.

– É um dia importante pra você. Eu não deveria estar tão...

Alguém bateu à porta e uma voz grave falou do lado de fora:

– *Gomen kudasai*! Correio!

O rosto de sua mãe se iluminou e ela foi abrir a porta. Sachiko continuou guardando as compras.

– Ah! Shingo-kun! – A voz dela transbordava de afeto.

– Ah! Olá, Shibata-san. A senhora parece bem. Aqui está sua correspondência.

Sachiko inclinou a cabeça de leve para ver Shingo, o carteiro, na porta, desejando que sua mãe não flertasse com ele tão abertamente assim. Era constrangedor.

Além de ser jovem demais para ela, ele era bem bonito. Com seus trinta e tantos anos, ainda tinha o cabelo bem cheio, e apesar de seu rosto alegre denunciar que ele curtia uma noitada na cidade, ele parecia estar conseguindo controlar a pança que os homens dessa idade costumavam desenvolver. Mas ele jamais seria um bom pretendente para sua mãe, o que só tornava o flerte dela ainda mais desesperado.

– Quer se sentar pra tomar um chá verde?

– Ah, eu adoraria. – Shingo avançou para o *genkan* como se fosse tirar os sapatos. Então notou Sachiko e hesitou. – Mas preciso muito seguir a rota.

– Que tal um cafezinho?

– Obrigado, Shibata-san. Preciso mesmo ir.

– Que tal um pão de ló, *kasutera*? Comprei uns no mercado esta manhã. Sacchan, coloque a chaleira no fogo. Vamos, rápido!

– Oh, por favor, não se preocupe. Tenho certeza de que Sacchan tem coisas melhores para fazer do que tomar chá com a gente – ele respondeu.

– Não ligue pra ela. Ela está saindo pra fazer o cabelo pro festival desta noite.

As sobrancelhas de Shingo se ergueram de leve.

– Você vai ao festival, Shingo-kun? – sua mãe perguntou.

– Ah, não. Sou velho demais pra esse tipo de coisa. – Shingo deu risada.

– Que isso! Vocês dois deviam ir juntos.

Sachiko congelou.

– Ah, Sacchan já deve ter alguém. De qualquer forma, ela não gostaria de ir com um velho como eu. – Ele sorriu para Sachiko.

– Ela devia ir com você. Olhe só para ela. Fico desesperada! Tem quase trinta anos e ainda não se casou. Queria que aparecesse alguém para tomá-la das minhas mãos. Ela só fica sentada na banheira lendo romances porcaria.

– Oh, Shibata-san. Isso não é muito legal.

Sachiko virou as costas para eles, pois seu rosto estava começando a assumir a cor da bolsa vermelha de Shingo.

– Volto mais tarde, *okasan*. Tchau, Shingo-san.

Ela evitou fazer contato visual com eles e escapuliu pela porta da frente.

– Esse salão é um desperdício de dinheiro! – sua mãe falou.

– Tchau, Sacchan – disse Shingo.

Ela fez uma reverência e fechou a porta suavemente. A voz de Shingo vazou pelas frestas:

– Shibata-san! A senhora não devia ser tão dura com Sacchan.

Sachiko detestava quando ele a chamava de Sacchan.

∴

Caminhando pela cidade, ela decidiu não deixar um incidente como aquele afetá-la. Se fosse qualquer outro dia, ela provavelmente combinaria de encontrar Mari para reclamar de morar com a mãe. E a amiga faria o que sempre fazia: ficaria ouvindo tudo sem falar nada, assentindo e soltando suspiros ocasionais. E quando Sachiko terminasse de desabafar e finalmente estivesse mais calma, Mari diria algo como: "Sacchan, você precisa se mudar logo e ter seu próprio espaço".

Sachiko sempre chegava à mesma conclusão: não podia deixar a mãe sozinha. Também sabia que não era só sair de casa para todos os seus problemas se resolverem. Sua mãe continuaria a estressando até o dia em que ela estivesse segura e casada, morando com o marido. Sua mãe era bastante tradicional, e não olharia com bons olhos para uma mulher solteira morando sozinha. Naquele outono, ela manteve todo o drama com Ryu-kun em segredo. Não contou nem para Mari, em parte porque ela estava passando por um momento difícil. Mas também porque não queria discutir esse tipo de coisa com a amiga.

Mesmo agora, ela tentava não pensar tanto nisso.

Sua mãe não entendia que os tempos tinham mudado. Homens e mulheres não se casavam mais tão rápido. O relacionamento dela com Ryu-kun era um exemplo. Eles estavam se vendo fazia anos, e nunca tinham abordado o assunto casamento. Sachiko nem sonharia em mencionar. No fundo, ela sabia que eles estavam destinados a ficar juntos e logo estariam casados. Só precisava ser paciente.

Apesar disso, seria mentira dizer que Sachiko não estava ansiosa para se casar. Ela estava ficando cada dia mais velha e todas as suas amigas (exceto Mari) estavam felizes e casadas, a maioria até com bebês. Só que pressionar Ryu-kun não ajudaria em nada. Ela já tinha visto que ele não respondia bem à pressão – e conhecia muito bem sua opinião sobre começar logo uma família.

As ruas ainda estavam vazias. Aqui e ali, viam-se lanternas penduradas nas árvores, prontas para o festival. Estava claro que tinham sido necessários vários preparativos para deixar tudo pronto. Barracas de comida se espalhavam pela rua principal da *shotengai* – agora elas estavam dormindo, fechadas com tábuas, mas ganhariam vida à noite.

Sachiko viu a glamorosa moça ocidental que costumava encontrar caminhando com o cachorro pelo bairro. Fez uma pequena reverência e a moça a retribuiu, seguindo pela rua.

A caminho do salão, passou pela estação de trem e ouviu o *tap tap* rítmico dos cartões recarregáveis e o *bip bip* das almas dos assalariados de terno preto se chocando contra a existência. Os portões das catracas produziam um concerto sem sentido com seus ruídos. Indo para o centro de Tóquio, renunciando à humanidade, entrando no fumegante caldo de missô que era a cidade. Ryu-kun também devia estar no trem a caminho do trabalho.

O salão de beleza estava tão barulhento quanto a estação, com bandos de garotas fofocando e rindo. As cadeiras na frente dos espelhos estavam quase todas ocupadas, e a sala de espera estava tão cheia quanto os vagões do trem. Um sino ressoou quando ela abriu a porta e foi recebida por uma mistura de perfumes tão densa que fez sua garganta coçar e ela tossiu.

– Shibata-san! – sua cabeleireira acenou para ela.

As garotas que esperavam a olharam com certo ressentimento conforme ela seguia direto para uma das cadeiras diante do espelho. Ficou aliviada por ter marcado horário com antecedência.

Sentou-se e ficou lendo uma revista enquanto a mulher trabalhava em seu cabelo, lavando-o, secando-o e penteando-o com cuidado.

Ela não sabia se estava imaginando ou não, mas uma das garotas na sala de espera não parava de encará-la com seus estranhos olhos verdes. Toda vez que Sachiko erguia a cabeça para o espelho, percebia a garota disfarçando que a observava.

Sachiko quebrou a cabeça. Não lembrava dela – o que a deixava desconfortável, quase como se fosse um *déjà vu* –, então se esforçou para deixar para lá.

Ficou se lembrando de como tinha se divertido no festival do ano anterior. Ryu-kun comprara uma garrafa de *shochu*, que eles beberam juntos à beira do rio, sob uma lanterna. Ele bebia bem, e ela tentou acompanhá-lo, mas acabou ficando tonta. Mas ele fora ótimo e a levara para o apartamento dele para que ela pudesse se deitar um pouco. Eles deram risada e se divertiram a noite toda até de manhã. Ele estava *tão* safado. Sua mãe ficara brava por ela não ter voltado para casa. Sachiko estava empolgada pelo que poderia acontecer este ano. Talvez as coisas fossem melhores ainda.

Notou a garota olhando para ela de novo.

Pagou a conta e saiu do salão. Estava feliz com o penteado e tinha certeza de que combinaria com o *yukata* azul que escolhera para a noite. Depois, foi até a manicure e pintou e decorou as unhas com ipomeias azuis e brancas para combinar com a roupa.

Quando estava a caminho de casa, seu celular tocou. Vendo quem era, atendeu na mesma hora.

– Ryu-kun!

– Sacchan... – A voz dele estava fraca.

– Você está bem?

– Não muito... – Ele tossiu. – Sacchan, me desculpe. Acho que não vou conseguir ir hoje.

Ela não sabia o que dizer, então ficou em silêncio.

– Sacchan? Está aí?

– Sim, estou aqui.

– Sacchan, me desculpe mesmo. Sei que você estava ansiosa para hoje. Mas estou tão cansado e doente... O Chefão me fez fazer hora extra porque as Olimpíadas estão chegando, e acho que peguei uma gripe. Vou trabalhar até tarde hoje e acho que não vou conseguir ir ao festival... – Ele parou de falar.

– Tudo bem. Não se preocupe. Só fique bem logo. Quer que eu te leve algum remédio? Posso cozinhar algo pra você.

– Não, não. Obrigado. Só preciso dormir. Estou muito cansado.

– Descanse bem, então. Tomara que você fique bem logo.

– Obrigado por ser tão compreensiva, Sacchan. Me desculpe. Vou compensar depois. Podemos sair pra jantar na semana que vem. Está bem?

– Vamos comer *sushi*?

– Claro, o que você quiser.

Ela sorriu. Ele era tão gentil.

– Cuide-se, Ryu-kun. *Odaijini*.

– *Arigato*.

Ela ficou um pouco triste ao desligar, mas se recriminou por ser tão egoísta. Ryu-kun estava doente, e ela deveria se preocupar mais com isso do que com o festival besta que ia perder.

A saúde dele a preocupava muito. Para alguém tão jovem e com uma aparência tão saudável, ele ficava mais doente que o esperado. Ela achava que isso talvez estivesse relacionado com o tanto que ele bebia. Ele sempre saía com os colegas de trabalho, e tinha as piores ressacas quando estava com Makoto e Kyoko – Sachiko tinha ciúme de Kyoko, e uma vez encheu Ryu-kun de perguntas depois de ver uma foto deles no Facebook bebendo juntos. Aquele suéter rosa todo engomadinho e aquelas calças creme a perturbavam. Enfim, depois do festival do ano passado, Ryu-kun teve que cancelar vários encontros que eles tinham marcado. Estava sempre doente. Ela odiava aquele tal de Chefão – que o obrigava a ir a essas festinhas de trabalho. Esse homem parecia um bebezão! Será que Ryu-kun não podia pedir para seu pai mexer uns pauzinhos? Ryu-kun fora firme: entreter os clientes até tarde era parte do seu trabalho, e seu pai era o CEO da empresa de relações públicas que estava promovendo as Olimpíadas de 2020. Ryu-kun tinha que ser o exemplo.

Mas agora que o trabalho estava afetando sua saúde, as coisas eram preocupantes.

Ela estava perdida em pensamentos quando chegou em casa, mas sua mãe rapidamente a trouxe de volta à realidade.

– *Afe*! O que *diabos* fizeram com o seu cabelo?

Foi a última gota para Sachiko. Ela passou direto pela mãe e seguiu para o quarto.

– Ei! O que deu em você?

Ela a ignorou, fechou a porta e se atirou na cama.

Ouviu uma batida na porta.

– Sacchan?

– Por favor, me deixe em paz.

A mãe abriu a porta.

– Sacchan? O que houve?

– Por favor, *okasan*. Só quero ficar sozinha.

– Aconteceu alguma coisa?

– Só preciso descansar.

– Como quiser.

Então a mãe foi embora, fechando a porta atrás de si.

Sachiko pegou no sono enquanto chorava e só acordou no início da noite.

▲▲

Ela acordou se sentindo um pouco melhor, mas confusa e fraca porque não tinha se alimentado. Foi até a cozinha ainda grogue de sono. Sua mãe tinha cozinhado e estava sentada na mesa resolvendo um quebra-cabeça. Ela olhou para Sachiko.

– Está melhor?

– Um pouquinho.

– Tem arroz, sopa de missô e um peixinho. É melhor jantar logo e se arrumar pro festival.

– Não vou mais.

– Como assim não vai?

– Ele cancelou. Não tenho ninguém pra ir comigo.

– Bobagem. Deixe comigo. Coma.

– Mas não quero mais ir.

– Só coma. E se vista. Deixe tudo comigo.

Sachiko se sentou, falou *"Itadakimasu"* e comeu o arroz e a sopa de missô, saboreando os pedacinhos de *daikon*. Depois de comer, se sentiu mais forte. O nó de tristeza em sua garganta ficou menor. Terminou o peixe, contente por ter se alimentado, e juntou as mãos.

– *Gochiso sama deshita*.

– Agora vá se arrumar depressa.

Ela vestiu seu *yukata* azul com a faixa *obi*[20] azul-clara. Várias garotas hoje em dia preferiam *obis* excessivamente ornamentados, mas Sachiko gostava das mais tradicionais e simples. Colocou meias brancas e tirou as sandálias *geta* de madeira do armário. Levou-as até o *genkan* e as deixou ali para serem colocadas na hora de sair. Sua mãe a observou enquanto ela passava.

– Sacchan! Você dormiu em cima do penteado e amassou tudo.

Ela levou a mão à boca.

– Não se preocupe! Pegue uma escova no banheiro. Vamos arrumar isso.

– Mas *okasan*...

– Olhe, por que não deixa solto? Seu cabelo é lindo. Por que tem que prendê-lo, só porque todas as outras garotas fazem isso? Vamos ver como ele fica solto.

Ela se sentiu mais calma enquanto a mãe penteava seu longo cabelo. Mas estava ansiosa por ir sozinha. Nem teve tempo de falar com as amigas para perguntar se alguma delas podia acompanhá-la. Claro, ela encontraria vários conhecidos lá, mas achava um pouco triste ir sozinha.

Sua mãe terminou de escovar seu cabelo e foi buscar um espelho.

– Aqui. Assim está melhor.

Ela observou o cabelo comprido no espelho e não conseguiu evitar um certo orgulho e surpresa com o julgamento da mãe. Deixar o cabelo solto fora uma boa ideia. Segurou um sorriso.

---

20 Parte essencial da vestimenta tradicional japonesa, especialmente para quimonos – faixa larga, feita de seda ou brocado, enrolada em torno da cintura e amarrada com um nó nas costas.

– Mas *okasan*, não tenho ninguém pra ir comigo.

Sua mãe estalou a língua.

– Não fique brava, mas eu já imaginava que isso ia acontecer. Liguei pra uma pessoa.

Alguém bateu à porta. Sua mãe se levantou e foi atender.

– Shingo-kun! *Konbanwa*.

– *Konbanwa*, Shibata-san.

Sachiko ficou de pé, alarmada. Não podia ser.

Ele estava usando um *jinbei* verde-escuro e tinha um sorriso tímido no rosto. Ela notou suas pernas bronzeadas e musculosas, cobertas de pelos grossos. Seus ombros eram largos. Ele parecia mais forte e confiante do que quando estava de uniforme.

Shingo observou-a em seu *yukata* azul.

E congelou, incapaz de falar.

– Agora vão e divirtam-se – sua mãe falou, radiante.

⚛

Moda extravagante, unhas artísticas espalhafatosas, cabelos tingidos, celulares nas mãos ou enfiados no *obi*. Homens de cabelos espetados, mulheres de penteados elaborados. As ruas estavam movimentadas com as festividades noturnas. Eles atravessaram a multidão; Shingo à esquerda, Sachiko à direita. As cores brilhantes das roupas tradicionais moviam-se em bando, gravitando em direção a algo desconhecido.

O calor do verão não amenizou durante a noite, e vários leques bagunçavam penteados e toalhas enxugavam o suor escorrendo das sobrancelhas.

Sachiko sentiu uma estranha confiança com o cabelo solto, como se fosse uma princesa antiga ou um fantasma do livro *Genji Monogatari*. Notou as pessoas olhando para ela – ela se destacava do resto. Mas parecia uma atenção positiva, que levantou seu ânimo. Sua única preocupação era que alguém a visse com

Shingo e a fofoca circulasse pela cidade, eventualmente chegando até os ouvidos de Ryu-kun.

Mas e daí? Ele tinha cancelado com ela, não? Ela só precisava de um acompanhante, e este era Shingo, afinal de contas. Poderia até fazer bem a Ryu-kun sentir um pouco de ciúme. Ela sorriu consigo mesma.

Sachiko deu uma olhada discreta em Shingo. Na verdade, ele estava bem bonito sob aquela luz. E parecia feliz, com a toalha pendurada no pescoço que ele de vez em quando usava para enxugar as gotas de suor da sobrancelha.

As lanternas iluminavam as ruas; a multidão pulsava e ressoava de empolgação. O cheiro das comidas atiçava suas narinas, vindo das barracas fumegantes de *yatai* que ganhavam vida com suculentos espetos de carne *yakitori*, fitas gordurosas de *yakisoba*, lulas fritas, *okonomiyaki* e frango frito *karaage*. Todos estavam comendo e bebendo.

– Quer alguma coisa? – Shingo apontou para uma barraquinha vendendo bebidas geladas, armazenadas em um balde de gelo.

– Sim, ótima ideia.

– O que vai querer?

– Hum... – Ela ficou indecisa. Pensou em pegar um refrigerante Ramune. Sempre bebia esses com o pai quando ele a levava para os festivais na infância.

– Vou pegar uma cerveja Asahi – ele falou.

– Eu também. – Ela alcançou a bolsa para pagar.

Shingo empurrou-a de leve de volta para o *obi*.

– *Arigato gozaimasu*. – Ela fez uma reverência.

Ele pagou as bebidas e ofereceu uma latinha para ela.

A cerveja estava gelada e Sachiko se animou com a noite.

Havia pessoas dançando nas ruas. Equipes de dançarinos vestidos com *yukata* parecidos desfilavam sob a luz das lanternas com sorriso no rosto. Jovens e velhos participavam, e toda a cidade se juntava para celebrar a noite – todos se tornavam um. Um grupo de homens passou carregando um *omikoshi* portátil, um pequeno templo, acompanhado por vivas e gritos. Havia música, risada e fogos de artifício.

Sachiko e Shingo beberam mais cerveja e caminharam pelas ruas, absorvendo o máximo que podiam. Conversaram sobre amenidades e falaram sobre alguns conhecidos que tinham em comum, sobre cafés, lojas e restaurantes de que ambos gostavam. Shingo prestava atenção no que Sachiko dizia, e se os olhos dela pousassem em alguma barraca ou alguma bugiganga ou souvenir, ele sacava a carteira sem hesitar.

Sachiko abanava a mão para indicar que não era necessário, mas ele a ignorava, voltando com algo para ela todas as vezes – fosse uma marmita de *yakisoba*, um *karaage* ou uma raspadinha.

Quando viram as horas e perceberam que estava tarde, Sachiko ficou um pouco surpresa, porque a noite tinha passado rápido. A multidão de jovens já tinha desaparecido, deixando para trás apenas alguns senhores bêbados, que seguiam abraçados cantarolando para os karaokês, compartilhando sua felicidade com os amigos.

– Vou te levar pra casa – Shingo falou.

– Está tudo bem, Shingo-san. Posso voltar sozinha.

– Não, eu te levo. Não custa nada.

– Tem certeza de que não vai desviar do caminho?

– Tenho. Eu gosto de caminhar. Essas pernas aqui são bem fortes por conta das rotas das correspondências. – Ele sorriu.

▲▲

Tudo teria sido bem diferente se Shingo não conhecesse a cidade tão bem.

Eles estavam caminhando juntos pela avenida principal de mãos dadas. Shingo tinha pegado sua mão de repente, e Sachiko não soube o que fazer. Estava um pouco bêbada e deixou. Se estivesse completamente sóbria, talvez não o deixasse fazer isso. Mas a noite tinha sido tão agradável que parecia uma pena estragar a felicidade que eles tinham experimentado no festival.

Andando de mãos dadas com ele à esquerda, ela se lembrou novamente de quando ia aos festivais com o pai quando era mais nova. Antes de ele adoecer.

– Podemos cortar caminho por aqui. – Shingo a conduziu para fora da avenida.

– Tem certeza? – Sachiko estava um pouco desorientada.

– Sim, este caminho passa pelo templo, mas é muito mais rápido do que se fôssemos pela avenida até o cruzamento. Confie em mim! Caminho por essas ruas todas as manhãs. Entrego até a correspondência do templo! – ele disse, muito alegre.

A rua era estreita e escura, ladeada por árvores de ambos os lados, e as lanternas de papel penduradas nas árvores para o festival ofereciam um pouco mais de luz que o normal, tornando mais fácil caminhar por ali. As lanternas de pedra do caminho não tinham velas, e estavam cobertas por um sinistro limo verde.

Ela prendeu o fôlego conforme eles se aproximavam do templo.

Sachiko tinha más lembranças daquele lugar.

E ficou enjoada.

Era aquele templo. Ou não?

Era o templo que ela visitara no outono, quando as folhas estavam ficando vermelhas – feito as manchas de sangue que ela viu na calcinha por dias depois do aborto. Ela fora até o templo e deixara uma estátua de Jizo ali para proteger seu *mizuko* – seu *bebê do rio* –, seu feto não nascido. Purgado por doses de mifepristona e prostaglandina. Levado pelo rio da medicação sem ter tido qualquer chance. As almas das crianças que morrem antes dos pais não conseguem cruzar o mítico rio Sanzu e permanecem no inferno. Ela comprara uma estatueta de Jizo com um gorro e um babador vermelho na loja do templo e o colocara ao lado de centenas de outras estatuetas da prateleira – espalhadas feito as folhas mortas de bordo, *momiji*, ao redor da construção –, uma para cada um dos nascituros da cidade. Ela rezou para que Jizo protegesse seu pequeno *mizuko* na vida após a morte. Ela se perguntara se Jizo honraria a promessa de não alcançar o estado búdico até que todos os infernos fossem esvaziados.

Naquela noite, ela tinha implorado para que Ryu-kun usasse camisinha. E ele dissera que não tinha, que não teria problema fazerem sem. Ela lhe pedira que não gozasse dentro dela. Ele concordara, mas mesmo assim fizera aquilo. E quando ela lhe disse que estava grávida, ele falou que não estava pronto, que estava ocupado demais com trabalho, mas que, quando conseguisse aquela promoção, eles poderiam se casar e começar uma família. Será que ela podia fazer algo a respeito? Sabe, resolver a situação? Ele pagaria os custos.

Ela fora sozinha ao hospital, dizendo à mãe que ia visitar o pai. O que chegava perto da verdade, já que ela sempre passava lá para vê-lo deitado na cama, preso àquela máquina. Ela ficava vendo seu peito subindo e descendo devagar, ouvindo aquele bipe agourento de um homem que jogara sua alma contra a existência e perdera.

Então sua mente voltou ao presente quando eles passaram pelo templo e ela percebeu algo à direita, com o canto do olho, movendo-se sob o beiral.

Virou-se para olhar e viu o contorno de duas pessoas à meia sombra.

Um homem e uma garota com o *yukata* aberto, revelando suas pernas compridas. Sua calcinha estava nos tornozelos. O homem estava com a mão na virilha dela e eles estavam se beijando. Sachiko reprimiu um suspiro de susto e estava prestes a desviar o olhar.

Até que um único estouro de fogos de artifício foi lançado ao céu noturno e a luz iluminou perfeitamente o casal.

Um flash de olhos verdes.

Era a garota do salão.

E Ryu-kun.

Não havia tempo para pausas, e Shingo a puxou, alheio ao que ela vira na escuridão.

Ela caminhou em silêncio. Ele ainda estava em seu alheamento feliz.

Sua mão estava gelada na mão dele.

Então chegaram à casa de Sachiko.

– Bem, aqui estamos, Sacchan. Muito obrigado por esta noite. Me diverti muito com você.

Ela não sabia o que dizer. Estava tão confusa.

Ele hesitou, nervoso.

– Olhe, estava pensando… se quiser, podemos ir àquele café que você comentou mais cedo. Sabe, aquele que você disse que gosta? Que tal na terça?

Ela virou a cabeça, tentando se conter.

– Sacchan? Você está bem?

– Não ouse me chamar de *Sacchan*! – ela sibilou.

Ele deu um passo para trás, erguendo as mãos. Os olhos dela refletiam as luzes das lanternas das ruas.

– Não quero te ver nunca mais. Seu merda. Você me *enoja*!

Ela se virou e entrou correndo em casa, fechando a porta atrás de si.

Shingo ficou ali parado, abaixou a cabeça e caminhou pelas sombras.

Do outro lado da porta, Sachiko escorregou até o chão e abraçou os joelhos. Depois, enterrou o rosto nas pernas e começou a chorar.

A casa estava mortalmente silenciosa, exceto pelos soluços de Sachiko e pelos leves passos vindos do banheiro.

A gatinha tricolor se aproximou, curiosa.

Ela estava tremendo, e a gata lambeu sua mão.

Sachiko bateu nela com tanta força que quebrou seu maxilar.

Trofalaxia

O apartamento não é o mesmo desde que mamãe e papai morreram. Fiz algumas mudanças na maneira como as coisas são feitas. Tenho minhas próprias regras agora. Não preciso fazer o que minha mãe manda. Não preciso guardar as roupas nas gavetas nem as comidas nos armários – onde elas ficam escondidas e difíceis de acessar. Não preciso pagar as contas de energia nem de água – velas são suficientes de noite –, e descobri que a banheira é um ótimo lugar para guardar livros. Tento não tomar banho com tanta frequência, porque gosto do perfume natural e complexo que meu corpo produz com o tempo, especialmente durante os meses mais quentes. Gosto de cheirar minhas axilas discretamente quando estou no trem. Descobri que meu odor me confere muito mais espaço pessoal que os outros moradores de Tóquio recebem. Emito uma aura. As pessoas têm medo de mim e ficam longe.

Quando preciso tomar banho, vou até o *sentô* público na esquina de casa, que é mais que adequado. Sou um homem corpulento, abençoado com um pênis grande – uma coisa besta da qual se ter orgulho, eu sei –, mas gosto de entrar na banheira pelado para ver os olhares surpresos dos outros homens ao notar meu membro enorme balançando entre as minhas pernas. Geralmente eles ficam tão intimidados que saem na mesma hora, deixando a banheira toda só para mim.

Não, as coisas têm sido boas desde que mamãe e papai morreram. Eu estava feliz com minha nova vida no apartamento.

Até que aquelas malditas pretinhas chegaram e ferraram tudo.

⁂

Quando entro em casa, vejo que as formigas se multiplicaram. Elas estão cada vez mais numerosas desde a última vez que conferi. Elas passam por uma pequena fenda na porta. Vejo os cadáveres das que eu pisoteei esta manhã, mas outras tantas chegaram. Há uma longa fileira delas seguindo para a cozinha.

Elas são uma espécie invasora – são descendentes de uma antiga família de vespas e colonizaram o globo. Não há um país sequer onde elas não estejam presentes. Os seres humanos são fascinados por elas há séculos, pela sua ética de trabalho, pela sua resiliência. Pela forma como cooperam e se comunicam não só entre si, mas também coexistem com outras espécies. Elas são as invasoras supremas. Um enxame de conquistadoras.

E agora elas invadiram minha adorável casa. Estou em guerra – em guerra com as formigas.

Estou me preparando para uma longa batalha. Comecei a ler *A arte da guerra*, de Sun Tzu, que, apesar de ser chinês, era um homem inteligente.

A arte suprema da guerra é subjugar o inimigo sem precisar lutar.

Então, de agora em diante, vou deixá-las em paz. Vou escolher o momento certo, e daí vou destruir cada uma delas. Haverá sangue, carnificina, e eu sairei vitorioso do estupro e da pilhagem, o mestre de todos que tentam me atacar ou controlar. Hehe.

Por enquanto, preciso descansar. Tenho trabalho pela manhã e preciso ter um bom desempenho.

Meu trabalho é muito importante para mim.

⁂

Na manhã seguinte, acordo de mau humor. Aquela maldita gata estava gritando na minha janela de novo. Ela gritou e gritou a noite toda, e mesmo depois que abri a janela e berrei para o ar quente do verão, a maldita sarnenta não parou de gritar. Vociferei com todas as minhas forças, mas ela não parava. Daí um vizinho teve a ousadia de gritar para mim algo como:

– Cale a boca, seu maluco!

Acredita nisso?! Ele deixa a gata gritar a noite toda e fala para eu ficar quieto. Que absurdo!

Ainda assim, peguei o trem das 5h02 da manhã na estação Kichijoji para o Monte Takao, com meu café e um *onigiri* para o almoço comprados na loja de conveniência. Tive que gritar com o vietnamita cretino da loja que não me deu sacolas separadas para os itens quentes e frios – aonde este país vai parar? As lojas de conveniência estão fervilhando de idiotas estrangeiros! Deixa para lá. Agora começa uma das minhas partes favoritas do dia. Chego à estação e espero pacientemente pelo trem. Tiro foto de uma placa boba que vejo e a publico no fórum:

Re: Garota burra
LaoTzu616: Se a garota é burra o suficiente para deixar o chapéu cair nos trilhos, talvez ela devesse se jogar da plataforma também. Idiotas.

Eu amo meu trabalho. Tenho muito orgulho dele.

Sei que muitas pessoas que trabalham na fábrica de carros não gostam, mas nunca entendi por quê. Adoro os carros, adoro os robôs. Adoro poder usar meus músculos. Minha força é valorizada pelos meus superiores, e sou famoso por conseguir fazer o serviço de dois homens sozinho.

Adoro a natureza repetitiva dos ciclos.

Trabalho na Solda, onde as faíscas voam e as carcaças brancas dos carros são produzidas. Levanto as peças pesadas dos carrinhos, coloco-as no gabarito, que mantém todas elas na posição em que devem ser soldadas, depois aperto o botão vermelho para enviá-las para a gaiola dos robôs. Então eles trabalham nas peças com seus poderosos braços alienígenas serpenteando e enrolando-se ao redor da carcaça, soprando lentamente faíscas de vida no carro. A cada noventa segundos nasce um carro novo, e tudo começa comigo.

Quando vejo os carros e os táxis que fiz circulando pelas ruas de Tóquio, sinto uma forte onda de orgulho. Orgulho de ter criado algo, de ter desempenhado um papel na concretização de uma coisa real. Algo que você pode tocar.

Aqueles idiotas espalhados pela cidade trabalhando em planilhas nunca entenderiam esse tipo de sentimento. O que é uma pena. Tiro outra foto e faço nova publicação:

Re: Escória de motorista de táxi ingrato
LaoTzu616: Construí AMBOS os carros. E os motoristas, o que fazem? Se inclinam para fora dos carros e ficam papeando quando deveriam estar trabalhando! Um deles era um gordo que falava como um caipira.

⁂

Assim que chego ao trabalho, guardo minhas coisas no armário. Ignoro os outros operários amontoados em volta da mesa de fórmica bebendo café, e eles me ignoram. *Formica* significa "formiga" em italiano. Tudo sempre volta para as formigas. Agora não é hora de pensar nisso. Não aqui. Não no trabalho. Bato na cabeça com o punho e me viro; os homens estão com expressões estranhas no rosto. O que diabos estão olhando?

A linha começa às 6h e gosto de chegar cinco minutos mais cedo. Então vou para lá. O alarme toca e todos estão prontos para trabalhar. Estou no processo de noventa segundos hoje. Coloco os óculos de segurança, as luvas e mangas Kevlar, o capacete. Sinto o cheiro forte e familiar de borracha queimada.

Levantar a parte esquerda do gabarito, levantar a parte direita, seção traseira no lugar, viga transversal no lugar, mover para fora da área hachurada amarela, apertar o botão vermelho, a luz vermelha pisca, o gabarito se move para dentro da gaiola

Dou uma olhada à minha direita para as carcaças acabadas que já passaram por toda a Solda, penduradas em um monotrilho, saindo da Solda para a Pintura. Na Solda fazemos os corpos – chamamos-lhes de corpo branco. Depois de saírem dali, eles seguem para a Pintura, onde são mergulhados em subcapas e pintados com spray, ficando vermelhos, brilhantes e cintilantes, e depois seguem para a Montagem. Os caras da Montagem se acham os maiorais, mas a Solda é a melhor. Na Montagem, eles adicionam todos os detalhes no corpo, que lentamente se transforma em carro...

O gabarito saiu de novo. Levantar, parte esquerda, parte direita, seção traseira, viga transversal, fora da área hachurada amarela, apertar o botão vermelho, a luz vermelha pisca, o gabarito se move para dentro da gaiola

Só consigo pensar naquelas malditas formigas. Estou tão cansado. Aquela gata estava me deixando louco ontem à noite. Por que é que todas as coisas conspiram contra mim? Preciso mesmo ser atormentado por todos e por tudo que existe? Os robôs só me lembram das formigas. Seus braços sinuosos parecem patas gigantes, e sou um homem que foi encolhido, de modo que as formigas se elevam acima de mim. Preciso pensar em outra coisa. Não vou sobreviver ao dia se continuar pensando assim. Devo pensar em algo melhor...

O gabarito saiu de novo. Levantar, parte esquerda, parte direita, seção traseira, viga transversal, fora da área hachurada amarela, apertar o botão vermelho, a luz vermelha pisca, o gabarito se move para dentro da gaiola

Hoje é dia de pagamento. Sei que os outros operários vão falar de ir ao *soapland* de novo. Idiotas. Assim que embolsam uma grana, eles gastam tudo em álcool e sexo. Só para ter uma garota boba esfregando o corpo neles cobertos de lubrificante em um colchão inflável cinzento. Não sou tão burro assim. Gasto dinheiro, mas não em coisas fúteis e sujas como ressaca ou orgasmo. Estou procurando algo um pouco mais refinado. Talvez eu vá a algum *hostess club*[21] hoje à noite...

---

21 Estabelecimentos que atendem a um público masculino – nesses locais, os homens pagam para conversar com mulheres e em geral não há atividade sexual envolvida.

O gabarito saiu. Levantar, parte esquerda, parte direita, traseira, viga transversal, fora da hachura amarela, botão vermelho, luz vermelha pisca, o gabarito se move para dentro da gaiola

Sei que o que faço é estranho. Sei que é estranho querer dormir ao lado delas. É por isso que tenho que drogá-las. Não é uma coisa tão ruim assim, é? A garota não sofre. A maioria só acorda em um hotel sem lembrar do que aconteceu na noite anterior. Faço meu melhor para não machucar ninguém. Teve aquela vez... mas não vamos pensar nisso. É melhor seguir em frente. Só posso trabalhar com uma de cada vez. Talvez hoje à noite eu conheça uma linda *hostess* nova. Vou conseguir dormir bem ao lado dela...

O gabarito saiu. Levantar, parte esquerda, parte direita, traseira, viga transversal, fora da hachura amarela, botão vermelho, luz vermelha pisca, o gabarito se move para dentro da gaiola

Esses braços robóticos são hipnotizantes. Se alguém ficasse preso enquanto eles ganham vida, morreria em segundos. Os robôs são cegos: não conseguem ver nada e seguem um curso pré-programado. É para isso que serve o gabarito. O gabarito é seu ponto de referência fixo. Eles sabem onde o gabarito está e isso os ajuda a soldar as seções da estrutura do carro. Se as peças não estiverem exatamente onde devem estar, o braço do robô simplesmente rasga o corpo. Rasga o corpo branco do carro...

O gabarito saiu. Levantar, parte esquerda, parte direita, traseira, viga transversal, fora da hachura amarela, botão vermelho, luz vermelha pisca, o gabarito se move para dentro da gaiola

... e se um homem ficasse preso naquela gaiola (às vezes temos que entrar lá para consertar os robôs), seria cortado ao meio. O braço robótico rasgaria seu corpo feito uma *katana* quente cortando tofu... Isso não é um ditado de verdade. Eu que inventei. Gosto disso. Às vezes, curto ficar pensando em uma história de mistério e assassinato ambientada em uma fábrica onde um dos trabalhadores prende outro na gaiola e não o deixa sair, depois liga o robô e fica observando seu companheiro ser pulverizado, feito em pedaços, jorrando sangue por toda parte. Manchas de sangue por toda a carroceria branca dos carros...

O gabarito saiu. Levantar, parte esquerda, parte direita, traseira, viga transversal, fora da hachura amarela, botão vermelho, luz vermelha pisca, o gabarito se move para dentro da gaiola

Sim... seria possível matar alguém facilmente prendendo-o na gaiola. Existem procedimentos de segurança em vigor... mas... bem... Duas chaves precisam ser inseridas na placa de circuito para iniciar os robôs – eles não funcionam a não ser que ambas as chaves sejam inseridas. As chaves também abrem o portão do gabinete do robô. Devemos carregar uma chave conosco quando entramos na gaiola, mas as pessoas nunca seguem os procedimentos adequados...

O gabarito saiu. Levantar, parte esquerda, parte direita, traseira, viga transversal, fora da hachura amarela, botão vermelho, luz vermelha pisca, o gabarito se move para dentro da gaiola

... todo mundo sempre deixa a chave numa saliência ao lado do portão. Eu nunca faço isso, mas parece que a maioria das pessoas que trabalha aqui faz, como uma espécie de declaração de confiança. Acho uma idiotice, mas se é para criar o assassinato perfeito, tudo bem. Sim... da próxima vez que alguém entrar para consertar o robô e deixar a chave na borda, eu poderia facilmente trancar o portão e ligar o robô. Então eu poderia fugir discretamente ou até ficar por perto para assistir à diversão! Haveria sangue por toda parte...

O gabarito saiu. Levantar, parte esquerda, parte direita, traseira, viga transversal, fora da hachura amarela, botão vermelho, luz vermelha pisca, o gabarito se move para dentro da gaiola

▲▲

Às 16h, o alarme toca, a linha para e é hora de ir para casa. Muitos anos atrás, quando comecei neste trabalho, eu costumava ficar rígido e dolorido no fim do expediente. Mas hoje não mais. Meus músculos se desenvolveram nos lugares certos. Meu corpo é uma máquina agora.

Saio do trem depois do expediente e sigo para a cidade. Todos recebemos o pagamento hoje. É hora de planejar minha noite. Talvez eu jante fora – quem sabe um lámen? Estou com vontade de comer *okonomiyaki*, mas não vou voltar naquele restaurante de *okonomiyaki* de Hiroshima depois que eles foram tão grosseiros comigo da última vez. Só de lembrar fico de cabeça quente. Não, é melhor comer um *gyudon*. Publico na internet:

Re: Carne japonesa
LaoTzu616: Fiquei feliz de ver que este lugar SÓ serve carne JAPONESA. Nada daquela porcaria britânica de vaca louca, por favor! Estamos no Japão!

Depois, vou para casa, passo nas banheiras públicas, lavo o cabelo e faço a barba, visto meu melhor terno e sigo para um *hostess club*.

Li em uma das revistas sobre vida noturna que abriu um novo bar de *gaijins* em algum lugar perto da estação Roppongi. É um pouco longe de Kichijoji, mas não custa dar uma olhada.

Bar Angel... gostei desse nome.

▲

Roppongi é um lugar de merda purulento.

Não suporto caminhar por essas ruas, com aquelas japonesas soltas e *gaijins* bêbados olhando maliciosamente para elas em suas roupas curtas. Se não fosse pelo Bar Angel, eu nem viria.

É nisso que o Japão está se transformando – um parque temático para todos esses estrangeiros bêbados e pavorosos. Trabalhamos duro, nos escravizando diariamente nas fábricas, enquanto esses *gaijins* idiotas ficam brincando com nossas irmãs safadas à noite. É nojento. Passo por eles bufando o mais alto que consigo, comunicando que sua presença é indesejada.

O Bar Angel não tem nada de especial do lado de fora – é só um prédio típico com placas em néon. Corro os olhos pelo lugar e localizo o bar. Fica no nono andar. Tiro uma foto com o celular e publico-a no fórum, perguntando como foi a experiência que outros clientes tiveram ali:

Re: Bar Angel?
LaoTzu616: Alguém esteve aqui no 9º andar em Roppongi?
Foi bom?

Quando entro, é como se estivesse entrando em um sonho. Vejo garotas estrangeiras. Lindas deusas de pele branca, cabelo loiro, olhos azuis – todas em vestidos elegantes. É um típico *hostess bar*, só que em cada mesa há um japonês com uma estrangeira maravilhosa.

Um japonês atarracado e baixinho de terno faz uma reverência para mim.

– Boa noite, senhor – ele fala, todo educado e respeitoso.

– Boa noite, gentil senhor. Este lindo estabelecimento é seu?

– Kyaku-sama, sou o gerente. – Ele faz outra reverência completa. – Primeira vez no Bar Angel?

Estou tendo dificuldade para manter os olhos longe das garotas.

– Hum… isso, primeira.

– Deixe-me explicar nosso sistema.

Ele pega uma tabela e me explica os valores.

Uma loira de vestido vermelho passa por nós e acena para mim. Começo a suar um pouco e não consigo prestar muita atenção nele.

– Sim, sim. – Aceno a cabeça enquanto ele fala sem parar.

– Eu recomendaria o sistema de *open bar, nomihodai*, beba à vontade por uma hora pelo valor de 20.000 ienes. Caso pretenda comprar bebidas para a sua acompanhante, há um menu em cada mesa com a tabela de preços das bebidas. Quer escolher sua garota?

– Sim, por favor. – Ela tem que ser perfeita.

– Devo lhe informar que há uma taxa adicional de 5.000 ienes por esse serviço…

– Tudo bem. – Isso está demorando demais. Ele está me irritando.

– Por favor, tenha um pouco de paciência enquanto eu pego o catálogo com as fotos das garotas para o senhor escolher…

– Que tal aquela? – Não estou aguentando mais.

– Qual?

– Aquela ali, de vestido vermelho.

– Natasha?

– Sim. Ela. Ela vai servir.

– Excelente escolha, senhor. – Ele a chama. – Natasha!

Ela se vira feito... bem, feito uma anja, com seu longo vestido vermelho. Seu cabelo loiro vai até o pescoço, e não consigo olhá-la nos olhos. Eles são tão brilhantes e azuis que quase me ofuscam. Ela sorri para mim. Aceno a cabeça e olho para a parede.

Vai ser mais fácil se ela estiver de olhos fechados. Quando ela pegar no sono, vai parecer a Bela Adormecida.

– Natasha, por favor, leve esse senhor... – Ele se volta para mim, esperando que eu diga meu nome.

Invento um:

– Tanaka.

Seu sorrisinho demonstra uma mínima desconfiança. Tanaka é comum demais.

– Por favor, leve Tanaka-san a uma mesa. – Da próxima vez, vou dizer Sugiwara ou algo assim.

– Zertamente. – Afe. Seu japonês é uma merda. Mas não importa. Espero que ela não fale dormindo. – Danaka-zan, por azi, por favor.

Assinto e sigo-a até a mesa.

Nos sentamos juntos e ela se inclina um pouco para mim. Já estou sendo sugado pelo seu glamour e seu charme. Ela sorri.

– O que quer zezer?

Não faço ideia do que ela está dizendo. Falo devagar e claramente:

– SEU JAPONÊS É MUITO BOM.

– Zomo?

– EU DISSE QUE SEU JAPONÊS... – Talvez seu inglês seja melhor? Digo em inglês: – Fala inglês?

– Um pouco. O que quer beber?

Ahhhh. Sua voz. É como música depois de ter meus ouvidos entupidos de lama.

– *Shochu*. Com gelo.

Ela assente de leve e gesticula para o gerente, que traz uma garrafa, dois copos e um baldinho de gelo em uma bandeja. Ele coloca a bandeja na mesa, e faço uma carranca até ele nos deixar em paz.

Ela pega o gelo do balde e o coloca no copo lentamente, fazendo os cubos tilintarem. Olho para seus seios, para a brancura das partes do seu corpo visíveis sob o vestido vermelho. Sinto seu perfume nas minhas narinas e coloco a mão em sua coxa.

Ela se afasta um pouco enquanto serve o *shochu*, e ouço o agradável som dos cubos de gelo se quebrando, como se fossem ossos se partindo.

– Aqui está – ela diz, entregando-me o copo.

– Obrigado. De onde?

– Desculpe?

– Perguntei de onde.

– De onde o quê? – Ela franze o cenho de leve, e vejo uma feiura burra em seu rosto pela primeira vez.

– Você. De onde? – falo devagar.

– Ah... de onde eu sou? De Moscou. Rússia, querido.

– Vodca – digo.

– O que tem? Quer beber vodca?

Ela começa a gesticular para o gerente, mas levanto a mão para impedi-la.

– Não, vodca é da Rússia – digo, pensando que falei a coisa mais inteligente que consegui sob pressão. Seria muito mais fácil conversar em japonês. Ela assente devagar, parecendo confusa. Nunca conheci nenhuma russa antes. Sobre o que posso falar? Li *Crime e castigo*. Talvez a gente possa falar sobre o livro... um dos meus favoritos. – Dostoiévski é russo.

– Sim, mas nunca li nenhum livro dele – ela diz. Depois, dá risada e toca meu pulso. – Não gosto de ler livros velhos e chatos, querido.

Então sinto uma onda de felicidade me dominar. Ela deve estar impressionada com o meu conhecimento.

– O que gosta beber? – pergunto.

– Definitivamente prefiro vodca.

– É? Gosta de vodca?

– Sim, querido. Compre uma vodca pra mim, estou com sede.

Ela esfrega meu braço e me sinto desejado.

– Claro. O que quiser.

– Obrigada, querido! – Ela já está gesticulando para o gerente. – Vodca! – ela grita.

Observo o menu na mesa e corro os olhos pela lista, procurando a vodca. Puta merda. Sete mil ienes por uma vodca?!

– Algum problema, querido? – Ela está olhando para mim.

– Oh… não. Problema nenhum.

Sorrio enquanto o imbecil do gerente traz a bebida dela em uma bandeja. Como é que eles podem cobrar sete mil ienes por uma dose insignificante de vodca como essa? Calma… preciso ficar calmo… Talvez ela fique bêbada. Talvez eu possa colocar uma coisinha na bebida quando ela não estiver olhando. Começo a pensar num plano para tirá-la daqui e ir direto para um hotel.

Olhe só para esses cabelos loiros, esses olhos azuis, as curvas do seu corpo branco debaixo do vestido vermelho justinho… estou no paraíso. Ela está me mostrando fotos do seu cachorrinho, cantarolando sem parar o quanto ela acha aquele vira-lata horrível um fofo. Mas me entrego e vou bebendo, contente pela noite estar indo tão bem. Então noto um maldito gato no meu copo. Natasha vai até o banheiro e eu pego meu celular:

Re: Gatos!!
LaoTzu616: Gatos!! Para onde quer que eu olhe neste país...
vejo malditos GATOS!!!

Alguns copos depois, ela está falando sobre compras em Ginza, e com o canto do olho vejo alguma coisa preta se movendo pelo chão do bar. Será que aquelas coisinhas do caralho entraram aqui também?

– Como? – Ela está me encarando com uma expressão ligeiramente preocupada.

– Desculpe? Estou bêbado? *Shochu* demais?

– Você acabou de falar *formigas*.

– Formigas? Por que eu diria isso?

– Sei lá, mas você estava olhando pra lá e simplesmente disse *formigas*.

– Ah... tem formigas no meu apartamento. Não é nada.

– Não parece bom... – Ela está me olhando como se eu fosse um maluco. Preciso disfarçar melhor.

– Como se diz *formiga* em russo? – pergunto.

– муравей – ela responde. Assinto, fingindo entender.

– Sabe falar *formiga* em japonês?

– Ah! Eu sei! – Ela dá um pulinho na cadeira e a fenda do vestido revela suas pernas compridas e brancas.

Quero lhe dizer:

– É...

– Não, não me fale. Eu sei essa, eu sei. – Ela faz uma careta de concentração e toca meu braço. Ela me ama.

Depois de pensar um pouco, ela abre os olhos e me encara esperançosa.

– *Mushi*?

– Não. Isso é só inseto.

– Droga. Pensei que fosse *mushi*.

– Não, errou. É...

– Não! Por favor! Por favor! Deixe-me adivinhar!

– É *ari* – digo, orgulhoso.

– Ah... *ari*! Eu sabia!

Estou me sentindo mais confiante agora – o *shochu* me deixou um pouco mais relaxado.

– Conhece essa brincadeira japonesa?

Pego um guardanapo e desenho dez pontinhos pretos nele. É só uma brincadeirinha infantil que toda criança aprende na escola, mas enquanto faço os pontinhos, a imagem daquelas terríveis formigas pretas se espalhando pelo lindo chão do meu apartamento me vem à mente. Começo a suar de novo, sinto as gotas acumulando-se nas sobrancelhas, nas axilas. Vamos lá... preciso manter a compostura... preciso me controlar. Não posso deixar as coisas desandarem como antes. Tenho que me concentrar.

Termino de desenhar os pontinhos e mostro o guardanapo para ela.

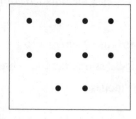

– O que é isso? – pergunto.

– Hum... não sei...

– Já desistiu?

– Sim. O que é, querido?

– É *arigato*! – digo, vitorioso.

– *Arigato*? Obrigado?

– Sim, mas não. Não. Não. – Ela não entendeu a brincadeira. Russa burra. – Olhe, tem dez formigas. *To* é outra palavra para dez. *Ari* significa formiga, *ga* significa... meio que "existir"... e *to* significa dez. *ARIGATO*! Entendeu?

Ela me olha sem expressão.

– Engraçado. – Ela termina o drinque e sorri. – Oh, querido. Minha bebida acabou. Posso pedir mais uma?

– Claro, por que não? – Talvez eu consiga colocar uma coisinha no próximo copo.

Mas quando o maldito gerente traz a bebida, ele gentilmente me informa que meu tempo está prestes a expirar. Eu gostaria de estendê-lo ao custo de mais 10.000 ienes? Faço uma reverência educada, digo que já me diverti o suficiente esta noite e vou embora logo depois. Da próxima vez, ela não me escapa.

Enquanto espero o trem para casa, verifico o fórum para ver se alguém respondeu meu comentário sobre o Bar Angel. Há uma resposta:

> Re: Re: Bar Angel?
> Aho80085: boceta *gaijin*.

Quando chego em casa, vejo que as formigas ainda estão lá.

Tento me masturbar pensando em Natasha. Imagino-a dormindo tranquilamente ao meu lado, mas então vejo as formigas subindo por seu corpo e me dou conta de que ela não está dormindo, está apodrecendo. Seu corpo está em decomposição e as formigas estão se espalhando por sua pele branca. Estão saindo por sua boca em filas compridas, andando por sua barriga, serpenteando por seus seios, descendo por seu corpo até chegar às unhas dos pés, pintadas de vermelho. Perco a ereção e ela não volta mais.

⁂

Mais um dia de trabalho. Estou cansado.

A maldita gata passou a noite toda gritando como se estivesse morrendo. Não consigo dormir. Essas formigas continuam me atormentando.

O próximo gato que eu vir vai levar um belo chute na fuça.

O gabarito saiu. Levantar, parte esquerda, parte direita, traseira, viga transversal, fora da hachura amarela, botão vermelho, luz vermelha pisca, o gabarito se move para dentro da gaiola

Fiz umas pesquisas na internet. Preciso envenenar a rainha. Não tem outro jeito. Tenho que matá-la, senão as formigas não vão parar de vir. Devo alimentá-las com uma isca envenenada para que elas a levem para a rainha. Chama-se trofalaxia. É irônico, mas devo aproveitar a natureza cooperativa delas para matar todas. Todas devem morrer. Não posso viver junto com essas formigas. *Faça planos sombrios e impenetráveis como a noite e, quando você se mover, que seja como um raio.* Palavras de Lao Tzu...

O gabarito saiu. Levantar, parte esquerda, parte direita, traseira, viga transversal, fora da hachura amarela, botão vermelho, luz vermelha pisca, o gabarito se move para dentro da gaiola

Preciso ver Natasha de novo. As coisas vão ser melhores dessa vez. Sei que posso fazer dar certo. Sei que se tiver um pouquinho mais de tempo e mais uma chance... tudo vai dar certo. Mas primeiro preciso me livrar dessas formigas. Antes eram só umas dez. Agora são milhares, e elas estão por toda parte. *Então na guerra, o jeito é evitar o que é forte, e atacar o que é fraco.* Preciso destruir as formigas. Antes que elas me destruam...

O gabarito saiu. Levantar, parte esquerda, parte direita, traseira, viga transversal, fora da hachura amarela, botão vermelho, luz vermelha pisca, o gabarito se move para dentro da gaiola

As coisas vão ser melhores da próxima vez. Nada vai dar errado. É só eu seguir o plano. É só lhes dar sonífero suficiente para que elas não acordem.

A gente nunca quer que elas acordem, porque daí teremos que dar um soco na mandíbula delas e pagar para que fiquem quietas. Não vou me arriscar. Vou lhes dar muito mais sonífero que o necessário. Daí elas vão ficar dormindo e eu vou poder descansar ao lado, assim como quando eu dormia entre minha mãe e meu pai quando era criança e tinha pesadelos...

O gabarito saiu. Levantar, parte esquerda, parte direita, traseira, viga transversal, fora da hachura amarela, botão vermelho, luz vermelha pisca, o gabarito se move para dentro da gaiola

Não sou muito reservado. Gosto de ir ao *onsen* para me expor. Às vezes, as pessoas gritam comigo – como aquela garota de Yufuin, Kyushu –, o que só me deixa mais excitado. Gosto de filmá-las gritando comigo e assistir aos vídeos depois. Elas são todas formigas também.

Mas, recentemente, não consigo mais saber o que é real. Vejo coisas em todos os lugares. Vejo formigas espalhadas por toda esta cidade infernal, enquanto aquela gata não para de gritar. Não sei se estou vivendo ou sonhando. Não me sinto nem vivo nem morto. Será que estou no inferno? Sonhando? Não sei mais o que é real...

O gabarito saiu. Levantar, parte esquerda, parte direita, traseira, viga transversal, fora da hachura amarela, botão vermelho, luz vermelha pisca, o gabarito se move para dentro da gaiola. Um alarme soa. Meu superior grita. Fico de joelhos e choro

E agora os robôs estão destruindo o corpo branco. A gata selvagem está gritando. E as formigas rastejam por minha mente. Rastejam sobre os túmulos de minha mãe e de meu pai. Que seguem abandonados no cemitério.

Pela expressão no rosto do meu superior imediato, já sei que perdi meu emprego.

Mas as formigas nunca param.

Hikikomori, Futoko e Neko

Ping, ping – gotas vermelhas atingem o asfalto.

Um ruído de dor vai serpenteando pela pista, levando a uma gata tricolor toda encolhida, balançando a cabeça e se contorcendo. Ela tenta ficar de pé várias vezes. Sua mandíbula pende, frouxa demais para morder um pedacinho de caranguejo. Ela enfim desiste.

A gata levanta a cabeça devagar e olha para a avenida principal. As barracas do festival ainda estão ali, mas estão dormindo profundamente.

Visão turva e fragmentada. Um vislumbre de uma cena trêmula. Três figuras vestidas de preto fúnebre passam pela entrada do beco. Uma família, talvez. Uma mãe, um pai e uma filha. Caminhando juntos, em uma unidade sólida. A mãe olha para trás para repreender alguém. Os três seguem em frente até desaparecerem. E então uma pequena figura negra passa, arrastando desajeitadamente seus sapatos grandes demais.

Um menino.

⁂

Kensuke viu a gata sangrando no fundo do beco. Ele passou correndo pelas barracas fechadas com tábuas do festival da noite anterior e olhou para ela com curiosidade. Não havia ninguém por ali. Só a porta de um apartamento térreo ao lado da gata. Kensuke notou uma placa estranha na porta, mas não leu o que estava escrito nela. Estava distraído demais com a gata.

Ela o encarou de volta, piscando, sofrida.

Pequeno, macio, ainda não endurecido pela crueldade. Mandíbula rechonchuda e olhos suaves. Vestido de tristeza, coberto de perda. Um terno preto prematuro para um menino do ensino fundamental.

Kensuke pegou a gata nos braços. Ela soltou um miado fraco.

– Olá, *neko*-san. Está machucada?

O menino embalou a gatinha com cuidado e saiu correndo atrás da família. Eles já tinham entrado no Lexus preto e três portas bateram com uma impaciência equilibrada.

Kensuke segurou a gata no braço com a maior delicadeza que conseguia, abrindo a porta traseira da direita com a outra mão. Ele não sabia, mas a machucava um pouco. Sentou-se no banco e, assim que fechou a porta, o carro seguiu em frente.

– Por que demorou tanto? – A voz da mãe tinha aquele embaraçoso sotaque coreano do qual ela não conseguia se livrar.

– Desculpe.

Kensuke manteve a gatinha perto do peito. Dava para sentir o coração dela batendo, e o seu também, fazendo um *tum tum tum* acelerado por conta da corrida até o carro. Ele estava ligeiramente sem fôlego.

Sentada a seu lado, vestindo um terno preto formal que contrastava bastante com seu uniforme habitual – suéter polo rosa e calça creme –, sua irmã, Kyoko, sussurrou para provocá-lo:

– *Baka*.

Ele a ignorou. Ela olhou para ele nervosamente para registrar sua resposta. Então viu a gata e uma nota de decepção surgiu em seus olhos.

– Oh, Ken! Por que trouxe essa gata?

Seu pai pisou no freio.

Tanto ele quanto sua mãe se viraram.

– Kensuke!

– O que estava pensando, pegando uma gata de rua desse jeito? – sua mãe gritou.

– Mas... ela está sangrando. Está com a mandíbula machucada. Precisa de ajuda.

– Kensuke. Essa gatinha não é sua. Vá devolvê-la onde você a achou – seu pai falou com firmeza. – Vá.

– Mas *otosan*... ela vai morrer. Que nem a *obaasan*.

– Kensuke, devolva. Já.

Seu pai, sempre tão rígido. Mesmo que algo tivesse lhe tocado.

Kensuke abriu a porta e desceu do banco de couro branco. Fechou a porta atrás de si.

– Kyoko, tem sangue no banco? – seu pai perguntou.

– Não, está limpo.

– Que bom. – Seu pai ficou observando Kensuke pelo retrovisor. Suas perninhas se estendiam enquanto ele corria com a gata nos braços. – Esse menino está ficando *estranho*.

– Temos que ser pacientes com ele. – Sua mãe tocou o braço do marido. – Se quisermos que ele volte pra escola no próximo semestre. Temos que ser pacientes.

– Vocês o pressionam demais – Kyoko disse.

– Fique quieta, Kyoko – sua mãe soltou.

▲▲

Naquela manhã, Naoya estava sentado no sofá, jogando Puyo Puyo Monster Mayhem e bebendo uma garrafa de isotônico Pocari Sweat quando alguém bateu à porta e ele ignorou. Então a campainha tocou.

Quem poderia ser?

Ele pausou o jogo e deu um gole nervoso na bebida. Ninguém aparecia em sua casa, a não ser que fosse alguma entrega, e os entregadores sabiam que não deviam tocar a campainha. Ele pensou que, se apenas ignorasse, quem quer que fosse iria embora. Então retomou o jogo, apertando as teclas e observando as monstruosas bolas coloridas na enorme tela de plasma.

Não havia muito espaço no apartamento de Naoya agora.

Não com todas aquelas caixas, latinhas, garrafas de plástico, embalagens, pauzinhos quebrados, controles remotos grudentos, caixas de DVD de animês abandonadas e todos os outros detritos. O ar-condicionado zunia baixinho no canto, mantendo o verão lá fora. Torres de mangás se erguiam orgulhosas, apoiadas nas paredes velhas e amarelas. Lixo escondido debaixo de lixo, matéria sobre matéria. Uma reentrância permanente no sofá de tanto ficar sentado. Pratos tinham sido colocados na pia da cozinha, cobertos pelo sólido bolor do abandono, esquecidos havia muito. Tudo se acumulava dentro e sobre si mesmo.

Naoya tinha sistemas.

Ele não pedia para a loja de conveniência entregar comidas que exigiam qualquer tipo de esforço extra. Não precisava de pratos, nem de copos, nem de louças. Só recebia comida em embalagens descartáveis, prontas para serem colocadas no micro-ondas, prontas para serem dissecadas e coletadas com pauzinhos descartáveis de bambu – *waribashi*. Ele usava bastante a chaleira, principalmente para despejar a água quente em seu copo de lámen instantâneo. Contanto que não precisasse lavar nada depois. Contanto que não precisasse sair do apartamento. Ele nunca mais faria isso.

E claro, o apartamento não seria o mesmo sem Naoya – o elemento permanente.

Cabeça redonda e rosto coberto de barba. Ele raspava o cabelo e a barba com a mesma maquininha. Ele a comprara na internet para não ter que sair para cortar o cabelo. A cabeça raspada combinava com ele. Usava roupas largas – sempre o mesmo agasalho verde-ervilha da Uniqlo. Não era gordo antes, mas agora, com trinta e poucos anos, toda a sua inatividade estava se acumulando gradualmente em seu estômago. O elástico da calça de moletom acomodava a barriga crescente, e Naoya estava começando a se acostumar com isso.

Um dos seus *hobbies* favoritos – além dos *videogames* – era se masturbar com revistas do grupo feminino japonês AKB48. Sua preferida era Itano Tomomi. Ele queria poder conhecê-la. Se fosse a um dos vários eventos que elas faziam para os fãs, poderia conhecê-la, mas para isso precisaria sair do apartamento.

O que não era uma opção.

Então, em vez disso, ele olhava fotos dela nas revistas e mexia no seu *chinchin*, curtindo a sensação da barriga gorda balançando. Ele fantasiava com ela montando nele e beliscando seus mamilos. Ela dizia: "Naoya, *ai shiteru* – eu te amo". Depois ele tinha que se limpar com lenços de papel. E ficava deprimido, sabendo que uma garota como Itano Tomomi nunca daria bola para um desleixado como ele. Às vezes, ele chorava um pouco. Depois, jogava *videogame* e bebia refrigerante. Isso geralmente o fazia se sentir melhor. Ele costumava chamar prostitutas pela internet, mas estava farto de vê-las torcendo o nariz para o estado do seu apartamento. Elas não conseguiam nem esconder o quanto o detestavam. Agora só tinha suas garotas imaginárias para lhe fazer companhia.

As únicas coisas que *realmente* o faziam se sentir melhor eram mangás, animês, livros e jogos. Essas coisas afastavam o sofrimento. Ele tinha alguns amigos nos fóruns de *hikikomori*,[22] mas até eles o irritavam. Tinha um amigo simpático no fórum do Street Fighter II, mas Naoya não sabia muito sobre Street Fighter II – seu jogo era Puyo Puyo Monster Mayhem. De qualquer forma, fazia séculos que aquele cara não aparecia.

Naquela manhã, ele estava curtindo seu joguinho. Mas lá veio outra vez o *din don* da campainha se infiltrando em seu crânio. Ele teve que pausar de novo e olhou para a porta.

Vá embora. Vá embora. Me deixe sozinho.

Mas a campainha continuou tocando.

Quem poderia ser? Abaixou o controle e caminhou o mais silenciosamente que conseguiu até o *genkan*. Espiou pelo olho mágico. Estava claro lá fora. Naoya se sentiu um ninja. Movendo-se pelas sombras sem ser detectado. Sua visão se ajustou e ele viu um menininho todo de preto. Segurando um gato.

---

22 Trata-se do isolamento social voluntário, em que a pessoa privilegia o mundo virtual em detrimento do físico.

O que é que um menino está fazendo com um gato na minha porta? Será que é doido? O que diabos está acontecendo com esse bairro? Outra noite mesmo tive que mandar um maluco gritando sem parar calar a boca. Será que todo mundo enlouqueceu?

– Por favor, estou te ouvindo aí do outro lado. Você está jogando Puyo Puyo Monster Mayhem. Por favor, abra a porta. Essa gata vai morrer. *Issho onegai.* Por favor, me ajude – o garoto falou.

Naoya suspirou baixinho. Merda. Suas habilidades ninja o deixaram na mão – o volume de sua TV estava alto demais.

Uma buzina soou ao longe e Naoya ouviu uma voz berrando:

– Kensuke!

– Por favor, por favor, me ajude.

O menino estava à beira das lágrimas.

Por favor, vá embora, por favor, me deixe em paz. Por que Kensuke? Tudo o que quero é ficar sozinho.

O menino explodiu em prantos.

– Por favor, estou te implorando. A gatinha vai morrer. Vou voltar amanhã pra pegá-la. Por favor...

Naoya não estava nem usando a máscara antigás que tinha feito para se proteger dos germes flutuando no mundo externo. Mas havia algo naquele menino chamado Kensuke. Prendeu o fôlego e abriu a porta.

O rosto do garoto se iluminou.

– Obrigado, *onisan!*[23] Volto amanhã pra te ver. Preciso ir agora. Por favor, cuide da gatinha. *Arigato!*

Naoya não conseguia falar, porque não conseguia respirar. O sol machucava seus olhos. A umidade e o calor do verão o atingiram com força e quase o sufocaram. Ele já estava suando. *Preciso fechar a porta. Preciso entrar.* O menino enfiou a gata nos braços de Naoya, virou as costas e saiu andando. Naoya fechou

---

23 É a forma mais comum de se referir ao **irmão mais velho** em japonês, tanto de forma literal quanto figurativa. (N. E.)

a porta na mesma hora. Ficou respirando com força, ofegante, se agarrando à gata para se acalmar.

Merda. O menino voltaria amanhã. Ele teria que abrir a porta de novo. Puta merda. Ele tinha aberto uma caixa de pandora ao abrir aquela porta. Que erro.

Naoya levou a gata até a sala e a colocou em uma cesta improvisada feita de roupa suja e mangás velhos. Ele a observou desconfiado, sem saber o que fazer.

– Está com fome? – perguntou.

Talvez ele pudesse lhe dar um pouco de lámen instantâneo. Foi até a cozinha para ligar a chaleira.

Depois voltou e ficou olhando para ela. Dava para ver o sofrimento em seu rosto.

Pois era algo que Naoya conhecia muito bem.

⁂

A viagem para Shinagawa-ku levou um tempo por causa do trânsito. E seu pai não estava de bom humor. Sua mãe também estava brava.

– Você podia ter sujado sua camisa, Kensuke. Seu terno está todo bagunçado. Assim que chegarmos em casa, você vai tirar essa roupa e colocá-la para lavar. – Ela olhou para o marido. – Vamos ter que deixar tudo na lavanderia amanhã.

– Hum? – Seu pai estava concentrado no trânsito.

– Desculpe ter te dedurado – Kyoko sussurrou para Kensuke no banco de trás.

Ele queria responder "Tudo bem", mas era fisicamente impossível. Afastou a mão da de Kyoko, que tentava tocá-lo.

Em vez disso, balançou a cabeça e olhou para a janela. Viu o topo dos prédios gradualmente virando arranha-céus quando passaram pelo centro de Tóquio. Deixaram Kyoko na estação para que ela pegasse o trem para voltar para Chiba, depois continuaram a viagem apenas os três. O comércio se transformou em condomínios de apartamentos quando eles chegaram à região da Baía de Tóquio.

Kensuke morava com os pais em um daqueles prédios. Kyoko foi morar sozinha assim que começou a trabalhar, e o irmão mais velho de Kensuke se mudara para Gunma com a esposa e os filhos anos antes. Ele sentia falta dos irmãos. Quando era bem pequeno, adorava vê-los jogar Street Fighter II juntos. Gostava de ver Kyoko ganhar, o que sempre fazia todos rirem. Mas eles eram bem mais velhos, e Kensuke sentia como se só pudesse observá-los de longe. Ele nunca podia jogar. Então eles levaram embora o *videogame* e se mudaram. E agora tudo o que ele podia fazer era olhar pela janela. A vista do apartamento dava para a baía. Era um ambiente bastante estéril, comparado à área suburbana de onde tinham vindo, no oeste. No fim do dia, Kensuke gostava de ficar olhando para a água para ver as luzes da cidade no crepúsculo. Elas iluminavam a costa, e as águas escuras e o céu ficavam salpicados com o pisca-pisca e o brilho dos aviões chegando para pousar no aeroporto de Haneda.

Mas, naquela noite, Kensuke só conseguia pensar na gatinha. Ele já tinha decidido fugir no dia seguinte para voltar ao apartamento do homem verde-ervilha. Ele diria para os pais que estava indo brincar com os amigos. Eles não sabiam que não tinha amigos.

Na manhã seguinte, Kensuke escapuliu de casa e foi até a estação de trem. Embarcou no monotrilho da estação Tennozu Isle e desceu na próxima parada, na estação Hamamatsucho. O monotrilho conectava o aeroporto à cidade, e Kensuke viu alguns estrangeiros a bordo, com narizes tão grandes quanto suas malas. Ficou se perguntando se gostariam da comida japonesa. Torceu para que sim. Notou uma linda garota de cabelos loiros e olhos azuis; ela sorriu para ele e continuou lendo um livro em japonês. Ela estava de terno e parecia feliz.

Kensuke pegou a Linha Yamanote na hora do *rush* e foi horrível ser esmagado daquele jeito contra todos os outros passageiros. Ele não conseguia ver nada além de ternos pretos. Desceu na estação de Tóquio e pegou a Linha Chuo em direção ao oeste até Kichijoji. O número de passageiros havia diminuído porque estava saindo da cidade, mas ele percebeu que os trens que iam na outra direção estavam lotados. A viagem foi tranquila, apesar de haver um homem estranho murmurando sozinho. Ele fedia tanto que Kensuke mudou de vagão.

Foi fácil encontrar o apartamento do homem verde-ervilha de novo. Kensuke se lembrava da localização e da placa estranha na porta, ela dizia para não tocar a campainha. Notara um cheiro estranho quando o cara abriu a porta, e ficou se perguntando por que o homem ficara parado ali sem falar nada. Ele só estufara as bochechas, com o rosto todo vermelho. Kensuke torcera para que ele não fosse um maluco – tinha ouvido histórias sobre psicopatas de Tóquio que pegavam gatos de rua para matá-los. Mas havia algo nos olhos do homem. Algo que fez Kensuke confiar nele.

Desta vez, quando tocou a campainha, não demorou muito para que Naoya abrisse a porta.

⋰

– Oi, entre.

   – Como ela está?

   – Entre. Vou te contar tudo.

   – Ela está bem?

   – Bem, tenho uma notícia boa e uma ruim. Entre.

   – Onde ela está?

   – Dormindo.

   – Ela está bem?

   – Não muito.

   – O que aconteceu?

   – Ela está babando. Não consegue comer. Acho que quebrou a mandíbula.

   – Ela vai morrer?

   – Não. Fiz umas pesquisas na internet. Liguei pro veterinário que fica aqui perto. Eles podem fazer uma cirurgia pra colocar uns fios de aço na mandíbula dela.

– Ótimo!

– Marquei uma consulta pra hoje. Você pode levar a gata lá? Eu liguei e expliquei tudo. Vão te dar a conta, que você vai trazer para mim. O veterinário disse que vai ficar tudo bem.

– Claro. Quando a gente vai?

– Não posso ir com você.

– Por que não, *onisan*?

– Não me chame assim. Me chame de Nao.

– Beleza, Nao. Sou Ken.

– Então é isso. Está tudo arranjado. Você só precisa levar a gata a este endereço. Quando a cirurgia terminar, pode trazer a gata aqui pra descansar. Ela vai precisar de uns dias pra se recuperar, e você vai ter que levá-la de volta em um mês para remover os fios da mandíbula.

– Por que você não vai comigo?

– Não posso.

– Quando a gatinha melhorar, posso vir visitar?

– Claro. Mas não venha muito. Sou ocupado.

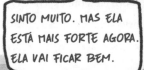

⁂

Kensuke parou de visitá-lo.

Naoya atribuiu isso à fuga da gata. Eles não tinham mais um vínculo. O mês passou rápido e, enquanto o verão virava outono, Naoya percebeu alguma coisa mudar dentro de si. No começo, ele ficava irritado com a presença da gata e de Kensuke. Mas, aos poucos, passou a ficar ansioso pelas visitas do menino. Também se alegrava com a companhia da gata. Ele fazia carinho nela quando estava se sentindo sozinho, e sentiu um tipo de companheirismo que não experimentava fazia muito tempo.

Mas, à medida que as semanas avançavam e setembro chegou, ele começou a voltar aos velhos hábitos. Quando Kensuke vinha visitá-lo, ele sentia a pressão de se arrumar, tomar banho e se barbear para ficar apresentável. Agora, estava voltando a ser desleixado de novo.

Ele pensou que tinha dois novos amigos. Mas o que sempre disse a si mesmo era real: não se pode confiar em ninguém. Agora que seus pais não estavam mais ali, ele estava sozinho. E só podia confiar em si mesmo. Era o jeito mais seguro de encarar a vida. Ele tinha dinheiro suficiente da herança para se sustentar. Era feliz sozinho. Admitia que sentira ternura e conforto com a exposição aos dois novos amigos. Mas ambos mostraram sua verdadeira face no final.

Não. Ele ficaria melhor sozinho.

⁂

Naoya ouviu o assobio de Shingo, o carteiro, antes que a carta fosse colocada na caixa. Ele não tinha pressa para pegar as contas, então preparou um lámen instantâneo e ligou a TV.

De tarde, finalmente pegou a correspondência e viu o pacote.

Estranho.

Ele o rasgou e pegou um pequeno livreto xerocado e uma carta dobrada ao meio. Abriu a carta e leu.

Nao,

Me desculpe por ter ido embora aquele dia. E me desculpe por nunca mais ter voltado pra te ver depois disso. Ouvi seu conselho. Voltei pra escola. No início foi difícil, mas comecei a fazer uns amigos. Tem outro garoto meio coreano na minha sala, Yusuke. Ele é bem forte. Talvez mais forte que você. A gente se tornou bons amigos, e agora ninguém mais pega no nosso pé por sermos meio coreanos. Acho que é porque eles têm medo de que Yusuke vá lhes dar uma surra. Ele fica doido se alguém o chama de "Coreia". A escola está bem melhor agora.

Me sinto mal por não ter mais ido te visitar. Sabe quando você se sente mal por alguma coisa, e daí só vai piorando e piorando, e você sabe que não dá só pra pedir desculpas, porque você sabe que palavras não funcionam muito nessas situações?

Desculpa. Talvez eu não consiga dizer pessoalmente. Mas é de coração.

Enfim, tomara que você não esteja bravo comigo.

Desenhei um mangá sobre você, eu e a gatinha. Mostrei pra minha professora de artes e ela ficou maluca dizendo que era muito bom. Mas eu não acho que seja. É só sobre algumas coisas que conversamos. Ela me fez desenhar mais e me ajudou a fazer um livro. Inscrevemos o livro em uma competição de mangá. Não ganhei o primeiro lugar, e fiquei meio triste com isso, mas peguei o segundo lugar. Minha professora disse que isso é maravilhoso, mas sei lá. Queria ganhar. Ainda assim, ganhei uns vale-livros de prêmio. Vou comprar mais livros de ficção científica de Nishi Furuni.

E vou continuar desenhando. Decidi que quero ser um artista de mangá quando crescer.

Se quiser saber por quê, é por sua causa. Sei que você sofre muito por dentro. E sei que os mangás te fazem feliz. Se eu desenhar mangás, talvez possa ajudar pessoas como você a serem mais felizes. Sei que parece uma ideia idiota, mas não consigo pensar em outra coisa que eu queira fazer quando for mais velho. E como você disse, não posso só ficar jogando Puyo Puyo.

Uma vez, você disse que era do futuro ou algo assim. Pensei bastante nisso. Talvez seja por isso que decidi voltar pra escola. Então acho que você me ajudou muito.

Daí eu pensei... E se você do futuro, tipo o Naoya de sessenta anos, viesse te visitar agora? O que ele te diria? Ele não falaria pra você sair do apartamento? Não te falaria as mesmas coisas que você me disse? Andei pensando bastante nisso, e acho que ele diria exatamente isso. Acho que ele te ajudaria.

Enfim, me desculpe de novo por não ter ido mais te visitar. E me desculpe por eu ter anotado seu endereço quando estava aí. Escrevi o endereço dos meus pais, se você quiser me responder.

Espero que goste de ler o mangá que escrevi sobre você, eu e a gatinha.

Cuide-se,

Ken

PS: Por favor, me avise se ela voltar.

Naoya leu a carta duas vezes. Ele se sentou no sofá e ficou folheando o livreto preto e branco sem parar. O título era *Hikikomori, Futoko & Neko*. Havia um desenho dos três na capa. E falava sobre o mês que eles passaram juntos com a gata e sobre as conversas que tiveram. A gatinha estava em cada uma das cenas – cada vez mais forte. E enquanto a história avançava, o apartamento ia ficando mais limpo. Tudo estava tão bem desenhado. O apartamento, a gata, Kensuke e Naoya. Todos pareciam felizes e sorridentes.

Mas agora ele estava chorando.

⁂

A gata estava mais forte do que nunca. Tinha se recuperado totalmente do acidente e voltou a vasculhar os velhos lugares em busca de comida, procurando aquela lembrança de uma vida anterior, de algo que estava faltando.

Ela estava na rua uma manhã, desfrutando de mais um lindo dia de outono, quando viu um homem usando um familiar moletom verde-ervilha caminhando bem devagar. Ele ia de poste em poste, abraçando cada um enquanto avançava. Um passo por vez, tão cuidadoso quanto alguém numa zona de guerra. Enquanto se aproximava dele, ela viu que ele estava indo na direção de uma caixa de correio vermelha.

Ele tinha um sorriso ansioso no rosto.

E estava segurando uma carta na mão.

Detetive Ishikawa: Notas do caso (3)

Várias semanas depois que fui visitar Shiwa no clube, falei para Taeko que ia sair com o carro. Parti de manhã cedinho e defini a trajetória no meu navegador até o complexo na província de Yamanashi, onde ouvi dizer que estavam mantendo o garoto desaparecido, Kurokawa.

O trânsito para fora da cidade estava calmo, e apesar da sensação de estar fugindo de tudo ao passar pelos túneis (o verde da vegetação ia ficando cada vez mais consistente), não pude deixar de ficar ruminando o que Seiji falara sobre minha ex-mulher no clube. Às vezes, tenho essa mesma sensação tarde da noite, quando estou tentando dormir. Sinto o cansaço e as dores nas articulações de sempre, mas também ouço uma vozinha na minha cabeça que simplesmente não para de censurar e censurar minhas ações. Repasso todos os erros que cometi, o que deveria ter dito naquela discussão, o que deveria ter feito diferente para ser uma pessoa melhor, todas as pessoas que magoei sem querer e todas as pessoas que magoei intencionalmente. Suponho que isso se chame arrependimento. Parecia que o arrependimento estava sentado no banco do passageiro, comendo um saco de batatinhas, bebendo um bom e velho refrigerante e me dando um sermão.

Eu nunca devia ter aceitado aquele caso. Nada de bom veio dele.

*Sim, sim. *Glup**

Mas eu só estava fazendo meu trabalho.

Eu só estava fazendo meu trabalho blá-blá-blá.

Meu dever é com o cliente.

Nossa senhora, essas batatinhas são uma delícia.

A lealdade se apresenta de diferentes maneiras.

Mas por que você não foi leal a ela?

Por que ela não foi leal a mim?

Lá vem a discussão da quinta série: ela que começou!

Não é assim.

Então como é? Você é tão frio e sem coração que não podia nem abandonar um caso envolvendo sua esposa?

Ex-esposa.

Ela já era sua ex desde o começo. Você nunca esteve presente.

Eu tinha que trabalhar.

"Trabalhar"? Se esconder por aí para tirar fotos dos outros?

Essas pessoas são desonestas. Elas merecem.

Você fala como um tirano. Quem é que te fez o guardião da moralidade?

Eu só faço meu trabalho.

Ouvi dizer que havia um monte de gente na Alemanha Nazista que também "só estava fazendo seu trabalho".

Cale a boca! Cale a boca! Saia da minha cabeça.

Eu sou a sua cabeça, Ishikawa. É melhor se acostumar. *Glup*

Você não pode ficar quieto um pouco?

Como quiser.

Obrigado.

Mas estou entediado. Que tal repassar uma cena que tenho aqui? Lembra quando você saiu aquela noite, quando aceitou o caso de Sugihara Hiroko? Lembra daquela senhora bonita e rica que tinha um marido traidor, não?

Pare com isso.

Você se lembra. Você saiu disfarçado – com seu chapéu e sua câmera escondida. Sabe, como sempre.

Por que está fazendo isso?

Você escreveu pra sua mulher dizendo que chegaria tarde, e ela respondeu pra você não se preocupar, que ela ia sair com os amigos da faculdade. Lembra?

Claro.

E você ficou esperando o marido traidor, Sugihara Ryu, atrás dos vasos. Você o estava seguindo, não? Ele era filho de um CEO figurão – tinha bastante dinheiro pra gastar. Você o estava perseguindo fazia semanas. Aquele playboy tinha tantas garotas na mão que ficou um pouco complicado, né? Mas você conhecia a agenda dele de cor, não é?

Eu a conhecia melhor que ele mesmo.

Sim, pois é. E você ficou ali escondido atrás dos vasos. E quando ele chegou, cambaleando de bêbado com aquela garota debaixo do braço, você ficou empolgado, não foi?

Sempre curto a perseguição.

Sim, você curte, né? Seu coração começa a bater mais rápido e você não se aguenta pra fechar logo o caso.

É sempre bom fechar um caso.

Certamente. Você trabalhou tão duro por isso.

Eu sempre trabalho duro – pelos meus clientes.

E você se lembra daquela noite em que chegou bem perto pra tirar uma foto? Você tirou, né?

Nunca perco uma oportunidade.

Mas tinha alguma coisa diferente daquela vez, né?

Eu olhei pra ela.

E o que você viu?

Ela.

Quem?

Minha mulher.

E como você se sentiu?

Bravo por um segundo.

E depois?

Livre.

Sim. É isso. Você se sentiu livre. Você sabia que poderia se livrar dela e ficar com o seu dinheiro.

Sim.

Você é ruim, Ishikawa.

Não sou.

Sim, é sim. Não importa o que você pensa. Você é um homem ruim.

Não. Sou um dos bons.

Você só fica dizendo isso para si mesmo, cara.

Sou um dos bons.

Você é um dos ruins.

Mas estou me esforçando para ser um dos bons.

⁂

Estacionei no complexo – uma antiga fábrica com barras em todas as janelas. Havia placas por toda parte dizendo *Limpeza geral*. O que diabos era esse lugar? O estacionamento estava praticamente vazio, a não ser por grandes vans ostentando o mesmo logotipo da *Limpeza geral*. Olhei atentamente e vi um pequeno símbolo das Olimpíadas de Tóquio de 2020 no canto. Segui para a entrada, mas, antes de chegar à porta, homens de terno vieram me receber. Um cara magro com pinta de bajulador, usando um terno irritantemente elegante e com uma prancheta debaixo do braço, liderava a procissão dos pesos-pesados.

– Posso ajudá-lo, senhor? Está perdido?

Ele parou na minha frente com a confiança de um homem fraco que tem muitos homens fortes para defendê-lo.

– Estou procurando uma pessoa – respondi.

– O senhor está ciente de que esta é uma propriedade privada? – Ele me olhou nos olhos como se eu fosse um idiota e piscou devagar.

– Sim. E não vim causar nenhum problema. – Sustentei seu olhar.

– Ah, que bom saber. – Ele sorriu, mostrando seus dentes brancos feito pérolas.

– Estou aqui em nome dos pais de um certo homem chamado Kurokawa, que acredito residir em suas instalações no momento.

Ele observou a prancheta. Depois mordeu o lábio.

– Sei. – Ele coçou a cabeça com o canto da prancheta. – Bem, primeiro, não posso revelar se esse tal de Kurokawa está alojado em nosso estabelecimento ou não devido à proteção de dados. Segundo, se ele estivesse aqui, eu não poderia lhe entregar sua custódia, a menos que houvesse uma prova escrita dos pais dele de que você está aqui em seu nome. Sinto muito por isso, mas regras são regras e estou apenas fazendo meu trabalho.

Fiz uma pausa. Peguei um cigarro e o acendi.

– Entendi. – Virei-me para o carro e comecei a caminhar até ele.

– Obrigado pela visita – ele falou.

Abri a porta do passageiro, fui até o porta-luvas e peguei um papel. Desdobrei-o com cuidado e o li enquanto voltava.

– Será que isto serve? – Entreguei-lhe o papel.

– Oh... – Ele o alisou na prancheta e ficou avaliando-o por um tempo terrivelmente longo, verificando os mínimos detalhes, como se estivesse procurando erros. – Bem, acho que é melhor o senhor entrar...

– Muito obrigado.

Segui a procissão, mas senti que havia uma certa relutância na maneira como todos eles moviam os pés.

⁘

O estabelecimento era branco e estéril por dentro. Havia barras nas janelas e travas em todas as portas. Era basicamente uma "prisão", mas acho que é por isso que eles se referiam ao lugar como "estabelecimento". Conduziram-me a uma sala de espera e me deixaram ali sentado com um copo de café. Disseram que iam buscar Kurokawa.

Quando voltaram, notei a familiar semelhança. Ele tinha os ombros largos do pai – parecia forte. Estava de macacão laranja e algemas. Suas mãos estavam na frente do corpo, e vi que lhe faltavam alguns dedos. Ele devia ter passado por momentos difíceis, mas parecia alegre.

– Kurokawa-san?

– Sou eu. – Ele sorriu. – Quem diabos é você?

O guarda fez menção de dar um tapa nele, mas ergui a mão.

Sorri de volta.

– Detetive Ishikawa. Seus pais me mandaram.

Quando mencionei seus pais, ele coçou o nariz com um dedo e suavizou.

– Prazer, detetive.

– O prazer é meu.

– Veio me tirar dessa espelunca? – Ele sorriu.

– Sim.

– Graças a Deus. – Ele olhou para o guarda que o trouxera. – Ei, brutamontes. Que tal tirar essas algemas, agora que sou um homem livre?

O guarda saiu da sala.

Kurokawa sorriu descaradamente para mim.

– Eu te trouxe roupas.

Ele assentiu.

– Só precisamos assinar uns papéis e vamos poder dar o fora daqui.

– Aleluia.

Sentados em silêncio ali na sala de espera, entendi que a bola estava rolando. Depois que assinássemos aqueles papéis, Kurokawa poderia se reunir novamente à família. Eu não ia ficar sentimental, mas percebi que poderia me acostumar com *esse* tipo de trabalho. Talvez eu fosse mais adequado para ser o cara que reúne famílias, em vez de destruí-las.

O homem da prancheta voltou e eu saboreei cada assinatura daquela papelada.

No carro, a caminho de Tóquio, Kurokawa e eu ouvimos música e conversamos um pouco. O céu estava ficando nublado e estava escuro para o horário. Paramos em uma loja de conveniência para comprar latinhas de café e *onigiri* para a viagem, e, depois que voltamos para o carro, deixei que ele falasse. Ele falou principalmente sobre a experiência de ficar preso naquele estranho buraco infernal. Apesar das dificuldades que relatou, ele parecia feliz. Contou muitas histórias sobre seu colega de quarto, que ele chamava de "Sensei". Devia respeitar bastante o cara.

– Então, eu saí da yakuza muitos anos atrás – ele disse, animado. – Estava morando na rua com meus amigos e Sensei.

– Ah, é?

– Daí a polícia pegou Sensei e eu e levou a gente praquela pocilga.

– Parecia um lugar tenebroso.

Fiquei me perguntando por que "Sensei" estava morando na rua com ele.

Ele ficou em silêncio por um tempo, depois me olhou com uma expressão séria.

– Então você é tipo um detetive, né? Tipo aqueles dos filmes?

– Acredito que sim, Kurokawa-san.

Liguei a seta e ultrapassei um caminhão que estava segurando a pista da direita.

– Pode me chamar de Keita.

– Claro, Keita.

Voltei para a pista da direita e começou a chover.

– Quer dizer que você consegue encontrar pessoas? – Havia esperança em sua voz.

– Faço meu melhor.

Pelo para-brisa, fiquei olhando para as gotas de chuva escorrendo no vidro, dividindo-se e juntando-se. Conectando-se e desconectando-se. A cidade surgiu no horizonte e pensei em todas as famílias se unindo e se desintegrando.

Keita tossiu, interrompendo meu devaneio.

– Preciso que você encontre uma pessoa pra mim.

– E quem seria essa pessoa, Keita? – perguntei, curioso.

Ele olhou para frente, através do para-brisa, além das gotas de chuva que caíam no vidro enquanto os limpadores as afastavam sem parar, ritmicamente. Nós dois olhamos para frente, para a cidade que ficava cada vez maior e mais perto.

– O nome dele é Taro. Ele é taxista.

Cerimônia de abertura

Ryoko olhou pela janela do avião e ficou observando o contorno do Monte Fuji à distância.

O céu estava límpido e azul, lembrando-a dos dias quentes de verão da sua infância. A visibilidade estava perfeita e era possível ver a cidade no horizonte em seu caos infinito. Ela soltou um suspiro – Gen estava dormindo tranquilamente no berço de viagem à sua frente. Ele estava se comportando tão bem durante o trajeto, sem dar um pio. Ela colocou a mão na de Erik. Ele não ergueu os olhos do livro, mas segurou sua mão e lhe fez um carinho suave com o indicador e o dedão sem interromper a leitura – estava completamente absorto. Ele era tão bom em se manter no momento presente, concentrado no que estivesse fazendo na hora. Não era como ela. Ela observou suas feições: o cabelo escandinavo que herdara dos ancestrais suecos, o rosto coberto pela barba que crescera rapidamente apenas nas catorze horas de voo direto de Nova York. Eles tinham partido de manhã. Compraram *bagels* de cebola e café para comer no aeroporto JFK enquanto esperavam o embarque para o aeroporto de Haneda.

– Haneda é muito mais perto da cidade – Ryoko disse, enquanto estavam sentados um de frente para o outro na lanchonete do aeroporto. Ela deu um gole no café, embalando Gen no *sling*. Falava com uma voz baixa e insegura, e respirou fundo para se acalmar. – Sei que é um pouco mais caro, mas você vai me agradecer quando chegarmos.

– Hum... – Erik mastigou seu *bagel* e engoliu. – Não é tanta diferença, querida.

– O aeroporto de Narita é muito mais longe – ela insistiu, balançando Gen com delicadeza.

– Relaxa. – Erik tocou sua mão de leve e sorriu.

– Eu sei, eu sei.

Ela mordeu o lábio. A ansiedade que sentia tinha começado desde que comprara as passagens para Tóquio, semanas antes.

O voo pareceu durar uma eternidade para Ryoko. Erik dormia de boca aberta e cabeça tombada para trás, com uma máscara cobrindo os olhos e um travesseiro de viagem amassado atrás do pescoço. Ryoko tirou uma foto dele com o celular e riu sozinha, imaginando como ele reagiria quando a mostrasse mais tarde. Aquele cara conseguia dormir em qualquer lugar – Gen teve a quem puxar. Depois, ficou mexendo nervosamente na tela do sistema de entretenimento do avião, procurando qualquer coisa decente para assistir. Ela começava um filme, se cansava e mudava para outro. Nada parecia agradá-la; nada a tranquilizava. Estava determinada a ver filmes japoneses no avião, mas não havia muitos e a seleção era ruim. Até que finalmente escolheu *Pais e filhos*, de Koreeda Hirokazu, que já tinha visto, mas assistiu de novo até o fim.

As legendas em inglês apareceram automaticamente e ela não se deu ao trabalho de desligá-las, o que a fez se sentir levemente culpada – que tipo de japonesa assiste a filmes com legendas em inglês? Dois filhos eram trocados no nascimento e se reuniam com suas famílias biológicas anos depois. Drama familiar, conversas tensas, pessoas incapazes de dizer o que queriam. Ela chorou incontrolavelmente. Teve que fechar os olhos e prender o fôlego para reprimir os soluços que vinham de algum lugar no fundo do seu âmago. Será que eram só os hormônios? Por quanto tempo ela poderia usar essa desculpa para justificar as emoções que a invadiam? Tentou se lembrar se sentia isso antes da gravidez.

Os dois dormiram a viagem toda. Ela olhou para Gen pela milionésima vez, ainda dormindo tranquilamente, e depois para Erik, agora lendo com concentração. Desta vez, ele percebeu que ela o observava e ergueu a cabeça de repente, fechando o livro.

Ele se espreguiçou um pouco e bocejou.

– Não consigo acreditar que seu avô escreveu isso. – Ele sacodiu o livro à sua frente.

Ela olhou para ele mais uma vez – era a mesma edição que ela viu uma passageira lendo no voo. Isso a deixava ao mesmo tempo e em igual medida orgulhosa e ansiosa. Ela ficou lançando olhares furtivos tanto para Erik quanto para a mulher lendo o livro do outro lado do corredor.

– Posso ver de novo?

– Claro. – Ele lhe entregou o livro e soltou o cinto de segurança. – Vou ao banheiro. Preciso ir antes que o aviso do cinto acenda.

Ele se levantou e desviou educadamente das pernas do homem que dormia no assento ao lado, tomando cuidado para não acordá-lo.

Abençoado seja ele, pensou Ryoko. *Ele sabe que eu odeio o assento do meio.*

Ela olhou para a capa dura do livro de Erik.

Contos de ficção científica de Nishi Furuni.

Foi até a última página e ficou olhando para a foto em preto e branco do avô que via em todos os lugares, em todos os materiais promocionais, desde que era criança. Gen tinha recebido esse nome em homenagem ao avô – uma abreviação de Gen'ichiro. Será que ele escreveria poesia ou ficção científica quando crescesse? Falaria com ela em inglês ou japonês? Será que ia querer aprender japonês nas aulas de idiomas para as quais os outros pais japoneses levavam seus relutantes filhos em Nova York? Será que ele a odiaria por fazê-lo estudar os difíceis caracteres *kanji*? Ou, ao contrário, ficaria ressentido com ela se Gen crescesse sem falar japonês porque ela não o *obrigou*? Ela passou o dedo pelas feições do avô na página. Será que Gen ficaria parecido com ele também? Seu avô era a cara de seu pai agora.

Gen'ichiro. Ela tinha deixado o "ichiro" fora do nome de Gen por um motivo: nunca mais queria ouvir esse nome em sua vida. Tio Ichiro... Gen jamais seria como *ele*. Ela se certificaria disso.

Seus olhos percorreram a sobrecapa do livro até uma segunda foto abaixo da de seu avô, esta de uma garota loira de olhos azuis com quase trinta anos.

SOBRE A TRADUTORA

Flo Dunthorpe nasceu e cresceu em Portland, Oregon. Formou-se no Reed College, com especialização em Literatura Inglesa. Atualmente mora em Tóquio...

Imagine escolher vir para Tóquio! Voluntariamente! Ryoko não conseguiu ir embora rápido o suficiente. Nunca tinha estado em Portland, Oregon – a Costa Oeste era tão longe –, e provavelmente a cultura dali era bem diferente da de seu novo lar na Costa Leste. Mas, ainda assim, tinha certeza de que preferiria Portland a Tóquio, mesmo sem jamais ter pisado os pés lá. Observou a foto de Flo e parte dela sentiu inveja daquela estadunidense perfeita, de seu inglês e japonês perfeitos, mas, acima de tudo, de sua capacidade de viver e ser feliz na cidade natal de Ryoko – mais feliz que ela mesma.

Erik voltou e se sentou ao seu lado, então ela fechou o livro e o devolveu para ele.

– É muito bom, sabe – ele disse, guardando-o com cuidado no bolso do assento à frente. – Essas histórias são malucas. Você já leu todas?

– Quase todas. Vovô costumava ler pra mim e minha prima, Sonoko, quando éramos crianças. Meu pai também. – Ela olhou novamente para o pseudônimo do avô na capa que escapava do bolso diante de Erik, escrito em letras pretas romanas, mas o *kanji* do nome dele produziu caracteres multicoloridos em sua mente. Famílias! Que bagunça. – Ele sempre lia para mim antes de eu dormir. Vovô escreveu essas histórias pra Sonoko, sabe.

– Eu li sobre isso na *Foreword*. – Ele tocou seu braço, pois sabia que ela e a prima eram próximas. Ryoko comprimiu os lábios e não falou nada. Eles ficaram olhando para Gen, ainda dormindo. Depois de uma pausa, Erik continuou: – A gente pode ler essas histórias pra esse menininho aí, quando ele for mais velho. Acabei de ler um conto muito estranho sobre um gato robô. Qual era a dele com gatos?

Ryoko sorriu.

– Nossa, ele adorava gatos, era maluco por eles. Ele costumava dizer: "É possível julgar uma sociedade pela forma como ela trata seus gatos". Eu nunca tive certeza...

Eles foram interrompidos por um anúncio.

– Senhoras e senhores, em breve iniciaremos o procedimento de pouso. Por favor, apertem os cintos de segurança, recolham as bandejas e retornem os assentos à posição vertical. *Mina san, kore kara...*

Ryoko se distraiu quando a comissária começou a falar em japonês. A língua lhe parecia estrangeira e alienígena agora. Seus ouvidos tinham se acostumado ao inglês, que lhe parecia cada vez mais natural. Ela o preferia para expressar suas emoções, pois o japonês sempre sufocava seus verdadeiros sentimentos. Mais cedo, ela respondera a comissária de bordo em inglês, apesar de ela ter falado japonês. Estava se sentindo boba por conta disso e ficou levemente vermelha de arrependimento, mas lhe parecera um pequeno ato de rebeldia – *não me classifique de acordo com a minha aparência*, pensara. *E se eu fosse uma chinesa-americana viajando para Tóquio para as Olimpíadas?* Mas agora se sentia mal pela comissária – ela só estava fazendo seu trabalho. E daí se tinha feito uma suposição?

Ryoko olhou pela janela de novo para a vasta cidade abaixo.

Aquela cidade terrível, assustadora e solitária. Ela tinha fugido para ficar com Erik, para morar em Nova York. Não voltava desde o funeral da mãe e, se seu pai não morasse lá, jamais voltaria. Ela tentara convencê-lo a se mudar para Nova York, para morar perto dela, Erik e Gen, mas ele só balançou a cabeça no Skype, e foi o fim da conversa.

O avião pousou. Ela avistou um telhado vermelho na área de Asakusa, uma pequena mancha cor de sangue no mar de concreto, vidro e metal, que logo desapareceu.

⁂

– Não japoneses por aqui, por favor – o funcionário idoso do aeroporto disse para Erik em inglês, indicando filas diferentes para as pessoas na imigração.

O senhor estava parado embaixo de uma enorme faixa que dizia:

BEM-VINDOS À TÓQUIO 2020

Ele olhou para Ryoko, embalando Gen no *sling*, e trocou para o japonês:

– *Nihonjin no kata wa, kochira no retsu ni onegai itashimasu.*

– O que significa essa última parte? – Erik sussurrou para Ryoko.

– Você tem que ir praquela fila. – Ryoko apontou a entrada para ele. – Eu tenho que seguir por essa aqui com Gen, porque somos japoneses. Queria que fôssemos todos juntos.

Ela achava um absurdo separar famílias de acordo com o documento que carregavam. Que diferença fazia se ela tinha nascido em um lugar e Erik em outro?

Eles eram uma família, era isso que contava.

– Não tem problema, amor. Vejo vocês dois do outro lado. – Ele soltou sua mão.

Erik acenou para Gen, que sorriu e gorgolejou.

– Dê tchau pro papai – disse Ryoko, mexendo a mãozinha do bebê. – *Tchau, papai. Até já.*

Gen ficou um pouco chateado de ver seu pai se afastando e chorou baixinho.

Ryoko o balançou gentilmente. Qualquer sinal de angústia a abalava. Será que era normal ou ela estava exagerando? Será que sua mãe também se sentia assim quando ela era bebê? Ela tinha tantas perguntas para lhe fazer, mas agora era tarde demais. Pensar na mãe tornava as coisas mais difíceis – ela afastou os pensamentos.

– Shhh, Gen-chan – sussurrou. – Vamos encontrá-lo daqui a pouco.

Ficou observando Erik seguindo para a fila dos estrangeiros – que estava inacreditavelmente longa, com tantos visitantes chegando para a Cerimônia de Abertura das Olimpíadas que aconteceria no dia seguinte. A fila dos japoneses estava muito menor.

– Ah, amor? – ele falou através das barreiras que separavam as filas. – Como era *obrigado* mesmo?

– *Arigato gozaimasu* – ela disse, falando claramente para que ele pudesse imitá-la. Um oficial da imigração os encarava.

– *Arigato gozaimasu* – ele falou, fazendo uma reverência. – *Arigato gozaimasu*. Ela sorriu. A pronúncia dele era surpreendentemente boa.

⠰⠶

Eles pegaram as malas nas esteiras e passaram pela alfândega sem problemas. Ryoko ficou procurando as placas indicando o monotrilho que os levaria para a estação Hamamatsucho, onde eles poderiam fazer a baldeação para a Linha JR Yamanote e seguir para o oeste até a nova casa de seu pai. O suave som das conversas animadas em japonês das pessoas à sua volta preenchia seus ouvidos; ela não conseguia bloquear as vozes e estava ficando sobrecarregada e tonta. Teve que piscar com força para se concentrar.

– Ryoko! – Erik falou, puxando a manga da sua blusa.

Ela se virou e viu Erik apontando para frente, e seus olhos seguiram o dedo dele. Estava apontando para alguém – um homem. Um homem mancando, caminhando em sua direção.

Ela não conseguiu deixar de levar a mão à boca.

Era a primeira vez que o via em carne e osso (por assim dizer) com a prótese metálica. Ele não tinha mostrado no Skype, e não tinha lhe dito uma palavra sobre isso. Ela sabia o que tinha acontecido pelas conversas no telefone com médicos e enfermeiras no hospital, mas isso não fora o suficiente para prepará-la para a realidade. Ficou constrangida não só pelo choque que sentiu, mas por sua reação. Devia ter estado ali quando o acidente aconteceu. Por que levara tanto tempo para vir? Seu rosto ficou vermelho de vergonha.

– Ryo-chan! – ele gritou, abanando a mão freneticamente e sorrindo de ore- lha a orelha para Gen. Ele passou por Erik e deu um beijo na bochecha de Ryoko, sem parar de sorrir para o neto. – *Okaeri nasai*, bem-vindos – ele sussurrou.

Ela sentiu uma lágrima se acumulando nos olhos e um nó se formando na garganta.

– *Tadaima* – Estou em casa – foi tudo o que conseguiu dizer.

De repente, seu pai percebeu que tinha ignorado Erik e se virou para lhe dar a mão, enquanto Erik fazia uma reverência. Eles hesitaram nos cumprimentos, fazendo uma dança engraçada, sem saber se davam as mãos ou faziam reverências.

Até que seu pai puxou Erik para um forte abraço e falou em inglês:

– Erik-san! Bem-vindo!

– Olá, Taro-san. – Erik se virou para Ryoko, sem graça. – Hum... amor... como se diz "quanto tempo"? Não. Espere. Já sei! – Ele se voltou para o pai dela e falou claramente: *Hisashiburi!*

– Isso! *Hisashiburi*, Erik-san. Seu japonês... muito bom!

– Não, é péssimo. – Erik coçou a bochecha timidamente. – Esqueci tudo.

– Sabe... melhor jeito... japonês bom? – Taro perguntou.

– Não. Como?

– *Shochu* – Taro disse, fazendo mímica de virar um copo. – Ou cerveja.

Eles deram risada.

Ryoko sorriu de vê-los se comunicando bem, apesar da barreira linguística.

Seu pai se virou para ela e Gen para fazer cócegas no queixo do bebê enquanto falava em japonês:

– Olhe só pra ele... meu netinho! Que bonitinho! Olhe só pros olhinhos... e pro narizinho! Venham, por aqui.

– Papai... eu te falei que você não precisava vir – Ryoko falou em japonês. – A gente podia ter pegado o trem.

– Com o pequeno Gen? E essas malas todas? Sem chance. – Taro balançou a cabeça. – É muito mais fácil irmos de táxi.

– O senhor trouxe o táxi? – Ryoko perguntou.

Taro a encarou, ignorando o que estava subentendido na pergunta.

Mas como é que você está dirigindo com uma perna só?

– Claro que sim! – ele disse, pegando a alça da mala dela e a puxando com desenvoltura. Em seguida, falou em inglês: – Erik-san, siga-me. Meu táxi... aqui!

⁂

– Erik-san! Olhe! – Taro apontou para a janela do táxi. – Torre de Tóquio!

– *Sugoi desu ne!* – Erik respondeu, arriscando o japonês que Ryoko lhe ensinara mais cedo no avião: *legal, não é?*

Ryoko ficou olhando o pai dirigindo sem dificuldade com uma expressão feliz no rosto. Ela ia com Gen no colo, enquanto Taro e Erik conversavam nos bancos da frente. Como fora boba – ele ainda tinha a perna direita. A prótese na perna esquerda ficava parada no chão, e ele só precisava da perna direita para pisar no freio e no acelerador. Que bom que ele era taxista no Japão e não na Europa – ele jamais conseguiria seguir dirigindo um carro manual. Mas os estadunidenses e os japoneses preferiam carros automáticos. Ela observou um artigo de jornal colado no banco de trás com uma foto de Taro orgulhosamente parado na frente do táxi com sua perna metálica. A manchete dizia: O TAXISTA DE UMA PERNA SÓ DE TÓQUIO!

O trânsito estava pesado, mas seu pai conhecia todos os atalhos e saídas. Tinha a cidade na palma da mão – não à toa não queria ir embora. Ele dirigiu daquela maneira cuidadosa de sempre, mas alguma coisa lhe dizia que havia uma suavidade extra aquele dia, especialmente para Gen.

Ryoko sentiu as pálpebras ficando pesadas. Gen estava dormindo de novo, e a luz de fora a deixava tonta. Sua empolgação e nervosismo davam lugar ao *jet lag*. Mas ela não queria pegar no sono. Queria ver seu pai e Erik se dando bem. Sentia tanto orgulho deles.

Olhou para o dorminhoco Gen. *Está vendo, Gen? É assim que você deve ser quando crescer.* Ficou pensando nessas palavras com força, projetando-as para fora dos olhos, como se pudesse fazê-las ganhar vida para formarem uma barreira protetora em volta do filho enquanto ele dormia. *Observe e aprenda com eles, e um dia você vai ser um bom homem também. Seja uma boa pessoa, Gen. Aprenda com eles para nunca ser como o seu tio.*

∴

Depois da longa viagem, eles chegaram à casa de Taro e pararam o carro no estacionamento coberto. Taro insistiu em carregar as malas sozinho. Ele fez Erik levar Ryoko e Gen para dentro primeiro, pois os dois estavam cambaleando de sono.

– Tirem um cochilo – Taro falou, pegando as malas do bagageiro com facilidade. – Coloquei vocês no meu quarto lá em cima. Montei o berço do Gen ali porque tem mais espaço. Vou dormir no quarto de baixo. Vão, entrem!

Erik carregou Gen direto para as escadas, sem perguntar nada. Ryoko ficou na entrada, querendo falar com o pai.

– O que está fazendo aqui? – Ele entrou com as malas e as colocou no corredor. – Vá pra cama. Podemos conversar de manhã.

Ela abafou um bocejo.

– Boa noite, pai.

– Boa noite, Ryo-chan. É bom ter você aqui.

Enquanto ela subia, ficou surpresa de ver uma luz escapando da porta do quarto de baixo. Seu pai devia estar ficando velho se andava se esquecendo de apagar as luzes.

Ela pegou no sono rápido, aos sons suaves de Erik e Gen roncando juntos e dos passos ocasionais vindos do térreo.

∴

Ryoko acordou cedo ao ouvir Gen se mexendo. Saiu da cama e o pegou no berço enquanto Erik dormia. Desceu as escadas de fininho com o bebê, tomando cuidado para não acordar ninguém. Recolheu o jornal, foi até a cozinha e fechou a porta. Depois de alimentar Gen, preparou um café. Hoje era o dia da Cerimônia de Abertura.

Ryoko se serviu de café e se sentou à mesa da cozinha com o jornal.

Folheou as páginas e as matérias sobre as Olimpíadas.

Quando viu a manchete, parou:

FAMOSO TATUADOR DE ASAKUSA É ENCONTRADO MORTO

Ojima Kentaro, 46 anos (foto) foi encontrado morto ontem em seu estúdio de tatuagem em Asakusa. O recluso tatuador era conhecido entre seus colegas como um dos melhores artistas de Asakusa, e a polícia está convocando membros da comunidade que possam saber de alguma coisa a se manifestarem.

O sargento Fukuyama, da Polícia Metropolitana de Tóquio, negou os boatos de que uma faca foi encontrada nas costas do tatuador, sugerindo que os moradores evitem tanto "especulações" como "fofocas" em torno do assunto. Ele comentou: "Estamos conduzindo uma investigação completa sobre o incidente".

Ela fez uma anotação mental para mostrar a matéria para Erik depois. Ela a traduziria para ele. Ele adorava falar como o Japão era "mais seguro" que os Estados Unidos, com suas leis de restrição a armas e baixa taxa de criminalidade. Ela lhe diria: *Está vendo? O Japão não é tudo isso. Não é perfeito. Nenhum lugar é (eu também não)*. A última parte ela diria só para si mesma.

A porta da cozinha se abriu e seu pai entrou, esfregando o sono dos olhos.

– Bom dia – ele disse, se aproximando para fazer cócegas atrás da orelha de Gen.

– Bom dia. – Ela lhe entregou o bebê, pegou uma caneca no armário e serviu café para o pai.

– Obrigado. – Ele pegou a caneca com a mão livre enquanto fazia uma careta para o neto. Em seguida, olhou para a mesa e viu o jornal que Ryoko estava lendo. – Vamos ter que guardar esse jornal como *souvenir*. Não é sempre que Tóquio sedia as Olimpíadas! A última vez foi em 1964. Antes de você nascer! Pense, o pequeno Gen vai poder falar que estava aqui em Tóquio em 2020.

Ryoko deu um gole no café.

– Você não fez compras? Não tem muita coisa na geladeira.

Ela soltou uma risada nervosa. Por que estava tão estressada de falar japonês? Ela se sentia uma pessoa completamente diferente. Estava tentando provocá-lo como fazia antes, mas o japonês a deixava preocupada com a formalidade.

– Calminha – disse Taro. Ficou aliviada por ele perceber que ela estava brincando. – A gente pode passar no mercado daqui a pouco quando Erik acordar, né? Gen? – Ele olhou para o netinho e depois para o teto, como se tivesse se lembrado de algo. – O que Erik come?

– Tudo.

– Que bom. Não tem nada pior que gente fresca.

Eles ficaram sentados um tempo em um silêncio constrangedor. Ryoko manteve os olhos nas próprias mãos. Taro estava emitindo sons divertidos para Gen, que a cada vez soltava um gorgolejo e uma risadinha, fazendo o avô rir também.

Ficou com vontade de provocar o pai mais um pouco.

– Você percebeu que esqueceu as luzes do quarto acesas ontem? Quando foi buscar a gente no aeroporto? – Ryoko balançou a cabeça. – Alguém está ficando gagá...

Desta vez, ele não sorriu nem deu risada. Será que tinha feito uma piada sem graça? Será que ele tinha se chateado? Ou havia algo mais sério acontecendo? Seu estômago se agitou. Ele abaixou a caneca e segurou Gen com o outro braço.

– Ryoko... preciso te contar uma coisa.

Ela o encarou. Havia algo em sua voz exigindo atenção.

– Me desculpe por não ter te contado antes, mas você e Erik estavam tão cansados da viagem e... bem, eu devia te contar agora. Talvez seja mais fácil se eu te mostrar.

Ele se levantou devagar, apoiando-se com a mão livre na ponta da mesa para se erguer.

– Siga-me.

Seu pai saiu da cozinha e ela foi atrás dele, no rastro dos estalos de sua perna no chão. O corredor estava ligeiramente escuro, já que não havia janelas ali. Ele se aproximou da porta do quarto e bateu de leve.

Uma voz baixa falou do outro lado:

– Entrem.

Seu pai abriu a porta e gesticulou para que ela entrasse.

Então ela entrou. As entranhas de seu corpo ficaram paralisadas. Ela viu o contorno de uma pessoa sentada no chão à sua frente, curvada em uma mesa baixa tipo *kotatsu*. Dois conjuntos de *futon* estavam dobrados no pé do armário, guardados para o dia.

O homem no *kotatsu* ficou de joelhos.

– Ryoko-chan – ele disse.

Ela o ficou encarando. Não conseguia falar nada.

– Ryoko-chan. – Ele fez uma reverência completa, tocando a cabeça no tatame, e sua voz tremeu: – Me desculpe.

– Ryo-chan... – seu pai falou. – A gente...

Ela balançou a cabeça.

O homem no chão olhou para ela, nervoso.

Como ele ousava? Como ousava voltar?

Ryoko passou por ele, seguindo para a porta de correr. Seu pai estava segurando Gen, e ela quis arrancá-lo dos seus braços desesperadamente e sair dali. Mas estava encurralada. Sentia os olhos do pai e do tio em suas costas, e sabia que eles esperavam uma resposta. Mas que resposta ela poderia lhes dar? Ela só queria pegar Gen e Erik e fugir daquela situação. Voltar para Nova York, para longe de toda aquela dor e confusão. Para onde as coisas eram mais simples.

Depois de tudo o que ele fez... como *ousava*?

Ela abriu a porta de correr e saiu para o jardim, fechando a porta atrás de si.

O jardim era menor que o da velha casa de Nakano.

O sol estava nascendo e Ryoko olhou para os telhados e as casas baixas e os arranha-céus à distância. Ouviu um miado suave e olhou para baixo, se deparando com uma gatinha tricolor coçando as patas. Ajoelhou-se para fazer carinho nela, e ela ronronou de prazer.

– Que bagunça, hein, gatinha? – A gata olhou para ela com seus estranhos olhos verdes. Notou sangue nas partes brancas de seu pelo. – Você andou brigando por aí, né?

A gata miou enquanto Ryoko fazia carinho em seu pelo macio.

Ryoko a observou com atenção – ela era igualzinha à gata favorita de seu avô, chamada Naomi. Sonoko também adorava gatos. Ela implorava para o avô deixá-la dormir no *futon* com elas quando eram crianças. A gata se enfiava debaixo das cobertas, especialmente no inverno, para se aquecer. Seu lugar favorito era entre as pernas de Sonoko. A pequena Sonoko, que morrera sem o pai por perto. E ali estava ele – de volta, esperando perdão. Bem, ele podia apodrecer no inferno.

A porta se abriu atrás dela, mas ela não se virou para ver quem era.

– Amor? – Seu coração deu um saltinho ao ouvir a voz de Erik.

A gata se assustou com Erik e pulou para o muro baixo do jardim, mas ficou ali os observando. Aguardando.

Ela se virou para Erik, que carregava Gen no *sling*. Ele estava segurando duas canecas de café e ofereceu uma para ela. Ela a pegou e deu um gole. A bebida estava fria e amarga.

– Está tudo bem? – Ele estudou seu rosto. – Seu pai me pediu pra vir falar com você.

– Não muito...

– Suponho que aquele seja seu tio Ichiro? – Ele acenou a cabeça para a casa.

– É.

– Hum. – Erik se sentou no degrau, abaixou o café e balançou Gen suavemente.

– Não sei o que fazer. – Olhar para o rosto tranquilo de Gen a acalmou um pouco.

– Podemos ir embora, se quiser – Erik falou de repente. – Você não precisa lidar com isso.

Ela se imaginou indo embora com Erik e Gen, mas depois pensou no pai e como ele se sentiria.

– Não posso fazer isso com papai.

– Sim... – Erik fez uma pausa. – Você falou com seu tio?

– Não quero.

– Talvez você devesse. Mesmo que seja pra falar o que você pensa.

– Você não entende, Erik. – Seu coração estava acelerado. Ela sentia o sangue subindo e balançou a cabeça bruscamente enquanto falava. – Não é a sua família. Não é a sua cultura. Não é problema seu. Você não entende o Japão.

– Sinto muito – ele disse calmamente. – Não estou querendo te falar o que fazer. Tem muita coisa que não entendo sobre o Japão. – Ele fez uma pausa, e depois continuou, escolhendo as palavras com muito cuidado: – Mas conheço as *pessoas*. E como é que a gente pode entender qualquer coisa se não conversarmos, se não nos ouvirmos? Tenho certeza de que ele tem uma história pra te contar, mas mais importante, ele devia ouvir a *sua* história. Ele precisa saber como você se sente. – Ele colocou a grande mão no seu ombro e fez um carinho. – Nada disso é culpa sua, Ryoko. E estou do *seu* lado *sempre*. O que quer que você queira fazer, vou apoiar sua decisão.

– Sinto muito, Erik. – Uma lágrima brotou em seus olhos, e ela a enxugou. – Eu não devia ter descontado em você. Vou falar com ele.

– Entre quando estiver pronta. Leve o tempo que precisar. – Erik se levantou e seguiu para a porta.

– Não, espere. – Ela olhou para ele parado na porta. Respirou fundo e falou: – Quero conversar com ele aqui fora. No jardim. Parece mais apropriado. – Ela ficou de pé. – Pode pedir pro papai trazê-lo aqui?

– Claro.

Erik saiu e fechou a porta. A gata ainda estava sentada no muro, observando a cena.

Ryoko se afastou da casa e foi até o lago. Olhou para a água e viu os raios de luz dourada da manhã refletidos na superfície. A carpa *koi* cintilava e nadava sonolenta entre a luz e a sombra.

Um pensamento verdadeiramente sombrio e terrível se infiltrou em sua mente. Ela podia ir embora naquele instante. Sozinha. Podia subir o muro do jardim e desaparecer para sempre. Não precisava lidar com nada daquilo; poderia ficar sozinha, ser livre. Poderia ser como aquela gata de rua sentada no muro olhando para ela – poderia se perder na cidade. Então se tornaria o que mais detestava.

Seria exatamente como *ele*.

Ouviu a porta se abrindo.

Ryoko fechou os olhos, e, quando fez isso, imagens de Tóquio vieram à sua mente. De repente, tomou consciência das milhões e milhões de pessoas à sua volta. Todas aquelas vidas, todos aqueles dramas. Todas aquelas famílias trancadas dentro de si. Ela as viu claramente, viu o estádio Olímpico crescendo sem parar ao longo dos anos, os edifícios da cidade florescendo e murchando feito flores dos pântanos de Edo, seguindo seu curso até o fim dos tempos.

A cidade nunca parava, sempre avançando sem se importar com nada.

Tentou abrir os olhos, mas não conseguiu. Porque, quando os abrisse, teria que lidar com um problema bastante real – e sozinha. Então manteve os olhos bem fechados, sentindo a pulsação rugir em sua cabeça, ouvindo a cidade gritando ao fundo. Todas aquelas pessoas pobres, solitárias e sofridas. Trancadas dentro de suas próprias prisões particulares.

Gritando em sua cabeça em uma voz que era ao mesmo tempo muitas e uma só e a mesma. Uma voz que era dela, da qual ela fazia parte. Ela e eles, aqueles milhões e milhões de pessoas indo e vindo, circulando por estações de metrô e prédios, parques e rodovias, vivendo suas vidas. A cidade bombeava sua merda pelos canos, transportava seus corpos em contêineres de metal e guardava seus segredos, suas esperanças, seus sonhos, sua dor, sua agonia.

Ela também era parte disso, não era? Ela estava conectada a tudo, e sempre estaria. Se esconder do outro lado da tela do Skype, a milhares de quilômetros de distância, não mudava isso. Ela era Tóquio.

Respirou fundo e abriu os olhos. E se virou. Seu tio estava ajoelhado debaixo da cerejeira – ela era mais antiga que a velha cerejeira da casa de Nakano.

Suas folhas eram verdes no verão, mas no outono cairiam no chão e apodrece-riam; no inverno, seus galhos se cobririam de neve, e na primavera ela floresceria de novo. Ryoko olhou para o rosto dele. Uma lágrima estava caindo por sua bochecha. A lágrima se dividiu em duas correntes. Ele parecia velho e magro; não tinha um dente.

Era uma pessoa. Assim como ela. Assim como todos os outros. Perdido e solitário.

Juntou as mãos ainda trêmulas. Ajoelhou-se na frente dele, na postura ha-bitual do contador de histórias. *Rakugoka*. Agora era a vez dele de ouvir. Mas a história dela não era engraçada; não haveria final cômico. Ela lhe contaria a verdadeira história de como ele destruíra a família ao abandonar a prima, dei-xando-a morrer sozinha, ao magoar o pai dela. Ela lhe diria o quanto o odiava e que ainda não o perdoara, e talvez nunca fosse perdoar, mas que ela tinha um filho agora, que via o rosto do tio em Gen, e que familiares deviam se perdoar, e que talvez, mas só talvez, um dia, se ele começasse a cumprir o papel que deveria desempenhar na família, talvez nesse dia ela o pudesse perdoar.

Mas, antes que pudesse começar a história, tinha o dever de lhe dizer algo. Essa era a cultura japonesa, e não importava há quanto tempo ela morasse em Nova York, isso sempre seria parte dela. Fez uma reverência completa para o tio, tocando a cabeça no chão. E falou em alto e bom som, com uma confiança inabalável:

– *Okaeri nasai*. – Bem-vindo ao lar.

Ele respondeu com uma reverência enquanto outra lágrima caía na grama.

– *Tadaima*.

– Agora me ouça.

Os músculos das costas da gata se flexionaram e ganharam vida.

De repente, ela se cansou de assistir à garota falando com o homem de cabeça roxa. Seu trabalho já estava cumprido; ela já tinha visto o suficiente. Então se levantou, pulou preguiçosamente para o telhado vizinho e saiu andando devagar pelos telhados sob a luz da manhã.

Perdida mais uma vez na cidade.

Agradecimentos

Ufa! Que jornada mais longa é essa, que começa quando uma criança estufa o peito, declarando com ousadia: "Quero ser escritor!", até publicar seu primeiro livro. Felizmente, em uma longa jornada, você conhece muitas pessoas fantásticas e prestativas, às quais gostaria de agradecer. Então tenha paciência comigo.

Em primeiro lugar, agradeço à minha incrível editora, Poppy Mostyn-Owen. Este livro estava uma bagunça, mas você consertou as partes ruins, e ele não seria o que é sem a sua ajuda. Não consigo descrever o quanto você me ajudou, especialmente por me incentivar com minhas ideias malucas envolvendo notas de rodapé, fotografias, mangás e meu péssimo senso de humor. "Cerimônia de abertura" é para você. Ao meu agente, Ed Wilson, agradeço por ser tão brilhante, animado e entusiasmado desde o primeiro momento em que nos conhecemos, em Foyles – obrigado, Ed. Além disso, agradeço a Helene Butler, da J&A. A Mariko Aruga pelo seu delicioso mangá. A Tamsin Shelton por sua edição de texto afiada. A Carmen Balit pela maravilhosa capa. A Kirsty Doole, Gemma Davis e todos da Atlantic por serem tão apaixonados, simpáticos e acolhedores.

Giles Foden e Stephen Benson merecem enormes agradecimentos. Giles, grande parte deste livro começou com você. Stephen, seu apoio e seus conselhos durante este período da minha vida foram inestimáveis. Obrigado a ambos.

E a todos os meus professores: Trezza Azzopardi (você estava certa), Vesna Goldworthy (você também estava certa), Amit Chaudhuri, Henry Sutton, Philip Langeskov, Anna Metcalfe, Jon Cook e todos do programa de mestrado e doutorado, muito obrigado a todos vocês. Muito obrigado à Fundação Sasakawa da Grã-Bretanha pela ajuda e pelo apoio durante a redação deste manuscrito e do meu PhD.

O próximo grupo de pessoas me ajudou muito – provavelmente de uma forma que eles nem perceberam. Obrigado: Dennis Horton, Calvin Ching, Brian Blanchard, Theresa Wang, James Philip (qual é o seu nome, garoto?), Alexis McDonnell, Tim Yellowhammer, Ash Jones, Ryan Benton, Si Carter, Jon Ford, Bobo, Philbo, Slimer, Anda, The Claw, Stupot, Rufus, Garman, Fraud, Cheese, Suzie Crossland, Andre Gushurst-Moore, Nigel Millington, Stephen Buglass, Carla Spradbery, Cherry Cheung, Shaun Browne, Neil Docking, Michael Rands, Maki Koyama, Chris Amblin, Ayu Okakita, Seb Dehesdin, Yoko Tamai, Sarang Narumi, Vincent Gillespie, Jill Rudd, Brendan Griggs, Matsu, Hori-san, Tsuruoka-sensei e a verdadeira Ogawa-sensei. À memória de um dos meus primeiros parceiros de escrita, Luke McDuff.

Obrigado por serem leitores dispostos e excelentes conselheiros: Hiroko Asago, Jacob Rollinson, Paul Cooper, Matthew Blackman, Naomi Ishiguro, Susan Burton, Deepa Anappara, Ross Benar, Dave Lynch, Felicity Notley, Rowan Hisayo Buchanan, Lizzie Briggs, Sara Sha'ath, Sam West, Will Nott, Sharlene Teo e Elyssa.

Agradecimentos sinceros, emocionais e familiares para todos os espalhafatosos Bradleys: papai (este livro é especialmente para você), mamãe (obrigado, sempre), Bob ("Copy Cat" é para você), Tim (você não ganha nada, e ganha muito mais), AJ, Clare, Meg, Molly, Floss, Lizzie (para as almas da vovó, vovô, tio Bob, Tom, Jake, Suzie e Tess – descansem em paz). Muito obrigado a Nana & Gramps, à equipe do Compsty. Agradecimentos igualmente emocionados a Douglas, Jacqui, Daniel, Bethy, Thomas e Edgar. Obrigado também à mamãe e ao Willie, e à vovó e ao vovô Osmaston, em espírito.

Quaisquer erros na tradução do poema "Aoneko", de Hagiwara Sakutaro, usado como epígrafe são minha própria licença poética (tenho certeza de que Flo teria feito um trabalho melhor – por favor, envie um *e-mail* para ela para contar), assim como os (provavelmente) numerosos erros cometidos no próprio texto. Por estes, peço desculpas e alego erro humano em vez de ignorância ou falta de cuidado. O livro *Poor People*, de William T. Vollman, foi inestimável para a escrita de "Palavras caídas", assim como o filme de animê de Kon Satoshi, *Tokyo Godfathers*. Devo também mencionar um documentário que pode ser encontrado no YouTube chamado *SANYA, Tokyo, Broken city* como um recurso valioso. Os dois haicais que George lê em seu livro de poesia não são creditados no texto, mas são respectivamente de Matsuo Basho e Natsume Soseki (o padrinho dos livros japoneses sobre gatos).

Gostaria também de agradecer, com a vasta gama de diretores, músicos, escritores e artistas que me inspiram todos os dias (há muitos para listar aqui), a todos os japoneses maravilhosos e acolhedores que conheci ao longo dos anos, que me inspiraram com suas explicações e histórias de um país que há muito tempo aprendi a amar.

Finalmente, este livro certamente não existiria sem Julie Neko e Pansy Pusskins (meus gatinhos).

SUA OPINIÃO É MUITO IMPORTANTE

Mande um e-mail para **opiniao@vreditoras.com.br**
com o título deste livro no campo "Assunto".

1ª edição, jul. 2024
FONTES Dante MT Std 10.5/16.3pt
PAPEL Lux Cream 60g/m²
IMPRESSÃO Gráfica Santa Marta
LOTE GSM060624